もくじ

この本の使い方 …………………………… 2
なにをどれだけ食べたらいいの？
──「四群点数法」の基本 ………… 4

第1群 ♠
牛乳・乳製品 ……………………………… 6
卵 ………………………………………… 12

第2群 ♥
魚類 ……………………………………… 14
貝類 ……………………………………… 30
甲殻類ほか ……………………………… 34
魚介類加工品 …………………………… 38
肉類／牛肉 ……………………………… 44
肉類／豚肉 ……………………………… 48
肉類／豚肉加工品 ……………………… 51
肉類／鶏肉 ……………………………… 52
肉類／ラム ……………………………… 55
豆類 ……………………………………… 56
大豆・大豆製品 ………………………… 60

第3群 ♣
野菜 ……………………………………… 66
野菜加工品 ……………………………… 98
冷凍野菜 ………………………………… 101
漬物 ……………………………………… 102
きのこ …………………………………… 104

海藻 ……………………………………… 110
芋・芋加工品 …………………………… 114
くだもの ………………………………… 117
ドライフルーツ ………………………… 131

第4群 ♦
穀類／米・ごはんほか ………………… 132
穀類／めん ……………………………… 138
穀類／パン ……………………………… 143
穀類／小麦粉製品・小麦粉ほか ……… 146
穀類／雑穀 ……………………………… 152
油脂 ……………………………………… 154
砂糖・砂糖類 …………………………… 158
種実 ……………………………………… 160
豆加工品 ………………………………… 162
くだもの缶詰ほか ……………………… 163
調味料 …………………………………… 164
嗜好飲料 ………………………………… 174

標準計量カップ・スプーンによる重量表
 ………………………………………… 176
索引 ……………………………………… 178
概量や単位や栄養成分値の説明… 191

デザイン／横田洋子　校正／くすのき舎
撮影／松園多聞　川上隆二　堀口隆志　編集部
撮影（表紙・大扉）／松園多聞
編集協力／株式会社ビーケイシー

この本の使い方

　本書は食品の概量（1個、1尾、1切れ、1杯、1本など）の写真とともに、その重量と栄養成分値を紹介しています。食べない部分（骨、皮、種など）を含むものは、その部分を廃棄した後の正味重量を掲載。つまり、実際に口に入る量の栄養成分値を掲載しています。

　また、各食品の特徴的な栄養素について説明し、それらの栄養成分値を紹介しています。

　そのほか100gあたりのエネルギー・塩分量、1点重量（80kcal分の重量）などのデータも合わせて掲載。

　日ごろ、よく目にする食品の重量やエネルギーがひと目でわかります。栄養価計算やレシピを読んで料理をするときなど、さまざまに役立つデータです。ただし、概量の重量はあくまでも目安量としてお使いください。

　概量や単位や栄養成分値の詳細は191ページを参照。

A 食品名
- 一般的によく使われる名称で表記。

B 概量と正味重量とエネルギー量
- 概量（1個、1尾、1切れなど）とその重量を紹介。食べない部分（骨、皮、種など。＊で明記）を含むものは、その部分を廃棄した後の、口に入る重量＝正味重量を掲載。エネルギーは、廃棄部分がないものは概量の重量、廃棄部分があるものは正味重量に対するエネルギーを掲載。食品重量の数値は使いやすい数値に丸めた。

C 食品写真
- 概量の示す重量の食品の写真を掲載。

D 食品の説明
- 食品の種類や旬、栄養的特徴などを説明。

E 各栄養データ
- 食品の正味重量100gあたりのエネルギーと塩分を掲載。1点重量＝80kcal分の重量を掲載。廃棄する部分の割合と廃棄部位を掲載。

F 栄養成分値
- 概量（正味重量）あたりの、各食品の特徴的な栄養素とその成分値を掲載。

塩分＝食塩相当量。
たんぱく質＝「アミノ酸組成によるたんぱく質」の値を掲載。「日本食品標準成分表2020年版（八訂）」（以下「食品成分表2020年版（八訂）」と略す）に掲載がないものは「たんぱく質」の値。
脂質＝「脂肪酸のトリアシルグリセロール当量」を掲載。「食品成分表2020年版（八訂）」に掲載がないものは「脂質」の値。
炭水化物＝「利用可能炭水化物」の値を掲載。「食品成分表2020年版（八訂）」の「利用可能炭水化物化（単糖当量）」にアスタリスク（＊）があるものは「利用可能炭水化物（質量計）」の値、ないものは「差引き法による利用可能炭水化物」の値。
食物繊維＝2通りの分析法（プロスキー変法及びプロスキー法、もしくはAOAC.2011.25法）の、いずれかによる値を掲載。
ビタミンA＝レチノール活性当量
ビタミンE＝α-トコフェロール
ナイアシン＝ナイアシン当量
n-3系多価不飽和＝n-3系多価不飽和脂肪酸。
n-6系多価不飽和＝n-6系多価不飽和脂肪酸。
EPA＝エイコサペンタエン酸。食品成分表等では、イコサペンタエン酸として掲載され、IPAと略される。
DHA＝ドコサヘキサエン酸。

- 「食品成分表2020（八訂）」では、推計値に（ ）がついているが、本書では（ ）をはずした数値を掲載（推計値は、諸外国の食品成分表などの文献や原材料配合割合レシピ、類似食品などをもとにした値）。なお、成分表に数値があるものは、最小表示の位に揃え、四捨五入して掲載。「Tr」とあるものは「微量」と示した。
- 食品同士で食物繊維量を比較したい場合は、「食品成分表2020年版（八訂）」炭水化物成分表別表1を参照。

G 野菜の緑黄色野菜と淡色野菜
- 緑黄色野菜は、原則として可食部100gあたりのカロテンの含有量が600μg以上のものをいう。しかし、カロテン含量が600μg未満であっても、トマトやピーマンなど一部の野菜について、摂取量および摂取する頻度などから緑黄色野菜として扱われている。緑黄色野菜以外の野菜は淡色野菜と表記した。資料／令和3年に厚生労働省健康局より通知された「『日本食品標準成分表2020年版（八訂）』の取扱いについて」。

なにをどれだけ食べたらいいの？
──「四群点数法」の基本──

毎日食べるべき食品の量と質が簡単にわかり、健康な食生活を送れる食事法、それが「四群点数法」です。しかも、栄養や食品についての難しい知識は必要としません。覚えることは以下の4つのことです。

❶ 食品を栄養的な特徴によって、**4つのグループ**（食品群）に分けて、それぞれを第1群、第2群、第3群、第4群とする。
❷ 食品の重量は**80kcalを1点**とする単位（エネルギー点数）で表わす。
❸ 1日に食べるべき食品の量を**第1群～第4群の各食品ごとにエネルギー点数で示す**。
❹ **1日20点（1600kcal）を基本**とし、年齢・性・活動の程度などで増減する。

● 四群点数法がもっとよくわかるおすすめの本

大きさ・量がひと目でわかる
『八訂 食品80キロカロリーガイドブック』
（女子栄養大学出版部）定価1760円（税込）

4つの食品群別に、食品の80キロカロリー分の分量をカラー写真で紹介。また、各食品の特徴的な栄養価も掲載。

バランスのよい食事ガイド
『なにをどれだけ食べたらいいの？ 第5版』
（女子栄養大学出版部）定価1210円（税込）

女子栄養大学が提唱する「バランスのよい食事法」をわかりやすく説明。四群点数法に沿った食品の選び方や献立の立て方などを紹介。

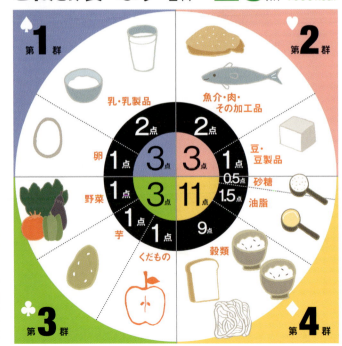

1日にこれだけ食べよう 1日＝20点 1600kcal

第1群 乳・乳製品 2点 / 卵 1点
第2群 魚介・肉・その加工品 2点 / 豆・豆製品 1点
第3群 野菜 1点 / 芋 1点 / くだもの 1点
第4群 穀類 9点 / 油脂 1.5点 / 砂糖 0.5点
3点 3点 3点 11点

各群の栄養的特徴と1日20点のときの食品の目安量

♠ 第1群
乳・乳製品、卵
日本人に不足しがちな栄養素を含み、栄養バランスを完全にする食品群。毎日、欠かさずとるようにする。
乳・乳製品…250g
卵…55g

♥ 第2群
魚介、肉、豆・豆製品
肉や血を作る良質たんぱく質の食品群。体のたんぱく質はつねに作りかえられるので、毎日適量を食べたい。
魚介]…100g
肉
豆・豆製品…80g

♣ 第3群
野菜（きのこ、海藻も含む）、芋、果物
体の調子をよくする食品群。
野菜は、緑黄色野菜120g以上と淡色野菜（きのこ、海藻を含む）230gの計350gで1点とする。
野菜…緑黄色野菜120g
　　　淡色野菜　230g]…350g
芋…100g
くだもの…150g

◆ 第4群
穀類、油脂、砂糖、その他
力や体温となる食品群。この群は自分の体重などを考慮して増減し、ふさわしい量をとる。
穀類…230g
油脂…15g
砂糖…10g

1群 牛乳（普通牛乳・濃厚牛乳）

牛乳（普通牛乳）
コップ1杯　150g　92kcal

● 1カップ　210g／128kcal／塩分 0.2g

成分規格／無脂乳固形分 8.0%以上、乳脂肪分 3.0%以上。良質たんぱく質とカルシウムが豊富で、カルシウムの利用効率が高い食品。ビタミンA、B群も含む。

コップ1杯（150g）あたり
- 塩分…………0.2g
- たんぱく質……4.5g
- 脂質…………5.3g
- 炭水化物………6.6g
- カリウム………225mg
- カルシウム……165mg
- ビタミンA……57μg
- ビタミンB₂……0.23mg
- ビタミンB₁₂……0.5μg
- コレステロール…18mg

100gあたり
- エネルギー……61kcal
- 塩分……………0.1g

1点重量…130g

牛乳（濃厚牛乳）
コップ1杯　150g　105kcal

● 1カップ　210g／147kcal／塩分 0.2g

加工乳のひとつ。無脂乳固形分 8.0%以上で、牛乳より乳脂肪分を高くして濃厚な成分に加工したもの。

コップ1杯（150g）あたり
- 塩分…………0.2g
- たんぱく質……4.5g
- 脂質…………6.3g
- 炭水化物………7.2g
- カリウム………255mg
- カルシウム……165mg
- ビタミンA……53μg
- ビタミンB₂……0.26mg
- ビタミンB₁₂……0.6μg
- コレステロール…24mg

100gあたり
- エネルギー……70kcal
- 塩分……………0.1g

1点重量…110g

牛乳（低脂肪牛乳）

コップ1杯 150g 63kcal

● 1カップ 210g／88kcal／塩分 0.4g

加工乳のひとつ。脱脂して牛乳より乳脂肪分を低く加工したもので、無脂乳固形分8.0%以上、乳脂肪分0.5%以上、1.5%以下。「無脂肪牛乳」は無脂乳固形分8.0%以上、乳脂肪分0.5%未満のもの。

コップ1杯(150g)あたり
- 塩分……………0.3g
- たんぱく質………5.1g
- 脂質……………1.5g
- 炭水化物…………7.4g
- カリウム………285mg
- カルシウム……195mg
- ビタミンA………20μg
- ビタミンB₂……0.27mg
- ビタミンB₁₂……0.6μg
- コレステロール……9mg

100gあたり
- エネルギー……42kcal
- 塩分……………0.2g

1点重量……190g

スキムミルク（脱脂粉乳）

大さじ1 6g 21kcal

● 小さじ1 2g／7kcal／塩分 0g

成分規格／乳固形分95.0%以上、水分5.0以下。生乳、牛乳又は特別牛乳の乳脂肪分を除去したものから、ほとんどの水分を除去し、粉末状にしたもの。低脂肪で、良質たんぱく質とカルシウムが豊富。

大さじ1(6g)あたり
- 塩分……………0.1g
- たんぱく質………1.8g
- 脂質………………0g
- 炭水化物…………3.3g
- カリウム………108mg
- カルシウム………66mg
- ビタミンA………0μg
- ビタミンB₂……0.10mg
- ビタミンB₁₂……0.1μg
- コレステロール……2mg

100gあたり
- エネルギー……354kcal
- 塩分……………1.4g

1点重量……23g

加糖練乳

大さじ1 18g 57kcal

● 小さじ1 6g／19kcal／塩分 0g

成分規格／乳固形分28.0%以上、うち乳脂肪分8.0%以上、水分27.0%以下、糖分（乳糖を含む）58.0%以下。生乳、牛乳又は特別牛乳にショ糖を加えて濃縮したもの。

大さじ1(18g)あたり
- 塩分………………0g
- たんぱく質………1.3g
- 脂質……………1.5g
- 炭水化物…………9.6g
- カリウム…………72mg
- カルシウム………47mg
- ビタミンA………22μg
- ビタミンB₂……0.07mg
- ビタミンB₁₂……0.1μg
- コレステロール……3mg

100gあたり
- エネルギー……314kcal
- 塩分……………0.2g

1点重量……25g

1群　牛乳（低脂肪牛乳）／乳製品（スキムミルク・加糖練乳）

1群 乳製品（プレーンヨーグルト・無脂肪 無糖ヨーグルト・加糖ヨーグルト）

ヨーグルト（プレーンヨーグルト）
1食分 80g 45kcal

- 1カップ　210g／118kcal／塩分 0.2g
- 大さじ1　15g／8kcal／塩分 0g

1食分（80g）あたり
- 塩分…………0.1g
- たんぱく質……2.6g
- 脂質…………2.2g
- 炭水化物……3.0g
- カリウム………136mg
- カルシウム……96mg
- ビタミンA……26μg
- ビタミンB₂……0.11mg
- ビタミンB₁₂……0.1μg
- コレステロール…10mg

100gあたり
- エネルギー……56kcal
- 塩分…………0.1g

1点重量…140g

牛乳に乳酸菌を加えて発酵させたもの。無糖タイプ。発酵作用によって、たんぱく質、カルシウムの消化吸収率がアップする。乳糖不耐症の人でも下痢を起こしにくい。

ヨーグルト（無脂肪・無糖ヨーグルト）
1食分 80g 30kcal

- 1カップ　210g／78kcal／塩分 0.2g
- 大さじ1　15g／6kcal／塩分 0g

1食分（80g）あたり
- 塩分…………0.1g
- たんぱく質……3.0g
- 脂質…………0.2g
- 炭水化物……3.3g
- カリウム………144mg
- カルシウム……112mg
- ビタミンA……2μg
- ビタミンB₂……0.14mg
- ビタミンB₁₂……0.2μg
- コレステロール…3mg

100gあたり
- エネルギー……37kcal
- 塩分…………0.1g

1点重量…220g

脂質の含有量が0〜0.5gのものが多く、糖質を加えていないもの。脂質が少ないのでエネルギーは低いが、栄養的な効果はプレーンヨーグルトと同じ。

ヨーグルト（加糖ヨーグルト）
1パック 75g 49kcal

1パック（75g）あたり
- 塩分…………0.2g
- たんぱく質……3.0g
- 脂質…………0.2g
- 炭水化物……8.4g
- カリウム………113mg
- カルシウム……90mg
- ビタミンA……0μg
- ビタミンB₂……0.11mg
- ビタミンB₁₂……0.2μg
- コレステロール…3mg

100gあたり
- エネルギー……65kcal
- 塩分…………0.2g

1点重量…120g

牛乳に乳酸菌を加えて発酵させ、甘味を加えたもの。栄養的な効果は、プレーンヨーグルトと同様。

ヨーグルトドリンク

コップ1杯　150g　96kcal

牛乳を発酵後、かたまったヨーグルトを撹拌して液状にしたもの。ほとんど甘味が加えられている。掲載のものは、甘味を加えたものの成分値。

コップ1杯(150g)あたり
- 塩分……………0.2g
- たんぱく質………3.9g
- 脂質……………0.8g
- 炭水化物………17.3g
- カリウム………195mg
- カルシウム……165mg
- ビタミンA………8μg
- ビタミンB₂……0.18mg
- ビタミンB₁₂……0.3μg
- コレステロール……5mg

100gあたり
- エネルギー……64kcal
- 塩分……………0.1g

1点重量…130g

プロセスチーズ

ナチュラルチーズを加熱して溶かし、成型したもの。牛乳より消化しやすく、良質たんぱく質、脂質、ビタミンA、B₂などが豊富で、特にカルシウム供給食品として理想的。乳糖不耐症の人でも下痢を起こしにくい。

100gあたり
- エネルギー……313kcal
- 塩分……………2.8g

1点重量……26g

1切れ (3×6cm 厚さ5mm) **10g　31kcal**

スティック1本　10g　31kcal

1本(10g)あたり
- 塩分……………0.3g
- たんぱく質………2.2g
- 脂質……………2.5g
- 炭水化物………0g
- カリウム………6mg
- カルシウム……63mg
- ビタミンA………26μg
- ビタミンB₂……0.04mg
- ビタミンB₁₂……0.3μg
- コレステロール……8mg

スライス1枚　18g　56kcal

1枚(18g)あたり
- 塩分……………0.5g
- たんぱく質………3.9g
- 脂質……………4.4g
- 炭水化物………0g
- カリウム………11mg
- カルシウム……113mg
- ビタミンA………47μg
- ビタミンB₂……0.07mg
- ビタミンB₁₂……0.6μg
- コレステロール……14mg

個包装1個　15g　47kcal

1個(15g)あたり
- 塩分……………0.4g
- たんぱく質………3.2g
- 脂質……………3.7g
- 炭水化物………0g
- カリウム………9mg
- カルシウム……95mg
- ビタミンA………39μg
- ビタミンB₂……0.06mg
- ビタミンB₁₂……0.5μg
- コレステロール……12mg

6Pチーズ1個　18g　56kcal

1個(18g)あたり
- 塩分……………0.5g
- たんぱく質………3.9g
- 脂質……………4.4g
- 炭水化物………0g
- カリウム………11mg
- カルシウム……113mg
- ビタミンA………47μg
- ビタミンB₂……0.07mg
- ビタミンB₁₂……0.6μg
- コレステロール……14mg

1群　乳製品（ヨーグルトドリンク・プロセスチーズ）

1群 乳製品（カッテージチーズ・カマンベールチーズ・クリームチーズ・ゴーダチーズ・チェダーチーズ・とろけるチーズ）

カッテージチーズ

大さじ1　15g　15kcal

大さじ1（15g）あたり
- 塩分……………0.2g
- たんぱく質……2.0g
- 脂質……………0.6g
- 炭水化物………0.3g
- カリウム………8mg
- カルシウム……8mg
- ビタミンA……6μg
- ビタミンB2……0.02mg
- ビタミンB12……0.2μg
- コレステロール……3mg

100gあたり
- エネルギー……99kcal
- 塩分……………1.0g

1点重量……80g

カマンベールチーズ

1ホール　100g　291kcal

※国産

● 輸入品（1ホール）
125g／364kcal
／塩分 2.5g

1ホール（100g）あたり
- 塩分……………2.0g
- たんぱく質……17.7g
- 脂質……………22.5g
- 炭水化物………4.2g
- カリウム………120mg
- カルシウム……460mg
- ビタミンA……240μg
- ビタミンB2……0.48mg
- ビタミンB12……1.3μg
- コレステロール……87mg

100gあたり
- エネルギー……291kcal
- 塩分……………2.0g

1点重量……27g

クリームチーズ

大さじ1　15g　47kcal

大さじ1（15g）あたり
- 塩分……………0.1g
- たんぱく質……1.1g
- 脂質……………4.5g
- 炭水化物………0.4g
- カリウム………11mg
- カルシウム……11mg
- ビタミンA……38μg
- ビタミンB2……0.03mg
- ビタミンB12……0μg
- コレステロール……15mg

100gあたり
- エネルギー……313kcal
- 塩分……………0.7g

1点重量……26g

ゴーダチーズ

1切れ（3×3cm 厚さ8mm）　10g　36kcal

1切れ（10g）あたり
- 塩分……………0.2g
- たんぱく質……2.6g
- 脂質……………2.6g
- 炭水化物………0.4g
- カリウム………8mg
- カルシウム……68mg
- ビタミンA……27μg
- ビタミンB2……0.03mg
- ビタミンB12……0.2μg
- コレステロール……8mg

100gあたり
- エネルギー……356kcal
- 塩分……………2.0g

1点重量……22g

チェダーチーズ

1切れ（3×3cm 厚さ8mm）　10g　39kcal

1切れ（10g）あたり
- 塩分……………0.2g
- たんぱく質……2.4g
- 脂質……………3.2g
- 炭水化物………0g
- カリウム………9mg
- カルシウム……74mg
- ビタミンA……33μg
- ビタミンB2……0.05mg
- ビタミンB12……0.2μg
- コレステロール……10mg

100gあたり
- エネルギー……390kcal
- 塩分……………2.0g

1点重量……21g

とろけるチーズ（エメンタール）

大さじ1　8g　32kcal

大さじ1（8g）あたり
- 塩分……………0.1g
- たんぱく質……2.2g
- 脂質……………2.4g
- 炭水化物………0.5g
- カリウム………9mg
- カルシウム……96mg
- ビタミンA……18μg
- ビタミンB2……0.04mg
- ビタミンB12……0.1μg
- コレステロール……7mg

100gあたり
- エネルギー……398kcal
- 塩分……………1.3g

1点重量……20g

パルメザンチーズ（粉チーズ）

大さじ1　6g　27kcal

大さじ1（6g）あたり
- 塩分…………0.2g
- たんぱく質……2.5g
- 脂質…………1.7g
- 炭水化物………0.5g
- カリウム………7mg
- カルシウム……78mg
- ビタミンA……14μg
- ビタミンB2……0.04mg
- ビタミンB12……0.2μg
- コレステロール……6mg

100gあたり
- エネルギー……445kcal
- 塩分……3.8g

1点重量……18g

ブルーチーズ

1切れ（3×3cm 厚さ1cm）　10g　33kcal

1切れ（10g）あたり
- 塩分…………0.4g
- たんぱく質……1.8g
- 脂質…………2.6g
- 炭水化物………0.5g
- カリウム………12mg
- カルシウム……59mg
- ビタミンA……28μg
- ビタミンB2……0.04mg
- ビタミンB12……0.1μg
- コレステロール……9mg

100gあたり
- エネルギー……326kcal
- 塩分……3.8g

1点重量……25g

マスカルポーネチーズ

大さじ1　16g　44kcal

大さじ1（16g）あたり
- 塩分…………0g
- たんぱく質……0.7g
- 脂質…………4.0g
- 炭水化物………1.2g
- カリウム………22mg
- カルシウム……24mg
- ビタミンA……62μg
- ビタミンB2……0.03mg
- ビタミンB12……0μg
- コレステロール……13mg

100gあたり
- エネルギー……273kcal
- 塩分……0.1g

1点重量……29g

モッツァレラチーズ

1切れ（厚さ8mm）　15g　40kcal

1切れ（15g）あたり
- 塩分…………0g
- たんぱく質……2.8g
- 脂質…………3.0g
- 炭水化物………0.6g
- カリウム………3mg
- カルシウム……50mg
- ビタミンA……42μg
- ビタミンB2……0.03mg
- ビタミンB12……0.2μg
- コレステロール……9mg

100gあたり
- エネルギー……269kcal
- 塩分……0.2g

1点重量……30g

リコッタチーズ

大さじ1　16g　25kcal

大さじ1（16g）あたり
- 塩分…………0.1g
- たんぱく質……1.1g
- 脂質…………1.8g
- 炭水化物………1.1g
- カリウム………34mg
- カルシウム……54mg
- ビタミンA……26μg
- ビタミンB2……0.03mg
- ビタミンB12……0μg
- コレステロール……9mg

100gあたり
- エネルギー……159kcal
- 塩分……0.4g

1点重量……50g

やぎチーズ（シェーブル）

1切れ（厚さ8mm）　12g　34kcal

1切れ（12g）あたり
- 塩分…………0.1g
- たんぱく質……2.2g
- 脂質…………2.4g
- 炭水化物………0.7g
- カリウム………31mg
- カルシウム……16mg
- ビタミンA……35μg
- ビタミンB2……0.11mg
- ビタミンB12……0μg
- コレステロール……11mg

100gあたり
- エネルギー……280kcal
- 塩分……1.2g

1点重量……29g

1群　乳製品（パルメザンチーズ・ブルーチーズ・マスカルポーネチーズ・モッツァレラチーズ・リコッタチーズ・やぎチーズ）

卵群

卵（全卵）・卵黄

卵（全卵）

1個（殻つき） 65g　正味重量* 55g　78kcal

*付着卵白を含む卵殻を除いた重量

●卵黄：卵白…32：68

鶏卵。人体の血や肉になりやすい良質たんぱく質に富み、ビタミンCを除く、ビタミンとミネラル類がすべて含まれ、特にカルシウム、鉄、ビタミンA、B₁、B₂、Dなどが豊富。赤玉と白玉の栄養価は同じ。
【サイズ別の重量（殻つき）】L 64〜70g。M 58〜64g。MS 52〜58g。

1個（55g）あたり
- 塩分……0.2g
- たんぱく質……6.2g
- 脂質……5.1g
- 炭水化物……1.9g
- カリウム……72mg
- カルシウム……25mg
- 鉄……0.8mg
- ビタミンA……116µg
- ビタミンD……2.1µg
- ビタミンB₁……0.03mg
- ビタミンB₂……0.20mg
- ビタミンB₁₂……0.6µg
- コレステロール……204mg

100gあたり
- エネルギー……142kcal
- 塩分……0.4g

1点重量……55g
廃棄率……14%

卵殻のみ廃棄率…13%

卵黄

1個分 18g 60kcal

脂質とたんぱく質が主成分。全卵と栄養的特徴は同じ。コレステロールも多く含む。

100gあたり
- エネルギー……336kcal
- 塩分……0.1g

1点重量……24g

1個分（18g）あたり
- 塩分……0g
- たんぱく質……2.5g
- 脂質……5.1g
- 炭水化物……1.2g
- カリウム……18mg
- カルシウム……25mg
- 鉄……0.9mg
- ビタミンA……124µg
- ビタミンD……2.2µg
- ビタミンB₁……0.04mg
- ビタミンB₂……0.08mg
- ビタミンB₁₂……0.6µg
- コレステロール……216mg

卵白

1個分 37g 16kcal

主成分がたんぱく質で、脂質はほとんど含まない。100g中、たんぱく質9.5g、脂質0g、炭水化物1.6g、水分88.3g。

100gあたり
- エネルギー……44kcal
- 塩分……0.5g
- **1点重量……180g**

1個分 (37g)あたり
- 塩分……0.2g
- たんぱく質……3.5g
- 脂質……0g
- 炭水化物……0.6g
- カリウム……52mg
- カルシウム……2mg
- ビタミンA……0μg
- ビタミンD……0μg
- ビタミンB₁……0mg
- ビタミンB₂……0.13mg
- ビタミンB₁₂……微量
- コレステロール……0mg

うずら卵

*付着卵白を含む卵殻を除いた重量

1個（殻つき） 12g 正味重量*10g 16kcal

100gあたり
- エネルギー……157kcal
- 塩分……0.3g
- **1点重量……50g**
- **廃棄率……15%**
- 卵殻のみ廃棄率……12%

1個 (10g)あたり
- 塩分……0g
- たんぱく質……1.1g
- 脂質……1.1g
- 炭水化物……0.4g
- カリウム……15mg
- カルシウム……6mg
- ビタミンA……35μg
- ビタミンD……0.3μg
- ビタミンB₂……0.07mg
- ビタミンB₁₂……0.5μg
- コレステロール……47mg

うずら卵（水煮）

1個 10g 16kcal

100gあたり
- エネルギー……162kcal
- 塩分……0.5g
- **1点重量……50g**
- **廃棄率……0%**

水煮 1個 (10g)あたり
- 塩分……0.1g
- たんぱく質……1.0g
- 脂質……1.2g
- 炭水化物……0.4g
- カリウム……3mg
- カルシウム……5mg
- ビタミンA……48μg
- ビタミンD……0.3μg
- ビタミンB₂……0.03mg
- ビタミンB₁₂……0.3μg
- コレステロール……49mg

ピータン

1個（むき身） 50g 94kcal

100gあたり
- エネルギー……188kcal
- 塩分……2.0g
- **1点重量……45g**
- **廃棄率……45%**

アヒルの卵に石灰、炭酸ソーダ、わら灰、食塩などを混ぜたものをまぶして凝固させたもの。

泥状物及び卵殻つきの廃棄率…45%
卵殻のみの廃棄率…15%

1個 (50g)あたり
- 塩分……1.0g
- たんぱく質……6.9g
- 脂質……6.8g
- 炭水化物……1.5g
- カリウム……33mg
- カルシウム……45mg
- ビタミンA……110μg
- ビタミンD……3.1μg
- ビタミンB₂……0.14mg
- ビタミンB₁₂……0.6μg
- コレステロール……340mg

1群 卵（卵白・うずら卵・ピータン）

アジ

1尾 160g 正味重量* 70g 78kcal

＊頭、内臓、骨、皮、ひれ等を除いた重量

約17cm

● 刺し身1切れ　12g／13kcal／塩分 0g

青背魚。旬は5～10月で特に夏。脂質は少なめで、たんぱく質が多く、必須アミノ酸をバランスよく含む。カルシウム、ビタミンB群が多い。EPAやDHAも豊富。うま味成分のグルタミン酸やタウリンも多い。

1尾（70g）あたり
塩分	0.2g
たんぱく質	11.8g
脂質	2.5g
炭水化物	2.3g
カリウム	252mg
カルシウム	46mg
鉄	0.4mg
亜鉛	0.8mg
ビタミンA	5μg
ビタミンD	6.2μg
ビタミンE	0.4mg
ビタミンB₂	0.09mg
ビタミンB₁₂	5.0μg
コレステロール	48mg
n-3系多価不飽和	0.74g
n-6系多価不飽和	0.09g
EPA	210mg
DHA	399mg

100gあたり
エネルギー	112kcal
塩分	0.3g
1点重量	70g
廃棄率	55%

廃棄部位／頭、内臓、骨、ひれ等（三枚おろし）

アナゴ

1尾（開き身） 70g 102kcal

約6cm幅 35cm長さ

旬は夏だが、周年美味。身は白身で、脂肪分が多く、ビタミンAも豊富で、100g中500μg含む。EPAやDHAも豊富。

1尾（70g）あたり
塩分	0.3g
たんぱく質	10.1g
脂質	5.6g
炭水化物	2.9g
カリウム	259mg
カルシウム	53mg
鉄	0.6mg
亜鉛	0.5mg
ビタミンA	350μg
ビタミンD	0.3μg
ビタミンE	1.6mg
ビタミンB₂	0.10mg
ビタミンB₁₂	1.6μg
コレステロール	98mg
n-3系多価不飽和	0.99g
n-6系多価不飽和	0.15g
EPA	392mg
DHA	385mg

100gあたり
エネルギー	146kcal
塩分	0.4g
1点重量	55g
廃棄率	35%

一尾の廃棄率　35%

アユ

1尾 80g 正味重量* 40g 55kcal

*頭、内臓、骨、皮、ひれ等を除いた重量

約15cm

旬は6〜9月あたり。日本の代表的な川魚で、香りがよいので「香魚(こうぎょ)」とも呼ばれる。天然と養殖ではエサの影響で栄養成分の含有量に差がある。養殖の方が脂質、ビタミンA、Eが高く、ビタミンB_{12}が低い。掲載数値は養殖。

1尾（40g)あたり

塩分	0g
たんぱく質	5.8g
脂質	2.6g
炭水化物	2.0g
カリウム	144mg
カルシウム	100mg
鉄	0.3mg
亜鉛	0.4mg
ビタミンA	22μg
ビタミンD	3.2μg
ビタミンE	2.0mg
ビタミンB_2	0.06mg
ビタミンB_{12}	1.0μg
コレステロール	44mg
n-3系多価不飽和	0.33g
n-6系多価不飽和	0.23g
EPA	72mg
DHA	176mg

100gあたり
エネルギー…138kcal
塩分……………0.1g
1点重量……60g
廃棄率………50%

廃棄部位／頭、内臓、骨、ひれ等（三枚おろし）

イワシ

1尾 120g 正味重量* 50g 78kcal

*頭、内臓、骨、皮、ひれ等を除いた重量

約15cm

青背魚。旬は秋から冬。良質のたんぱく質と脂質に富み、カルシウム、マグネシウム、リンなど骨の形成に不可欠のミネラルを豊富に含んでいる。EPAやDHAが豊富。コレステロール低下作用のあるタウリンも多い。

100gあたり
エネルギー…156kcal
塩分……………0.2g
1点重量……50g
廃棄率………60%

廃棄部位／頭、内臓、骨、ひれ等（三枚おろしの場合）。手開きの廃棄率…50%

1尾（50g)あたり

塩分	0.1g
たんぱく質	8.2g
脂質	3.7g
炭水化物	3.2g
カリウム	135mg
カルシウム	37mg
マグネシウム	15mg
リン	115mg
鉄	1.1mg
亜鉛	0.8mg
ビタミンA	4μg
ビタミンD	16.0μg
ビタミンE	1.3mg
ビタミンB_2	0.2mg
ビタミンB_{12}	8.0μg
コレステロール	34mg
n-3系多価不飽和	1.05g
n-6系多価不飽和	0.14g
EPA	390mg
DHA	435mg

2群 魚類（アユ・イワシ）

2群 魚類（カジキ・カツオ）

カジキ（メカジキ）

1切れ 100g 139kcal

● 刺し身1切れ　10g／14kcal／塩分 0g

一般に身にはミオグロビン（色素たんぱく質）が多く、赤身魚に分類される。旬は秋。カジキマグロとも呼ばれ、肉質がマグロに似ているがマグロ類とは異なる。数種あるが、メカジキは肉質がやわらかく比較的脂質含量が高い。マカジキは高たんぱく、低脂肪が特徴。

1切れ（100g）あたり
- 塩分……………0.2g
- たんぱく質……15.2g
- 脂質……………6.6g
- 炭水化物………4.7g
- カリウム………440mg
- カルシウム……3mg
- 鉄………………0.5mg
- 亜鉛……………0.7mg
- ビタミンA………61μg
- ビタミンD………8.8μg
- ビタミンE………4.4mg
- ビタミンB₂……0.09mg
- ビタミンB₁₂……1.9μg
- コレステロール…72mg
- n-3系多価不飽和…0.92g
- n-6系多価不飽和…0.19g
- EPA……………110mg
- DHA……………600mg

100gあたり
- エネルギー……139kcal
- 塩分……………0.2g
- 1点重量………60g
- 廃棄率…………0%

カツオ（春獲り）

1さく（背側）250g 270kcal

● 刺し身1切れ　15g／16kcal／塩分 0g
● 秋獲り・生　100g／150kcal／塩分 0.1g
　／1点重量 55g

赤身魚。旬は春と秋。春の「初ガツオ」は脂質が少なくてさっぱり、秋の「戻りガツオ」は脂がのっている。良質なたんぱく質を多く含み、EPAやDHAやタウリンも豊富。血合いにはビタミンB群、ビタミンD、鉄が多い。

100gあたり
- エネルギー……108kcal
- 塩分……………0.1g
- 1点重量………75g
- 廃棄率…………0%

一尾（三枚おろし）の廃棄率…35%

1さく（250g）あたり
- 塩分……………0.3g
- たんぱく質……51.5g
- 脂質……………1.0g
- 炭水化物………13.5g
- カリウム………1075mg
- カルシウム……28mg
- 鉄………………4.8mg
- 亜鉛……………2.0mg
- ビタミンA………13μg
- ビタミンD………10.0μg
- ビタミンE………0.8mg
- ビタミンB₂……0.43mg
- ビタミンB₆……1.9mg
- ビタミンB₁₂……21.0μg
- コレステロール…150mg
- n-3系多価不飽和…0.43g
- n-6系多価不飽和…0.05g
- EPA……………98mg
- DHA……………300mg

カマス

1尾 160g　正味重量* 95g　130kcal
＊頭、内臓、骨、皮、ひれ等を除いた重量

約22cm

白身魚。旬は夏から秋。白身でくせがなく、上品な味わい。水分が多いので、旬の時季以外は干物にするとうま味が凝縮する。ミネラルが豊富で、ビタミンB6やEPA、DHAが多い。

100gあたり
エネルギー……137kcal
塩分……………0.3g
1点重量……60g
廃棄率………40%

廃棄部位／頭、内臓、骨、ひれ等（三枚おろし）

1尾（95g）あたり
塩分……………0.3g
たんぱく質……14.7g
脂質……………6.1g
炭水化物………4.1g
カリウム………304mg
カルシウム……39mg
鉄………………0.3mg
亜鉛……………0.5mg
ビタミンA………11μg
ビタミンD………10.5μg
ビタミンE………0.9mg
ビタミンB2……0.13mg
ビタミンB6……0.29mg
ビタミンB12……2.2μg
コレステロール…55mg
n-3系多価不飽和…1.43g
n-6系多価不飽和…0.25g
EPA……………323mg
DHA……………893mg

カレイ

1尾 200g　正味重量* 100g　89kcal
＊頭、内臓、骨、皮、ひれ等を除いた重量

約17cm

白身魚。1年中出回る。「左ヒラメの右カレイ」といわれるように体の右側に目がある。必須アミノ酸バランスがよい良質なたんぱく質を含み、消化、吸収に優れる。ビタミンB2や肝機能を高め、血中コレステロールを下げるタウリンが多い。

100gあたり
エネルギー……89kcal
塩分……………0.3g
1点重量……90g
廃棄率…………0%

廃棄部位／頭、内臓、骨、ひれ等（五枚おろし）

1尾（100g）あたり
塩分……………0.3g
たんぱく質……17.8g
脂質……………1.0g
炭水化物………2.2g
カリウム………330mg
カルシウム……43mg
鉄………………0.2mg
亜鉛……………0.8mg
ビタミンA………5μg
ビタミンD………13.0μg
ビタミンE………1.5mg
ビタミンB2……0.35mg
ビタミンB12……3.1μg
コレステロール…71mg
n-3系多価不飽和…0.35g
n-6系多価不飽和…0.06g
EPA……………180mg
DHA……………96mg

2群　魚類（カマス・カレイ）

2群 魚類（カレイ・カンパチ）

カレイ（子持ちガレイ）

1切れ **130**g　正味重量* **120**g　**148**kcal

*骨、皮を除いた重量

白身魚。産卵期になって卵を持つメスのカレイのこと。

1切れ（120g）あたり
- 塩分……………0.2g
- たんぱく質……23.9g
- 脂質……………5.8g
- 炭水化物………0.1g
- カリウム………348mg
- カルシウム……24mg
- 鉄………………0.2mg
- 亜鉛……………1.0mg
- ビタミンA……14μg
- ビタミンD……4.8μg
- ビタミンE……3.5mg
- ビタミンB2……0.24mg
- ビタミンB12……5.2mg
- コレステロール…144mg
- n-3系多価不飽和…1.81g
- n-6系多価不飽和…0.16g
- EPA……………960mg
- DHA……………456mg

100gあたり
- エネルギー…123kcal
- 塩分……………0.2g

1点重量　65g

廃棄率　40%

廃棄部位／骨、皮（切り身）。一尾の廃棄率…40%

カンパチ

1さく（背側）**450**g　**428**kcal

旬は夏。ブリの仲間で、成長するにつれて呼び名が変わる出世魚。必須アミノ酸をバランスよく含んだ良質のたんぱく質が多い。鉄やナイアシン、EPAやDHAなどが多い。

●刺し身1切れ　12g／11kcal／塩分0g

1さく（450g）あたり
- 塩分……………0.5g
- たんぱく質……84.6g
- 脂質……………4.1g
- 炭水化物………13.1g
- カリウム………2115mg
- カルシウム……27mg
- 鉄………………1.8mg
- 亜鉛……………1.8mg
- ビタミンA……18μg
- ビタミンD……6.3μg
- ビタミンE……5.0mg
- ビタミンB2……0.36mg
- ナイアシン……63.0mg
- ビタミンB12……4.5mg
- コレステロール…216mg
- n-3系多価不飽和…1.17g
- n-6系多価不飽和…0.23g
- EPA……………117mg
- DHA……………945mg

100gあたり
- エネルギー…95kcal
- 塩分……………0.1g

1点重量　85g

廃棄率　0%

一尾（三枚おろし）の廃棄率…40%

キス

1尾 50g 正味重量* 23g 17kcal

*頭、内臓、骨、皮、ひれ等を除いた重量

約10cm

● 天ぷら用開き身1尾
20g ／ 15kcal ／ 塩分 0.1g

白身魚。旬は初夏。身は脂肪が少なく水分が多いので、低エネルギー。カルシウムをやや多く含む。

1尾（23g）あたり
塩分	0.1g
たんぱく質	3.7g
脂質	0g
炭水化物	0.4g
カリウム	78mg
カルシウム	6mg
鉄	0mg
亜鉛	0.1mg
ビタミンA	0μg
ビタミンD	0.2μg
ビタミンE	0.1mg
ビタミンB_2	0.01mg
ビタミンB_{12}	0.5μg
コレステロール	20mg
n-3系多価不飽和	0.01g
n-6系多価不飽和	0g
EPA	4mg
DHA	7mg

100gあたり
エネルギー	73kcal
塩分	0.3g

1点重量 110g
廃棄率 55%

廃棄部位／頭、内臓、骨、ひれ等（三枚おろし）

ギンダラ

1切れ 80g 168kcal

白身魚。旬は冬。深海性の魚で、体の色は黒いが、身は白くてやわらかい。脂肪分が18.6％と非常に多く、EPAやDHAなどが豊富。ビタミンA、D、Eも多く含む。

1切れ（80g）あたり
塩分	0.2g
たんぱく質	9.7g
脂質	13.4g
炭水化物	2.4g
カリウム	272mg
カルシウム	12mg
鉄	0.2mg
亜鉛	0.2mg
ビタミンA	1200μg
ビタミンD	2.8μg
ビタミンE	3.7mg
ビタミンB_2	0.08mg
ビタミンB_{12}	2.2μg
コレステロール	40mg
n-3系多価不飽和	0.90g
n-6系多価不飽和	0.23g
EPA	384mg
DHA	232mg

100gあたり
エネルギー	210kcal
塩分	0.2g

1点重量 40g
廃棄率 0%

2群 魚類（キス・ギンダラ）

キンメダイ

1切れ 80g 118kcal

白身魚。旬は冬。たんぱく質、脂質を多く含み、リンやEPAやDHAも多い。タイという名前がついているが、タイの仲間ではない。皮の赤色は、カロテノイドの一種で、抗酸化作用の高いアスタキサンチン。

1切れ（80g）あたり
- 塩分……0.1g
- たんぱく質……11.7g
- 脂質……6.3g
- 炭水化物……3.6g
- カリウム……264mg
- カルシウム……25mg
- リン……392mg
- 鉄……0.2mg
- 亜鉛……0.2mg
- ビタミンA……50μg
- ビタミンD……1.6μg
- ビタミンE……1.4mg
- ビタミンB₂……0.04mg
- ビタミンB₁₂……0.9μg
- コレステロール……48mg
- n-3系多価不飽和……1.10g
- n-6系多価不飽和……0.18g
- EPA……216mg
- DHA……696mg

100gあたり
- エネルギー……147kcal
- 塩分……0.1g
- 1点重量 55g
- 廃棄率 60%

一尾（三枚おろし）の廃棄率…60%

サケ（シロサケ）

1切れ 100g 124kcal

白身魚。サケの身の赤色はカロテノイドの一種で、抗酸化作用の高いアスタキサンチン。旬は秋から冬。良質たんぱく質を多く含み、ビタミンA、B₁、B₂、D、ナイアシンやミネラルなどをバランスよく含む。EPAやDHAも豊富。

1切れ（100g）あたり
- 塩分……0.2g
- たんぱく質……18.9g
- 脂質……3.7g
- 炭水化物……3.9g
- カリウム……350mg
- カルシウム……14mg
- 鉄……0.5mg
- 亜鉛……0.5mg
- ビタミンA……11μg
- ビタミンD……32.0μg
- ビタミンE……1.2mg
- ビタミンB₁……0.15mg
- ビタミンB₂……0.21mg
- ナイアシン……11.0mg
- ビタミンB₁₂……5.9μg
- コレステロール……59mg
- n-3系多価不飽和……0.92g
- n-6系多価不飽和……0.07g
- EPA……240mg
- DHA……460mg

100gあたり
- エネルギー……124kcal
- 塩分……0.2g
- 1点重量 65g
- 廃棄率 0%

一尾の廃棄率…40%

サケ・サーモン (アトランティックサーモン)

1さく 200g 446kcal

1さく (200g)あたり
- 塩分…………0.2g
- たんぱく質……33.4g
- 脂質…………31.4g
- 炭水化物………7.2g
- カリウム………760mg
- カルシウム……10mg
- 鉄……………0.6mg
- 亜鉛…………0.8mg
- ビタミンA……28μg
- ビタミンD……14.6μg
- ビタミンE……7.2mg
- ビタミンB₂……0.16mg
- ビタミンB₁₂……16.0μg
- コレステロール…128mg
- n-3系多価不飽和…4.22g
- n-6系多価不飽和…5.28g
- EPA……………720mg
- DHA…………1080mg

● 刺し身1切れ 12g／27kcal／塩分 0g

100gあたり
- エネルギー…223kcal
- 塩分……………0.1g
- 1点重量……35g
- 廃棄率…………0%

白身魚。ノルウェーや南米で海中養殖が盛んで、ほとんどがそれらの輸入品。タイセイヨウサケとも呼ばれる。寄生虫の心配がないので生食できる。脂質に富み、EPAやDHAを非常に多く含む。

サケ・キングサーモン (マスノスケ)

1切れ 100g 176kcal

1切れ (100g)あたり
- 塩分…………0.1g
- たんぱく質……16.2g
- 脂質…………9.7g
- 炭水化物………6.2g
- カリウム………380mg
- カルシウム……18mg
- 鉄……………0.3mg
- 亜鉛…………0.4mg
- ビタミンA……160μg
- ビタミンD……16.0μg
- ビタミンE……3.3mg
- ビタミンB₂……0.12mg
- ビタミンB₁₂……3.4μg
- コレステロール…54mg
- n-3系多価不飽和…1.59g
- n-6系多価不飽和…0.37g
- EPA……………400mg
- DHA…………740mg

100gあたり
- エネルギー…176kcal
- 塩分……………0.1g
- 1点重量……45g
- 廃棄率…………0%

白身魚。カナダやアラスカ産の大型のサケ。ほとんどが輸入品。脂質が多く、EPAやDHAが多い。

2群 魚類（サーモン・キングサーモン）

サバ

1尾 500g　正味重量* 250g　528kcal

*頭、内臓、骨、皮、ひれ等を除いた重量

約25cm

● 1切れ　70g ／ 148kcal ／ 塩分 0.2g

青背魚。旬は秋。脂質が約13%と多く、青背魚の中で、たんぱく質、EPA、DHA の含有量がトップクラス。イノシン酸などのうま味成分も豊富に含み、血合いには鉄、ビタミンA、B₁、特にビタミンB₂が非常に多い。

1尾（250g）あたり
- 塩分　　　　　　0.8g
- たんぱく質　　　44.5g
- 脂質　　　　　　32.0g
- 炭水化物　　　　15.5g
- カリウム　　　　825mg
- カルシウム　　　15mg
- 鉄　　　　　　　3mg
- 亜鉛　　　　　　2.8mg
- ビタミンA　　　93μg
- ビタミンD　　　12.8μg
- ビタミンE　　　3.3mg
- ビタミンB₁　　0.53mg
- ビタミンB₂　　0.78mg
- ナイアシン　　　40.0mg
- ビタミンB₁₂　32.5μg
- コレステロール　153mg
- n-3系多価不飽和　5.3g
- n-6系多価不飽和　1.08g
- EPA　　　　　　1725mg
- DHA　　　　　　2425mg

100gあたり
- エネルギー　211kcal
- 塩分　　　　0.3g

1点重量　40g
廃棄率　50%

廃棄部位／頭、内臓、骨、ひれ等（三枚おろし）

サワラ

1切れ 80g　129kcal

青背魚。旬は、瀬戸内海あたりは春、関東では秋から冬。きめ細かくしっとりとした肉質。たんぱく質、カリウム、ビタミンB₂やナイアシン、EPA やDHA が多い。

1切れ（80g）あたり
- 塩分　　　　　　0.2g
- たんぱく質　　　14.4g
- 脂質　　　　　　6.7g
- 炭水化物　　　　2.8g
- カリウム　　　　392mg
- カルシウム　　　10mg
- 鉄　　　　　　　0.6mg
- 亜鉛　　　　　　0.8mg
- ビタミンA　　　10μg
- ビタミンD　　　5.6μg
- ビタミンE　　　0.2mg
- ビタミンB₂　　0.28mg
- ナイアシン　　　10.4mg
- ビタミンB₁₂　4.2μg
- コレステロール　48mg
- n-3系多価不飽和　1.36g
- n-6系多価不飽和　0.25g
- EPA　　　　　　272mg
- DHA　　　　　　880mg

100gあたり
- エネルギー　161kcal
- 塩分　　　　0.2g

1点重量　50g
廃棄率　0%

一尾の廃棄率　30%

サンマ

1尾 150g 正味重量*100g 287kcal

＊頭、内臓、骨、皮、ひれ等を除いた重量

約22cm

青背魚。旬は秋。良質のたんぱく質やビタミン類、カルシウムなどのミネラルに富み、特に多いのがビタミンB₁₂で、魚類のなかではトップクラス。旬のものは、脂質が20％以上にもなり、EPAやDHAを多く含む。

100gあたり	
エネルギー	287kcal
塩分	0.4g
1点重量	**28g**
廃棄率	**35％**

廃棄部位／頭、内臓、骨、ひれ等（三枚おろし）

1尾（100g）あたり	
塩分	0.4g
たんぱく質	16.3g
脂質	22.7g
炭水化物	4.4g
カリウム	200mg
カルシウム	28mg
鉄	1.4mg
亜鉛	0.8mg
ビタミンA	16μg
ビタミンD	16.0μg
ビタミンE	1.7mg
ビタミンB₂	0.28mg
ビタミンB₁₂	16.0μg
コレステロール	68mg
n-3系多価不飽和	5.59g
n-6系多価不飽和	0.55g
EPA	1500mg
DHA	2200mg

スズキ

1切れ 80g 90kcal

● 刺し身1切れ　10g／11kcal／塩分0g

白身魚。旬は夏。出世魚で、3〜4年以上で60cm以上に成長したものをいう。高たんぱく低脂肪。ビタミンA、Dが豊富で、特にビタミンAは魚類のなかでは群を抜いて多い。EPAやDHAを多く含む。

100gあたり	
エネルギー	113kcal
塩分	0.2g
1点重量	**70g**
廃棄率	**0％**

一尾の廃棄率　55％

1切れ（80g）あたり	
塩分	0.2g
たんぱく質	13.1g
脂質	2.8g
炭水化物	3.3g
カリウム	296mg
カルシウム	10mg
鉄	0.2mg
亜鉛	0.4mg
ビタミンA	144μg
ビタミンD	8.0μg
ビタミンE	1.0mg
ビタミンB₂	0.16mg
ビタミンB₁₂	1.6μg
コレステロール	54mg
n-3系多価不飽和	0.70g
n-6系多価不飽和	0.10g
EPA	240mg
DHA	320mg

2群　魚類（サンマ・スズキ）

2群 魚類（タイ・タチウオ）

タイ

1切れ 80g 128kcal

●刺し身1切れ　12g／16kcal／塩分 0g

白身魚。旬は春。タイのおいしさのもとは、豊富に含まれるうま味成分イノシン酸やタウリンにある。脂肪が少なく、上品な味わい。ビタミンB₁、B₂、ナイアシンも豊富。EPAやDHAを多く含む。

1切れ（80g）あたり
- 塩分……………0.1g
- たんぱく質……14.5g
- 脂質……………6.2g
- 炭水化物………3.5g
- カリウム………360mg
- カルシウム……10mg
- 鉄………………0.2mg
- 亜鉛……………0.4mg
- ビタミンA………9μg
- ビタミンD……5.6μg
- ビタミンE……1.9mg
- ビタミンB₁……0.26mg
- ビタミンB₂……0.06mg
- ナイアシン……7.7mg
- ビタミンB₁₂……1.2μg
- コレステロール…55mg
- n-3系多価不飽和…1.42g
- n-6系多価不飽和…0.43g
- EPA……………416mg
- DHA……………624mg

100gあたり
- エネルギー…160kcal
- 塩分……………0.1g
- **1点重量 50g**
- **廃棄率 55%**
- 一尾（三枚おろし）の廃棄率…55%

タチウオ

1切れ 120g　正味重量*115g　274kcal

*骨、ひれ等を除いた重量

白身魚。旬は春から秋。ウナギやアナゴ同様に脂肪が非常に多い。構成脂肪酸は、EPAやDHAが豊富。ビタミンA、E、Dが多いのも特徴。

1切れ（115g）あたり
- 塩分……………0.2g
- たんぱく質……16.8g
- 脂質……………20.4g
- 炭水化物………5.9g
- カリウム………334mg
- カルシウム……14mg
- 鉄………………0.2mg
- 亜鉛……………0.6mg
- ビタミンA………60μg
- ビタミンD……16.1μg
- ビタミンE……1.4mg
- ビタミンB₁……0.08mg
- ビタミンB₂……1.0mg
- コレステロール…83mg
- n-3系多価不飽和…3.62g
- n-6系多価不飽和…0.48g
- EPA……………1116mg
- DHA……………1610mg

100gあたり
- エネルギー…238kcal
- 塩分……………0.2g
- **1点重量 35g**
- **廃棄率 35%**
- 廃棄部位／骨、ひれ等（切り身）
- 一尾（三枚おろし）の廃棄率…35%

タラ

1切れ 100g 72kcal

白身魚。旬は冬。脂肪が非常に少なく低エネルギー。たんぱく質が多く、カリウム、カルシウム、鉄、亜鉛などのミネラルをバランスよく含む。身がやわらかく、消化・吸収もよい。うま味成分のイノシン酸も豊富。

100gあたり
エネルギー……72kcal
塩分……………0.3g
1点重量……110g
廃棄率………0%
一尾の廃棄率………65%

1切れ（100g）あたり
塩分……………0.3g
たんぱく質……14.2g
脂質……………0.1g
炭水化物………3.5g
カリウム………350mg
カルシウム……32mg
鉄………………0.2mg
亜鉛……………0.5mg
ビタミンA……10μg
ビタミンD……1.0μg
ビタミンE……0.8mg
ビタミンB₂……0.10mg
ビタミンB₁₂……1.3μg
コレステロール……58mg
n-3系多価不飽和…0.07g
n-6系多価不飽和…0.01g
EPA……………24mg
DHA……………42mg

ニジマス

1尾 140g 正味重量*75g 87kcal

＊頭、内臓、骨、皮、ひれ等を除いた重量

約18cm

白身魚。旬は夏だが、日本では淡水養殖が盛んなので通年出回る。脂質が少ないが、ビタミンDが豊富で、EPAやDHAも多い。

100gあたり
エネルギー…116kcal
塩分……………0.1g
1点重量……70g
廃棄率………45%
廃棄部位／頭、内臓、骨、ひれ等（三枚おろし）

1尾（75g）あたり
塩分……………0.1g
たんぱく質……12.2g
脂質……………2.8g
炭水化物………3.4g
カリウム………278mg
カルシウム……18mg
鉄………………0.2mg
亜鉛……………0.5mg
ビタミンA……13μg
ビタミンD……9.0μg
ビタミンE……0.9mg
ビタミンB₂……0.08mg
ビタミンB₁₂……4.5μg
コレステロール……54mg
n-3系多価不飽和…0.64g
n-6系多価不飽和…0.31g
EPA……………105mg
DHA……………413mg

2群　魚類（タラ・ニジマス）

ヒラメ

1さく 150g 150kcal

● 刺し身1切れ　8g／8kcal／塩分 0g

白身魚。旬は冬。高たんぱく低脂肪で消化吸収がよい。低脂肪なのに味がよいのは、アミノ酸バランスがよく、うま味成分のイノシン酸が多いため。ミネラル、ビタミン類をバランスよく含み、EPAやDHAも多い。

1さく（150g）あたり
塩分	0.2g
たんぱく質	26.3g
脂質	2.9g
炭水化物	5.1g
カリウム	705mg
カルシウム	12mg
鉄	0.2mg
亜鉛	0.5mg
ビタミンA	14μg
ビタミンD	3.5μg
ビタミンE	2.4mg
ビタミンB₂	0.11mg
ビタミンB₁₂	1.7μg
コレステロール	80mg
n-3系多価不飽和	0.83g
n-6系多価不飽和	0.24g
EPA	150mg
DHA	495mg

100gあたり
エネルギー…100kcal
塩分…0.1g
1点重量　80g
廃棄率　0%
一尾（五枚おろし）の廃棄率…40%

ブリ

1切れ 80g 178kcal

● 刺し身1切れ　12g／27kcal／塩分 0g

赤身魚。旬は冬。出世魚の代表格。たんぱく質、脂質がともに豊富で、ミネラル、ビタミンをバランスよく含む。EPAやDHAを非常に多く含む。血合いには鉄分やタウリンが多い。

1切れ（80g）あたり
塩分	0.1g
たんぱく質	14.9g
脂質	10.5g
炭水化物	6.2g
カリウム	304mg
カルシウム	4mg
鉄	1.0mg
亜鉛	0.6mg
ビタミンA	40μg
ビタミンD	6.4μg
ビタミンE	1.6mg
ビタミンB₂	0.29mg
ビタミンB₁₂	3.0μg
コレステロール	58mg
n-3系多価不飽和	2.68g
n-6系多価不飽和	0.30g
EPA	752mg
DHA	1360mg

100gあたり
エネルギー…222kcal
塩分…0.1g
1点重量　35g
廃棄率　0%
一尾の廃棄率…40%

マグロ（クロマグロ・赤身）

1さく 150g 173kcal

1さく（150g）あたり
- 塩分……………0.2g
- たんぱく質……33.5g
- 脂質……………1.2g
- 炭水化物………7.4g
- カリウム………570mg
- カルシウム……8mg
- 鉄………………1.7mg
- 亜鉛……………0.6mg
- セレン…………165μg
- ビタミンA……125μg
- ビタミンD……7.5μg
- ビタミンE……1.2mg
- ビタミンB₂……0.08mg
- ビタミンB₁₂……2.0mg
- コレステロール…75mg
- n-3系多価不飽和…0.26g
- n-6系多価不飽和…0.05g
- EPA……………41mg
- DHA……………180mg

●刺し身1切れ　14g／16kcal／塩分 0g

100gあたり
- エネルギー…115kcal
- 塩分……………0.1g
- 1点重量………70g
- 廃棄率…………0%

赤身魚。旬は春。背から体側部にかけての部分が赤身。たんぱく質の含有量は22％と魚肉の中で最も多い。鉄分やセレンを豊富に含む。

マグロ（クロマグロ・トロ）

1さく 150g 462kcal

1さく（150g）あたり
- 塩分……………0.3g
- たんぱく質……25.1g
- 脂質……………35.3g
- 炭水化物………11.3g
- カリウム………345mg
- カルシウム……11mg
- 鉄………………2.4mg
- 亜鉛……………0.8mg
- ビタミンA……405μg
- ビタミンD……27.0μg
- ビタミンE……2.3mg
- ビタミンB₂……0.11mg
- ビタミンB₁₂……1.5mg
- コレステロール…83mg
- n-3系多価不飽和…8.72g
- n-6系多価不飽和…0.90g
- EPA……………2100mg
- DHA……………4800mg

●刺し身1切れ　14g／43kcal／塩分 0g

100gあたり
- エネルギー…308kcal
- 塩分……………0.2g
- 1点重量………26g
- 廃棄率…………0%

赤身魚。旬は春。腹側が中トロ、腹の部分の最も脂ののったトロ。トロは脂質の含有率が24％近くにもなり、高エネルギーだが、EPAやDHAが豊富で、鉄分も多く含む。

2群　魚類（マグロ［クロマグロ　赤身・トロ］）

27

2群 魚類

（ミナミマグロ［赤身］・ミナミマグロ［トロ］・キハダマグロ・ビンナガマグロ・メジマグロ・メバチマグロ［赤身］）

ミナミマグロ（赤身）
1さく 150g 132kcal

● 刺し身1切れ
14g／12kcal
／塩分 0g

100gあたり
エネルギー……88kcal
塩分……0.1g
1点重量……90g

1さく（150g）あたり
塩分……0.2g
たんぱく質……25.4g
脂質……0.3g
炭水化物……7.1g
カリウム……600mg
カルシウム……8mg
ビタミンA……9μg
ビタミンB₂……0.08mg
ビタミンB₁₂……3.3μg
コレステロール……78mg

ミナミマグロ（トロ）
1さく 150g 483kcal

● 刺し身1切れ
14g／45kcal
／塩分 0g

100gあたり
エネルギー……322kcal
塩分……0.1g
1点重量……25g

1さく（150g）あたり
塩分……0.2g
たんぱく質……24.9g
脂質……38.1g
炭水化物……9.9g
カリウム……420mg
カルシウム……14mg
ビタミンA……51μg
ビタミンB₂……0.09mg
ビタミンB₁₂……2.3μg
コレステロール……89mg

キハダマグロ
1さく 150g 153kcal

● 刺し身1切れ
14g／14kcal
／塩分 0g

100gあたり
エネルギー……102kcal
塩分……0.1g
1点重量……80g

1さく（150g）あたり
塩分……0.2g
たんぱく質……30.9g
脂質……0.9g
炭水化物……5.1g
カリウム……675mg
カルシウム……8mg
ビタミンA……3μg
ビタミンB₂……0.14mg
ビタミンB₁₂……8.7μg
コレステロール……56mg

ビンナガマグロ
1さく 150g 167kcal

● 刺し身1切れ
14g／16kcal
／塩分 0g

100gあたり
エネルギー……111kcal
塩分……0.1g
1点重量……70g

1さく（150g）あたり
塩分……0.2g
たんぱく質……32.4g
脂質……0.9g
炭水化物……7.1g
カリウム……660mg
カルシウム……14mg
ビタミンA……6μg
ビタミンB₂……0.15mg
ビタミンB₁₂……4.2μg
コレステロール……74mg

メジマグロ
1さく 150g 209kcal

● 刺し身1切れ
14g／19kcal
／塩分 0g

100gあたり
エネルギー……139kcal
塩分……0.1g
1点重量……60g

1さく（150g）あたり
塩分……0.2g
たんぱく質……30.6g
脂質……5.7g
炭水化物……8.9g
カリウム……615mg
カルシウム……14mg
ビタミンA……92μg
ビタミンB₂……0.29mg
ビタミンB₁₂……10.4μg
コレステロール……87mg

メバチマグロ（赤身）
1さく 150g 173kcal

● 刺し身1切れ
14g／16kcal
／塩分 0g

100gあたり
エネルギー……115kcal
塩分……0.1g
1点重量……70g

1さく（150g）あたり
塩分……0.2g
たんぱく質……32.9g
脂質……2.6g
炭水化物……4.5g
カリウム……660mg
カルシウム……5mg
ビタミンA……26μg
ビタミンB₂……0.08mg
ビタミンB₁₂……2.1μg
コレステロール……62mg

メバル

1尾 200g 正味重量* 90g 90kcal
＊頭、内臓、骨、皮、ひれ等を除いた重量

約15cm

1尾 (90g)あたり
- 塩分……………0.2g
- たんぱく質……14.0g
- 脂質……………2.5g
- 炭水化物………2.9g
- カリウム………315mg
- カルシウム……72mg
- 鉄………………0.4mg
- 亜鉛……………0.4mg
- ビタミンA………10μg
- ビタミンD………0.9μg
- ビタミンE………1.4mg
- ビタミンB₂……0.15mg
- ビタミンB₁₂……1.4μg
- コレステロール…68mg
- n-3系多価不飽和…0.78g
- n-6系多価不飽和…0.07g
- EPA……………333mg
- DHA……………351mg

100gあたり
- エネルギー…100kcal
- 塩分……………0.2g
- **1点重量……80g**
- **廃棄率………55%**
- 廃棄部位／頭、内臓、骨、ひれ等（三枚おろし）

白身魚。旬は春から夏。身は淡白で、春から夏にかけて身がしまる。カリウムが豊富。皮の赤い色素成分は、アスタキサンチン。EPAやDHAも多く含む。

ワカサギ

1尾 10g 7kcal

約8cm

1尾 (10g)あたり
- 塩分……………0.1g
- たんぱく質……1.2g
- 脂質……………0.1g
- 炭水化物………0.3g
- カリウム………12mg
- カルシウム……45mg
- 鉄………………0.1mg
- 亜鉛……………0.2mg
- ビタミンA………10μg
- ビタミンD………0.2μg
- ビタミンE………0.1mg
- ビタミンB₂……0.01mg
- ビタミンB₁₂……0.8μg
- コレステロール…21mg
- n-3系多価不飽和…0.05g
- n-6系多価不飽和…0.01g
- EPA……………13mg
- DHA……………24mg

100gあたり
- エネルギー…71kcal
- 塩分……………0.5g
- **1点重量……110g**
- **廃棄率…………0%**

白身魚。旬は冬から春。脂質が少なく、淡白な味わいで、焼いても煮ても干しても食べやすい。まるごと食べられるのでカルシウム源として理想的。

2群 魚類（メバル・ワカサギ）

2群 貝類（アカガイ・アサリ）

アカガイ

1枚（むき身） 15g 11kcal

旬は産卵期（夏）前の春。たんぱく質が多く、ビタミン類も豊富で、特にビタミンB12が100g中59.0μgと非常に多い。鉄分も100g中5.0mgとアサリより多い。

1枚（15g）あたり
- 塩分……0.1g
- たんぱく質……1.6g
- 脂質……0g
- 炭水化物……1.0g
- カリウム……44mg
- カルシウム……6mg
- マグネシウム……8mg
- 鉄……0.8mg
- 亜鉛……0.2mg
- 銅……0.01mg
- ビタミンA……5μg
- ビタミンD……0μg
- ビタミンE……0.1mg
- ビタミンB12……8.9μg
- コレステロール……7mg
- n-3系多価不飽和……0g
- n-6系多価不飽和……0g
- EPA……2mg
- DHA……2mg

100gあたり
- エネルギー……70kcal
- 塩分……0.8g
- 1点重量……110g
- 廃棄率……75%

殻つきの廃棄率…75%

アサリ

10個（殻つき） 80g　正味重量* 30g　8kcal

*貝殻を除いた重量

● 1個　大15g　正味6g／2kcal／塩分0.1g
● 1個　小8g　正味3g／1kcal／塩分0.1g

旬は春と秋。この時季にはタウリンやコハク酸などのうま味成分が増える。必須アミノ酸をバランスよく含み、マグネシウムが多い。特に鉄を100g中3.8mgと豊富に含む。ビタミンB12を非常に多く含む。

10個（30g）あたり
- 塩分……0.7g
- たんぱく質……1.4g
- 脂質……0g
- 炭水化物……0.6g
- カリウム……42mg
- カルシウム……20mg
- マグネシウム……30mg
- 鉄……1.1mg
- 亜鉛……0.3mg
- 銅……0.02mg
- ビタミンA……1μg
- ビタミンD……0μg
- ビタミンE……0.1mg
- ビタミンB12……15.6μg
- コレステロール……12mg
- n-3系多価不飽和……0.01g
- n-6系多価不飽和……0g
- EPA……2mg
- DHA……5mg

100gあたり
- エネルギー……27kcal
- 塩分……2.2g
- 1点重量……300g
- 廃棄率……60%

廃棄部位／貝殻

カキ

1個（むき身） 15g 9kcal

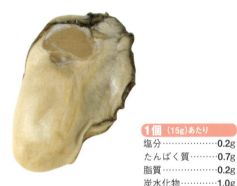

旬は冬。グリコーゲンやアミノ酸系うま味成分が、秋から冬にかけて蓄積される。栄養価が非常に高く、しかも低脂肪。カルシウム、鉄、亜鉛、銅、ビタミンB12 など多種類のミネラル、ビタミンを豊富に含む。中でも亜鉛は生鮮食品中トップ。

1個〈15g〉あたり

塩分	0.2g
たんぱく質	0.7g
脂質	0.2g
炭水化物	1.0g
カリウム	29mg
カルシウム	13mg
マグネシウム	10mg
鉄	0.3mg
亜鉛	2.1mg
銅	0.16mg
ビタミンA	4μg
ビタミンD	0μg
ビタミンE	0.2mg
ビタミンB12	3.5μg
コレステロール	6mg
n-3系多価不飽和	0.08g
n-6系多価不飽和	0.01g
EPA	35mg
DHA	27mg

100gあたり
エネルギー……58kcal
塩分……………1.2g
1点重量……140g
廃棄率………0%
殻つきの廃棄率…75%

シジミ

10個（殻つき） 50g 正味重量* 12g 6kcal
*貝殻を除いた重量

● 1個 小 5g 正味 1g／1kcal／塩分 0g

旬は夏と冬。鉄やビタミンB12 が非常に多い。カルシウム、亜鉛、銅、マンガンなどのミネラルを豊富に含む。ロイシンやメチオニン、タウリンなど肝機能を高めるアミノ酸も豊富。おいしさのもとはコハク酸やグルタミン酸。

10個〈12g〉あたり

塩分	0g
たんぱく質	0.7g
脂質	0.1g
炭水化物	0.8g
カリウム	10mg
カルシウム	29mg
鉄	1.0mg
亜鉛	0.3mg
銅	0.05mg
マンガン	0.33mg
ビタミンA	4μg
ビタミンD	0μg
ビタミンE	0.2mg
ビタミンB12	8.2μg
コレステロール	7mg
n-3系多価不飽和	0.02g
n-6系多価不飽和	0g
EPA	5mg
DHA	6mg

100gあたり
エネルギー……54kcal
塩分……………0.4g
1点重量……150g
廃棄率………75%
廃棄部位／貝殻

2群 貝類（カキ・シジミ）

トリガイ

1枚（むき身） 10g 8kcal

旬は春から夏。斧足という部分を食べる。貝類の中では、たんぱく質が多い。

1枚（10g）あたり
- 塩分……………0g
- たんぱく質………1.0g
- 脂質……………0g
- 炭水化物…………1.0g
- カリウム………15mg
- カルシウム………2mg
- 鉄……………0.3mg
- 亜鉛……………0.2mg
- 銅……………0.01mg
- ビタミンA………微量
- ビタミンD………0μg
- ビタミンE……0.1mg
- ビタミンB₁₂…1.0μg
- コレステロール……2mg
- n-3系多価不飽和……0g
- n-6系多価不飽和…微量
- EPA……………1mg
- DHA……………0mg

100gあたり
- エネルギー……81kcal
- 塩分……………0.3g
- **1点重量……100g**
- **廃棄率…………0%**

ハマグリ

1個（殻つき） 25g 正味重量*10g 4kcal
*貝殻を除いた重量

旬は晩秋から春。カルシウム、鉄、亜鉛などが豊富。うま味成分であるグルタミン酸、タウリン、グリシンなどのアミノ酸が多く、アラニンはアサリより多い。

1個（10g）あたり
- 塩分……………0.2g
- たんぱく質………0.5g
- 脂質……………0g
- 炭水化物…………0.4g
- カリウム………16mg
- カルシウム………13mg
- 鉄……………0.2mg
- 亜鉛……………0.2mg
- 銅……………0.01mg
- ビタミンA………1μg
- ビタミンD………0μg
- ビタミンE……0.1mg
- ビタミンB₁₂…2.8μg
- コレステロール……3mg
- n-3系多価不飽和…0.01g
- n-6系多価不飽和……0g
- EPA……………3mg
- DHA……………5mg

100gあたり
- エネルギー……35kcal
- 塩分……………2.0g
- **1点重量……230g**
- **廃棄率………60%**

廃棄部位／貝殻

ホタテガイ

1個（殻つき） 200g　正味重量* 100g　66kcal

*殻を除いた重量

1個（100g）あたり
- 塩分……………0.8g
- たんぱく質……10.0g
- 脂質……………0.4g
- 炭水化物………5.5g
- カリウム………310mg
- カルシウム……22mg
- 鉄………………2.2mg
- 亜鉛……………2.7mg
- 銅………………0.13mg
- ビタミンA……23μg
- ビタミンD……0μg
- ビタミンE……0.9mg
- ビタミンB₁₂…11.0μg
- コレステロール…33mg
- n-3系多価不飽和…0.12g
- n-6系多価不飽和…0.01g
- EPA……………82mg
- DHA……………21mg

旬は冬から春。養殖も天然も味や栄養価は変わらない。カリウム、鉄、亜鉛、ビタミンB₂のほか、エネルギー源となるグリコーゲンやうま味成分が多い。貝柱の下側に見える生殖巣がオレンジはメス、白色はオス。

100gあたり
- エネルギー……66kcal
- 塩分……………0.8g
- **1点重量…120g**
- **廃棄率…50%**

廃棄部分／貝殻

ホタテ貝柱

1個 30g　25kcal

●刺し身　1切れ（1/3個）
10g ／ 8kcal ／ 塩分 0g

1個（30g）あたり
- 塩分……………0.1g
- たんぱく質……3.7g
- 脂質……………0g
- 炭水化物………2.4g
- カリウム………114mg
- カルシウム……2mg
- 鉄………………0.1mg
- 亜鉛……………0.5mg
- 銅………………0.01mg
- ビタミンA……0μg
- ビタミンD……0μg
- ビタミンE……0.2mg
- ビタミンB₁₂…0.5μg
- コレステロール…11mg
- n-3系多価不飽和…0.02g
- n-6系多価不飽和…0g
- EPA……………7mg
- DHA……………7mg

旬は冬から春。たんぱく質含有量は、貝類の中でもトップクラス（100g中12.3g）。エネルギー源となるグリコーゲンのほか、カリウム、亜鉛も多い。グリシン、アラニン、グルタミン酸、タウリンなどのうま味成分が多く、甘味や深い味わいを生み出している。

100gあたり
- エネルギー……82kcal
- 塩分……………0.3g
- **1点重量…100g**
- **廃棄率…0%**

2群　貝類（ホタテガイ・ホタテ貝柱）

イカ (スルメイカ)

1ぱい 200g　正味重量* 140g　106kcal
*内臓等を除いた重量

● 胴（1ぱい分）100g／78kcal／塩分 0.5g

旬は春から秋。良質のたんぱく質を含み、亜鉛やナイアシンなどが多い。コレステロールが多いが、血中コレステロール低下作用などがあるタウリンも多く含んでいる。

100gあたり
エネルギー……76kcal
塩分……0.5g
1点重量 110g
廃棄率 30%
廃棄部位／内臓等

1ぱい（140g）あたり
塩分……0.7g
たんぱく質……18.8g
脂質……0.4g
炭水化物……6.6g
カリウム……420mg
カルシウム……15mg
マグネシウム……64mg
鉄……0.1mg
亜鉛……2.1mg
銅……0.41mg
ビタミンA……18μg
ビタミンD……0.4μg
ビタミンE……2.9mg
ナイアシン……9.1mg
ビタミンB₁₂……6.9μg
コレステロール……350mg
n-3系多価不飽和……0.25g
n-6系多価不飽和……0.01g
EPA……60mg
DHA……182mg

エビ (アマエビ)

1尾（むき身）7g　正味重量* 7g　6kcal
*尾を除いた重量

● 1尾　有頭 20g
　正味 7g／6kcal／塩分 0.1g

旬は秋から冬。甘味が強く、淡白だが豊かなうま味をもつ。うま味のもとはグリシンやアルギニンといったアミノ酸。高たんぱく低脂肪。タウリンやコラーゲンも豊富。

100gあたり
エネルギー……85kcal
塩分……0.8g
1点重量 95g
廃棄率 65%
廃棄部位／尾
有頭の廃棄率…65%

1尾（7g）あたり
塩分……0.1g
たんぱく質……1.1g
脂質……0g
炭水化物……0.3g
カリウム……22mg
カルシウム……4mg
マグネシウム……3mg
鉄……0mg
亜鉛……0.1mg
銅……0.03mg
ビタミンA……0μg
ビタミンD……0μg
ビタミンE……0.2mg
ビタミンB₁₂……0.2μg
コレステロール……9mg
n-3系多価不飽和……0.02g
n-6系多価不飽和……0g
EPA……11mg
DHA……9mg

エビ（バナメイエビ）

1尾（無頭殻つき） **15**g　正味重量* **13**g　**11**kcal
＊殻、尾を除いた重量

1尾（13g）あたり
塩分……………………0g
たんぱく質…………2.1g
脂質……………………0g
炭水化物……………0.4g
カリウム……………35mg
カルシウム……………9mg
マグネシウム…………5mg
鉄……………………0.2mg
亜鉛…………………0.2mg
銅……………………0.04mg
ビタミンA……………0μg
ビタミンD……………0μg
ビタミンE…………0.2mg
ビタミンB₁₂………0.2mg
コレステロール……21mg
n-3系多価不飽和…0.01g
n-6系多価不飽和…0.01g
EPA……………………5mg
DHA……………………5mg

100gあたり
エネルギー………82kcal
塩分…………………0.3g

1点重量……100g
廃棄率…………20%
廃棄部位／殻、尾
有頭の廃棄率…20%

インドネシアで養殖された輸入品が多く、通年出まわる。うま味のもとはグリシンやアルギニンといったアミノ酸。高たんぱく低脂質。タウリンやコラーゲンも多い。

エビ（ブラックタイガー）

1尾（無頭殻つき） **20**g　正味重量* **17**g　**13**kcal
＊殻、尾を除いた重量

1尾（17g）あたり
塩分…………………0.1g
たんぱく質…………2.6g
脂質……………………0g
炭水化物……………0.6g
カリウム……………39mg
カルシウム…………11mg
マグネシウム…………6mg
鉄……………………0mg
亜鉛…………………0.2mg
銅……………………0.07mg
ビタミンA……………0μg
ビタミンD……………0μg
ビタミンE…………0.2mg
ビタミンB₁₂………0.2mg
コレステロール……26mg
n-3系多価不飽和…0.01g
n-6系多価不飽和……0g
EPA……………………3mg
DHA……………………4mg

100gあたり
エネルギー………77kcal
塩分…………………0.4g

1点重量……100g
廃棄率…………15%
廃棄部位／殻、尾

旬は秋から冬。和名はウシエビ。淡白だが豊かなうま味をもつ。うま味のもとはグリシンやアルギニンといったアミノ酸。高たんぱく低脂質。タウリンやコラーゲンが豊富。

2群　甲殻類ほか（バナメイエビ・ブラックタイガー）

エビ (むきエビ)

1尾 (小) 10g 8kcal

1尾 (10g)あたり
- 塩分……………0.1g
- たんぱく質………1.6g
- 脂質………………0g
- 炭水化物…………0.3g
- カリウム…………26mg
- カルシウム………6mg
- マグネシウム……3mg
- 鉄…………………0.1mg
- 亜鉛………………0.1mg
- 銅…………………0.04mg
- ビタミンA………0μg
- ビタミンD………0μg
- ビタミンE………0.2mg
- ビタミンB12……0.1μg
- コレステロール…17mg
- n-3系多価不飽和…0.01g
- n-6系多価不飽和…0g
- EPA………………3mg
- DHA………………3mg

100gあたり
- エネルギー……78kcal
- 塩分………………0.6g
- **1点重量……100g**
- **廃棄率………50%**

カニ (ゆでズワイガニ)

足1本 40g 正味重量* 20g 13kcal
＊殻を除いた重量

足1本 (20g)あたり
- 塩分……………0.1g
- たんぱく質………2.2g
- 脂質………………0.1g
- 炭水化物…………0.8g
- カリウム…………48mg
- カルシウム………24mg
- マグネシウム……11mg
- 鉄…………………0.1mg
- 亜鉛………………0.6mg
- 銅…………………0.11mg
- ビタミンA………微量
- ビタミンD………0μg
- ビタミンE………0.5mg
- ビタミンB12……1.4μg
- コレステロール…12mg
- n-3系多価不飽和…0.03g
- n-6系多価不飽和…0.01g
- EPA………………20mg
- DHA………………10mg

● 1肩300g 135g／88kcal／塩分 0.8g

旬は冬。カルシウム、カリウム、亜鉛などのミネラルやビタミンB2が多い。アルギニンやタウリンが豊富。殻には動物性食物繊維のキチンが多く含まれている。

100gあたり
- エネルギー……65kcal
- 塩分………………0.6g
- **1点重量……120g**
- **廃棄率………55%**

廃棄部位／殻
1ぱいの廃棄率…55%

タコ（ゆでダコ）

足1本 50g 46kcal

- 刺し身1切れ　8g ／ 6kcal ／ 塩分 0.1g
- 足8本　350g ／ 319kcal ／ 塩分 2.1g
- 1ぱい　500g ／ 455kcal ／ 塩分 3.0g

旬は秋から冬。良質なたんぱく質を含む。コレステロールを比較的多く含むが、その代わりに血中コレステロール低下作用があるタウリンを貝類に次いで豊富に含む。コラーゲンも多い。

足1本（50g）あたり
- 塩分……………0.3g
- たんぱく質………7.7g
- 脂質……………0.1g
- 炭水化物………3.5g
- カリウム………120mg
- カルシウム………10mg
- マグネシウム……26mg
- 鉄………………0.1mg
- 亜鉛……………0.9mg
- 銅………………0.22mg
- ビタミンA………3μg
- ビタミンD………0μg
- ビタミンE………1.0mg
- ビタミンB12……0.6μg
- コレステロール…75mg
- n-3系多価不飽和…0.05g
- n-6系多価不飽和…0.01g
- EPA……………18mg
- DHA……………32mg

100gあたり
- エネルギー……91kcal
- 塩分……………0.6g
- 1点重量………90g
- 廃棄率…………0%

ホタルイカ（ゆで）

1ぱい 6g 5kcal

旬は春から初夏。小型のイカで、比較的良質たんぱく質に富み、このたんぱく質は消化がよい。糖質や脂質が少なく、エネルギーが低め。内臓ごと食べるのでビタミンAを多く摂取できる。コレステロールは多いが、同時にそれを低下させるタウリンも豊富。

1ぱい（6g）あたり
- 塩分……………0g
- たんぱく質………0.7g
- 脂質……………0.1g
- 炭水化物………0.5g
- カリウム………14mg
- カルシウム………1mg
- マグネシウム……2mg
- 鉄………………0.1mg
- 亜鉛……………0.1mg
- 銅………………0.18mg
- ビタミンA………114μg
- ビタミンD………0μg
- ビタミンE………0.3mg
- ビタミンB12……0.8μg
- コレステロール…23mg
- n-3系多価不飽和…0.04g
- n-6系多価不飽和…0g
- EPA……………14mg
- DHA……………24mg

100gあたり
- エネルギー……91kcal
- 塩分……………0.6g
- 1点重量………90g
- 廃棄率…………0%

2群　甲殻類ほか（タコ・ホタルイカ）

2群 魚介類加工品（アジの開き・塩ザケ・塩サバ・シシャモ）

アジの開き

1枚（小） 100g
正味重量* 65g 98kcal
＊頭部、骨、ひれ等を除いた重量

100gあたり
エネルギー……150kcal
塩分……………1.7g

1点重量……55g
廃棄率……35%
廃棄部位／頭部、骨、ひれ等

1枚（65g）あたり
- 塩分……………1.1g
- たんぱく質……11.2g
- 脂質……………4.4g
- 炭水化物………3.4g
- カリウム………202mg
- カルシウム……23mg
- マグネシウム…18mg
- 鉄………………0.5mg
- 亜鉛……………0.5mg
- 銅………………0.06mg
- ビタミンA……微量
- ビタミンD……2.0μg
- ビタミンE……0.5mg
- ビタミンB12…4.1μg
- コレステロール…47mg
- n-3系多価不飽和…1.03g
- n-6系多価不飽和…0.12g
- EPA……………260mg
- DHA……………618mg

塩ザケ

1切れ 100g 183kcal

100gあたり
エネルギー……183kcal
塩分……………1.8g

1点重量……45g
廃棄率……0%

1切れ（100g）あたり
- 塩分……………1.8g
- たんぱく質……19.4g
- 脂質……………9.7g
- 炭水化物………4.4g
- カリウム………320mg
- カルシウム……16mg
- マグネシウム…30mg
- 鉄………………0.3mg
- 亜鉛……………0.4mg
- 銅………………0.05mg
- ビタミンA……24μg
- ビタミンD……23.0μg
- ビタミンE……0.4mg
- ビタミンB12…6.9μg
- コレステロール…64mg
- n-3系多価不飽和…2.56g
- n-6系多価不飽和…0.19g
- EPA……………600mg
- DHA……………1400mg

塩サバ

半身1枚 140g 368kcal

100gあたり
エネルギー……263kcal
塩分……………1.8g

1点重量……30g
廃棄率……0%

半身1枚（140g）あたり
- 塩分……………2.5g
- たんぱく質……31.9g
- 脂質……………22.8g
- 炭水化物………8.8g
- カリウム………420mg
- カルシウム……38mg
- マグネシウム…49mg
- 鉄………………2.8mg
- 亜鉛……………0.8mg
- 銅………………0.10mg
- ビタミンA……13μg
- ビタミンD……15.4μg
- ビタミンE……0.7mg
- ビタミンB12…9.9μg
- コレステロール…83mg
- n-3系多価不飽和…6.47g
- n-6系多価不飽和…0.69g
- EPA……………1820mg
- DHA……………2800mg

シシャモ（カラフトシシャモ）

1尾 15g 24kcal

●**本シシャモ1尾** 25g／38kcal／塩分0.3g

100gあたり
エネルギー……160kcal
塩分……………1.5g

1点重量……50g
廃棄率……0%

1尾（15g）あたり
- 塩分……………0.2g
- たんぱく質……1.9g
- 脂質……………1.5g
- 炭水化物………0.8g
- カリウム………30mg
- カルシウム……53mg
- マグネシウム…8mg
- 鉄………………0.2mg
- 亜鉛……………0.3mg
- 銅………………0.01mg
- ビタミンA……18μg
- ビタミンD……0.1μg
- ビタミンE……0.2mg
- ビタミンB12…1.3μg
- コレステロール…44mg
- n-3系多価不飽和…0.26g
- n-6系多価不飽和…0.03g
- EPA……………111mg
- DHA……………98mg

シラス干し

大さじ1　6g　7kcal

主に関東向け。イワシの稚魚の塩ゆでの微乾燥品(水分約70%)を指すことが多い。

大さじ1 (6g)あたり
- 塩分……0.3g
- たんぱく質……1.2g
- 脂質……0.1g
- 炭水化物……0.4g
- カリウム……10mg
- カルシウム……17mg
- マグネシウム……5mg
- 鉄……0mg
- 亜鉛……0.1mg
- 銅……0mg
- ビタミンA……11μg
- ビタミンD……0.7μg
- ビタミンE……0.1mg
- ビタミンB12……0.2μg
- コレステロール……15mg
- n-3系多価不飽和……0.03g
- n-6系多価不飽和……0g
- EPA……9mg
- DHA……20mg

100gあたり
- エネルギー……113kcal
- 塩分……4.2g
- **1点重量……70g**

ちりめんじゃこ

大さじ1　4g　7kcal

主に関西向け。イワシの稚魚の塩ゆでの半乾燥品(水分約45%)を指すことが多い。

大さじ1 (4g)あたり
- 塩分……0.3g
- たんぱく質……1.3g
- 脂質……0.1g
- 炭水化物……0.4g
- カリウム……20mg
- カルシウム……21mg
- マグネシウム……5mg
- 鉄……0mg
- 亜鉛……0.1mg
- 銅……0mg
- ビタミンA……10μg
- ビタミンD……2.4μg
- ビタミンE……0.1mg
- ビタミンB12……0.3μg
- コレステロール……16mg
- n-3系多価不飽和……0.04g
- n-6系多価不飽和……0g
- EPA……8mg
- DHA……23mg

100gあたり
- エネルギー……187kcal
- 塩分……6.6g
- **1点重量……45g**

サクラエビ(乾)

大さじ1　2g　5kcal

サクラエビをまるごと塩ゆでし、乾燥させたもの。

大さじ1 (2g)あたり
- 塩分……0.2g
- たんぱく質……0.9g
- 脂質……0g
- 炭水化物……0.4g
- カリウム……14mg
- カルシウム……30mg
- マグネシウム……5mg
- 鉄……0.1mg
- 亜鉛……0.1mg
- 銅……0.05mg
- ビタミンA……微量
- ビタミンD……0μg
- ビタミンE……0.1mg
- ビタミンB12……0.1μg
- コレステロール……14mg
- n-3系多価不飽和……0.01g
- n-6系多価不飽和……0g
- EPA……3mg
- DHA……3mg

100gあたり
- エネルギー……252kcal
- 塩分……8.6g
- **1点重量……30g**

干しエビ

大さじ1　6g　12kcal

●水もどし後
6g／12kcal／塩分0.02%

サルエビなどの小エビの身を塩ゆでし、乾燥させたもの。

大さじ1 (6g)あたり
- 塩分……0.2g
- たんぱく質……2.4g
- 脂質……0.1g
- 炭水化物……0.6g
- カリウム……44mg
- カルシウム……426mg
- マグネシウム……31mg
- 鉄……0.9mg
- 亜鉛……0.2mg
- 銅……0.31mg
- ビタミンA……1μg
- ビタミンD……0μg
- ビタミンE……0.2mg
- ビタミンB12……0.7μg
- コレステロール……31mg
- n-3系多価不飽和……0.02g
- n-6系多価不飽和……0.01g
- EPA……7mg
- DHA……8mg

100gあたり
- エネルギー……213kcal
- 塩分……3.8g
- **1点重量……40g**

2群　魚介類加工品(シラス干し・ちりめんじゃこ・サクラエビ・干しエビ)

ウナギの蒲焼き

1串 100g 285kcal

ウナギに調味料をからめて焼いたもの。ビタミンA、EPA、DHAを非常に多く含む。

100gあたり
- エネルギー……285kcal
- 塩分……1.3g

1点重量……28g

1串 (100g)あたり
- 塩分……1.3g
- たんぱく質……19.3g
- 脂質……19.4g
- 炭水化物……8.4g
- カリウム……300mg
- カルシウム……150mg
- マグネシウム……15mg
- 鉄……0.8mg
- 亜鉛……2.7mg
- 銅……0.07mg
- ビタミンA……1500μg
- ビタミンD……19.0μg
- ビタミンE……4.9mg
- ビタミンB12……2.2μg
- コレステロール……230mg
- n-3系多価不飽和……2.87g
- n-6系多価不飽和……0.53g
- EPA……750mg
- DHA……1300mg

カツオ節 (削りガツオ)

1カップ 10g 33kcal

1パック 3〜6g

カツオ節のうま味成分は、イノシン酸である。

100gあたり
- エネルギー……327kcal
- 塩分……1.2g

1点重量……24g

1カップ (10g)あたり
- 塩分……0.1g
- たんぱく質……6.4g
- 脂質……0.2g
- 炭水化物……1.3g
- カリウム……81mg
- カルシウム……5mg
- マグネシウム……9mg
- 鉄……0.9mg
- 亜鉛……0.3mg
- 銅……0.04mg
- ビタミンA……2μg
- ビタミンD……0.4μg
- ビタミンE……0.1mg
- ビタミンB12……2.2μg
- コレステロール……19mg
- n-3系多価不飽和……0.06g
- n-6系多価不飽和……0.02g
- EPA……9mg
- DHA……50mg

スモークサーモン

1枚 10g 14kcal

サケを50〜70℃で十数時間燻煙した温燻品。

100gあたり
- エネルギー……143kcal
- 塩分……3.8g

1点重量……55g

1枚 (10g)あたり
- 塩分……0.4g
- たんぱく質……2.6g
- 脂質……0.4g
- 炭水化物……0g
- カリウム……25mg
- カルシウム……2mg
- マグネシウム……2mg
- 鉄……0.1mg
- 亜鉛……0.1mg
- 銅……0.01mg
- ビタミンA……4μg
- ビタミンD……2.8μg
- ビタミンE……0.1mg
- ビタミンB12……0.8μg
- コレステロール……5mg
- n-3系多価不飽和……0.11g
- n-6系多価不飽和……0.01g
- EPA……29mg
- DHA……54mg

でんぶ (桜でんぶ)

大さじ1 6g 21kcal

●小さじ1　2g / 7kcal / 塩分 0g

タラの身に、砂糖や塩や食紅などを加えていりつけてほぐしたもの。

100gあたり
- エネルギー……351kcal
- 塩分……2.4g

1点重量……23g

大さじ1 (6g)あたり
- 塩分……0.1g
- たんぱく質……0.6g
- 脂質……0g
- 炭水化物……4.8g
- カリウム……3mg
- カルシウム……18mg
- マグネシウム……1mg
- 鉄……0mg
- 亜鉛……0mg
- 銅……0mg
- ビタミンA……0μg
- ビタミンD……0μg
- ビタミンE……0mg
- ビタミンB12……0μg
- コレステロール……4mg
- n-3系多価不飽和……0g
- n-6系多価不飽和……微量
- EPA……1mg
- DHA……1mg

アサリ水煮缶詰め

10個 10g / 10kcal

10個(10g)あたり
- 塩分……0.1g
- たんぱく質……1.6g
- 脂質……0.1g
- 炭水化物……0.8g
- カリウム……1mg
- カルシウム……11mg
- マグネシウム……5mg
- 鉄……3.0mg
- 亜鉛……0.3mg
- 銅……0.03mg
- ビタミンA……1μg
- ビタミンD……0μg
- ビタミンE……0.3mg
- ビタミンB12……6.4μg
- コレステロール……9mg
- n-3系多価不飽和……0.02g
- n-6系多価不飽和……0.01g
- EPA……8mg
- DHA……9mg

100gあたり
- エネルギー……102kcal
- 塩分……1.0g
- 1点重量……80g

サケ水煮缶詰め

1缶 180g / 281kcal

1缶(180g)あたり
- 塩分……1.1g
- たんぱく質……32.4g
- 脂質……13.5g
- 炭水化物……7.9g
- カリウム……522mg
- カルシウム……342mg
- マグネシウム……61mg
- 鉄……0.7mg
- 亜鉛……1.4mg
- 銅……0.13mg
- ビタミンA……微量
- ビタミンD……14.4μg
- ビタミンE……1.1mg
- ビタミンB12……10.8μg
- コレステロール……119mg
- n-3系多価不飽和……2.47g
- n-6系多価不飽和……0.34g
- EPA……900mg
- DHA……918mg

100gあたり
- エネルギー……156kcal
- 塩分……0.6g
- 1点重量……50g

サバ水煮缶詰め

1缶 180g / 313kcal

1缶(180g)あたり
- 塩分……1.6g
- たんぱく質……31.3g
- 脂質……16.7g
- 炭水化物……9.2g
- カリウム……468mg
- カルシウム……468mg
- マグネシウム……56mg
- 鉄……2.9mg
- 亜鉛……3.1mg
- 銅……0.25mg
- ビタミンA……微量
- ビタミンD……19.8μg
- ビタミンE……5.8mg
- ビタミンB12……21.6μg
- コレステロール……151mg
- n-3系多価不飽和……4.91g
- n-6系多価不飽和……0.54g
- EPA……1674mg
- DHA……2340mg

100gあたり
- エネルギー……174kcal
- 塩分……0.9g
- 1点重量……45g

2群 魚介類加工品(アサリ水煮缶詰め・サケ水煮缶詰め・サバ水煮缶詰め・アンチョビ・ツナ油漬け缶詰め・ツナ水煮缶詰め)

アンチョビ

1切れ 3g 5kcal

カタクチイワシを三枚におろして、生のまま塩漬けにしたもの。

● 3切れ 10g / 16kcal / 塩分 1.3g

1切れ(3g)あたり
- 塩分……0.4g
- たんぱく質……0.6g
- 脂質……0.2g
- 炭水化物……0.1g
- カリウム……4mg
- カルシウム……5mg
- マグネシウム……3mg
- 鉄……0.1mg
- 亜鉛……0.1mg
- 銅……0.01mg
- ビタミンA……0μg
- ビタミンD……0.1μg
- ビタミンE……0.1mg
- ビタミンB12……0.4μg
- コレステロール……3mg
- n-3系多価不飽和……0.02g
- n-6系多価不飽和……0.03g
- EPA……4mg
- DHA……17mg

100gあたり
- エネルギー……157kcal
- 塩分……13.1g
- 1点重量……50g

ツナ油漬け缶詰め

1缶(小缶) 70g / 186kcal

1缶(70g)あたり
- 塩分……0.6g
- たんぱく質……10.1g
- 脂質……14.9g
- 炭水化物……2.7g
- カリウム……161mg
- カルシウム……3mg
- マグネシウム……18mg
- 鉄……0.4mg
- 亜鉛……0.2mg
- 銅……0.03mg
- ビタミンA……6μg
- ビタミンD……1.4μg
- ビタミンE……2.0mg
- ビタミンB12……0.8μg
- コレステロール……22mg
- n-3系多価不飽和……0.98g
- n-6系多価不飽和……7.53g
- EPA……10mg
- DHA……46mg

100gあたり
- エネルギー……265kcal
- 塩分……0.9g
- 1点重量……30g

ツナ水煮缶詰め

1缶(小缶) 70g / 49kcal

1缶(70g)あたり
- 塩分……0.4g
- たんぱく質……9.1g
- 脂質……0.4g
- 炭水化物……2.4g
- カリウム……161mg
- カルシウム……4mg
- マグネシウム……18mg
- 鉄……0.4mg
- 亜鉛……0.5mg
- 銅……0.04mg
- ビタミンA……7μg
- ビタミンD……2.1μg
- ビタミンE……0.3mg
- ビタミンB12……0.8μg
- コレステロール……25mg
- n-3系多価不飽和……0.11g
- n-6系多価不飽和……0.02g
- EPA……14mg
- DHA……84mg

100gあたり
- エネルギー……70kcal
- 塩分……0.5g
- 1点重量……110g

2群 魚介類加工品（イクラ・カズノコ・タラコ・明太子）

イクラ

大さじ1　18g　45kcal

成熟したサケの卵を塩漬け、またはしょうゆ漬けにしたもの（データは塩漬け）。

大さじ1 (18g) あたり
- 塩分…………0.4g
- たんぱく質……5.2g
- 脂質…………2.1g
- 炭水化物……1.4g
- カリウム………38mg
- カルシウム……17mg
- マグネシウム…17mg
- 鉄……………0.4mg
- 亜鉛…………0.8mg
- 銅……………0.14mg
- ビタミンA……59μg
- ビタミンD……7.9μg
- ビタミンE……1.6mg
- ビタミンB12…8.5μg
- コレステロール…86mg
- n-3系多価不飽和…0.85g
- n-6系多価不飽和…0.05g
- EPA…………288mg
- DHA…………360mg

100gあたり
- エネルギー……252kcal
- 塩分…………2.3g
- 1点重量………30g

カズノコ

1本　40g　32kcal

ニシンの卵巣を塩蔵、もしくは乾燥させた加工品。栄養価は塩蔵品を水もどししたもの。

1本 (40g) あたり
- 塩分…………0.5g
- たんぱく質……6.4g
- 脂質…………0.6g
- 炭水化物……0.2g
- カリウム………1mg
- カルシウム……3mg
- マグネシウム…2mg
- 鉄……………0.2mg
- 亜鉛…………0.5mg
- 銅……………0.02mg
- ビタミンA……1μg
- ビタミンD……6.8μg
- ビタミンE……0.4mg
- ビタミンB12…1.8μg
- コレステロール…92mg
- n-3系多価不飽和…0.19g
- n-6系多価不飽和…0.01g
- EPA…………72mg
- DHA…………108mg

100gあたり
- エネルギー……80kcal
- 塩分…………1.2g
- 1点重量………100g

タラコ

1腹(小)　50g　66kcal

●大さじ1　15g／20kcal／塩分0.7g

スケトウダラの卵巣を塩蔵したもの。

1腹 (50g) あたり
- 塩分…………2.3g
- たんぱく質……10.5g
- 脂質…………1.5g
- 炭水化物……2.6g
- カリウム………150mg
- カルシウム……12mg
- マグネシウム…7mg
- 鉄……………0.3mg
- 亜鉛…………1.6mg
- 銅……………0.04mg
- ビタミンA……12μg
- ビタミンD……0.9μg
- ビタミンE……3.6mg
- ビタミンB12…9.0μg
- コレステロール…175mg
- n-3系多価不飽和…0.60g
- n-6系多価不飽和…0.04g
- EPA…………255mg
- DHA…………300mg

100gあたり
- エネルギー……131kcal
- 塩分…………4.6g
- 1点重量………60g

明太子

1腹(小)　50g　61kcal

●大さじ1　15g／18kcal／塩分0.8g

スケトウダラの卵巣を塩蔵し、とうがらしなどが入った調味液に漬けたもの。

1腹 (50g) あたり
- 塩分…………2.8g
- たんぱく質……9.2g
- 脂質…………1.2g
- 炭水化物……3.3g
- カリウム………90mg
- カルシウム……12mg
- マグネシウム…6mg
- 鉄……………0.4mg
- 亜鉛…………1.4mg
- 銅……………0.04mg
- ビタミンA……21μg
- ビタミンD……0.5μg
- ビタミンE……3.3mg
- ビタミンB12…5.5μg
- コレステロール…140mg
- n-3系多価不飽和…0.51g
- n-6系多価不飽和…0.04g
- EPA…………210mg
- DHA…………265mg

100gあたり
- エネルギー……121kcal
- 塩分…………5.6g
- 1点重量………65g

カニ風味かまぼこ

1本 10g / 9kcal

1本（10g）あたり
- 塩分 ……… 0.2g
- たんぱく質 ……… 1.1g
- 脂質 ……… 0g
- 炭水化物 ……… 1.0g
- カリウム ……… 8mg
- カルシウム ……… 12mg
- マグネシウム ……… 2mg
- 鉄 ……… 0mg
- 亜鉛 ……… 0mg
- 銅 ……… 0mg
- ビタミンA ……… 2μg
- ビタミンD ……… 0.1μg
- ビタミンE ……… 0.1mg
- ビタミンB12 ……… 0.1μg
- コレステロール ……… 2mg
- n-3系多価不飽和 ……… 0.01g
- n-6系多価不飽和 ……… 0.01g
- EPA ……… 3mg
- DHA ……… 6mg

100gあたり
- エネルギー ……… 89kcal
- 塩分 ……… 2.2g
- 1点重量 ……… 90g

かまぼこ（蒸し）

1切れ（5mm厚さ） 8g / 7kcal

1切れ（8g）あたり
- 塩分 ……… 0.2g
- たんぱく質 ……… 0.9g
- 脂質 ……… 0g
- 炭水化物 ……… 0.9g
- カリウム ……… 9mg
- カルシウム ……… 2mg
- マグネシウム ……… 1mg
- 鉄 ……… 0mg
- 亜鉛 ……… 0mg
- 銅 ……… 0mg
- ビタミンA ……… 微量
- ビタミンD ……… 0.2μg
- ビタミンE ……… 0mg
- ビタミンB12 ……… 0μg
- コレステロール ……… 1mg
- n-3系多価不飽和 ……… 0.02g
- n-6系多価不飽和 ……… 0g
- EPA ……… 6mg
- DHA ……… 10mg

● かまぼこ（焼き抜き）
1切れ 8g / 8kcal / 塩分 0.2g

100gあたり
- エネルギー ……… 93kcal
- 塩分 ……… 2.5g
- 1点重量 ……… 85g

魚肉ソーセージ

1本 75g / 119kcal

1本（75g）あたり
- 塩分 ……… 1.6g
- たんぱく質 ……… 7.7g
- 脂質 ……… 4.9g
- 炭水化物 ……… 10.9g
- カリウム ……… 53mg
- カルシウム ……… 75mg
- マグネシウム ……… 8mg
- 鉄 ……… 0.8mg
- 亜鉛 ……… 0.3mg
- 銅 ……… 0.05mg
- ビタミンA ……… 微量
- ビタミンD ……… 0.7μg
- ビタミンE ……… 0.2mg
- ビタミンB12 ……… 0.2μg
- コレステロール ……… 23mg
- n-3系多価不飽和 ……… 0.08g
- n-6系多価不飽和 ……… 0.61g
- EPA ……… 14mg
- DHA ……… 38mg

100gあたり
- エネルギー ……… 158kcal
- 塩分 ……… 2.1g
- 1点重量 ……… 50g

さつま揚げ

1枚（小判型） 30g / 41kcal

1枚（30g）あたり
- 塩分 ……… 0.6g
- たんぱく質 ……… 3.8g
- 脂質 ……… 0.9g
- 炭水化物 ……… 4.4g
- カリウム ……… 18mg
- カルシウム ……… 18mg
- マグネシウム ……… 4mg
- 鉄 ……… 0.2mg
- 亜鉛 ……… 0.1mg
- 銅 ……… 0.02mg
- ビタミンA ……… 微量
- ビタミンD ……… 0.3μg
- ビタミンE ……… 0mg
- ビタミンB12 ……… 0.4μg
- コレステロール ……… 6mg
- n-3系多価不飽和 ……… 0.09g
- n-6系多価不飽和 ……… 0.36g
- EPA ……… 14mg
- DHA ……… 21mg

100gあたり
- エネルギー ……… 135kcal
- 塩分 ……… 1.9g
- 1点重量 ……… 60g

ちくわ

1本（大） 70g / 83kcal

1本（70g）あたり
- 塩分 ……… 1.5g
- たんぱく質 ……… 7.9g
- 脂質 ……… 1.2g
- 炭水化物 ……… 10.2g
- カリウム ……… 67mg
- カルシウム ……… 11mg
- マグネシウム ……… 11mg
- 鉄 ……… 0.7mg
- 亜鉛 ……… 0.2mg
- 銅 ……… 0.02mg
- ビタミンA ……… 微量
- ビタミンD ……… 0.7μg
- ビタミンE ……… 0.3mg
- ビタミンB12 ……… 0.6μg
- コレステロール ……… 18mg
- n-3系多価不飽和 ……… 0.14g
- n-6系多価不飽和 ……… 0.36g
- EPA ……… 38mg
- DHA ……… 61mg

100gあたり
- エネルギー ……… 119kcal
- 塩分 ……… 2.1g
- 1点重量 ……… 65g

はんぺん

1枚（大） 100g / 93kcal

1枚（100g）あたり
- 塩分 ……… 1.5g
- たんぱく質 ……… 9.9g
- 脂質 ……… 0.9g
- 炭水化物 ……… 11.5g
- カリウム ……… 160mg
- カルシウム ……… 15mg
- マグネシウム ……… 13mg
- 鉄 ……… 0.5mg
- 亜鉛 ……… 0.1mg
- 銅 ……… 0.02mg
- ビタミンA ……… 微量
- ビタミンD ……… 微量
- ビタミンE ……… 0.4mg
- ビタミンB12 ……… 0.4μg
- コレステロール ……… 15mg
- n-3系多価不飽和 ……… 0.08g
- n-6系多価不飽和 ……… 0.36g
- EPA ……… 10mg
- DHA ……… 24mg

100gあたり
- エネルギー ……… 93kcal
- 塩分 ……… 1.5g
- 1点重量 ……… 85g

2群 魚介類加工品（カニ風味かまぼこ・かまぼこ・魚肉ソーセージ・さつま揚げ・ちくわ・はんぺん）

2群 牛肉（ステーキ・角切り）

牛肉 ステーキ
1枚（サーロイン） 150g 470kcal

約7×20cm 厚さ1.5cm

1枚（150g）あたり
- 塩分……0.2g
- たんぱく質……21.0g
- 脂質……40.1g
- 炭水化物……6.2g
- カリウム……405mg
- 鉄……1.5mg
- 亜鉛……4.4mg
- ビタミンA……12µg
- ビタミンB_1……0.09mg
- ビタミンB_2……0.15mg
- 葉酸……9µg
- コレステロール……104mg
- n-3系多価不飽和……0.08g
- n-6系多価不飽和……1.46g

100gあたり
- エネルギー……313kcal
- 塩分……0.1g

1点重量 26g

ヒレ1枚
150g／266kcal／塩分0.2g
約7×12cm 厚さ2cm
100gあたり
- エネルギー……177kcal
- 塩分……0.1g

1点重量 45g

もも1枚
100g／196kcal／塩分0.1g
約7×10cm 厚さ2cm
100gあたり
- エネルギー……196kcal
- 塩分……0.1g

1点重量 40g

牛肉 角切り
1個（肩） 20g 46kcal

約3×4cm 厚さ2cm

1個（20g）あたり
- 塩分……0g
- たんぱく質……3.4g
- 脂質……3.6g
- 炭水化物……0.1g
- カリウム……58mg
- 鉄……0.4mg
- 亜鉛……0.9mg
- ビタミンA……1µg
- ビタミンB_1……0.02mg
- ビタミンB_2……0.04mg
- 葉酸……1µg
- コレステロール……13mg
- n-3系多価不飽和……0.01g
- n-6系多価不飽和……0.16g

100gあたり
- エネルギー……231kcal
- 塩分……0.2g

1点重量 35g

肩ロース1個
20g／59kcal／塩分0g
約3×4cm 厚さ2cm
100gあたり
- エネルギー……295kcal
- 塩分……0.1g

1点重量 27g

牛肉

掲載の栄養価は乳用肥育牛肉（国産牛）。
良質のたんぱく質と脂質を多く含む。特に赤身は鉄（ヘム鉄）で、吸収率が植物性食品に含まれる非ヘム鉄に比べ約7倍である。また亜鉛も多い。

牛肉 薄切り

1枚（もも） 15g 29kcal

約5×30cm 厚さ2〜3mm

1枚（15g）あたり
- 塩分……………0g
- たんぱく質………2.4g
- 脂質……………1.9g
- 炭水化物………0.7g
- カリウム………50mg
- 鉄………………0.2mg
- 亜鉛……………0.7mg
- ビタミンA………0μg
- ビタミンB₁……0.01mg
- ビタミンB₂……0.03mg
- 葉酸……………1μg
- コレステロール…10mg
- n-3系多価不飽和……0g
- n-6系多価不飽和…0.08g

100gあたり
- エネルギー…196kcal
- 塩分……………0.1g

1点重量……40g

●肩ロース1枚
60g／177kcal／塩分0.1g
約10×30cm
厚さ2〜3mm

100gあたり
- エネルギー…295kcal
- 塩分……………0.1g

1点重量……27g

牛肉部位別エネルギーの高いランキング
（国産牛100gあたり）
1. バラ （381kcal）
2. リブロース （380kcal）
3. サーロイン （313kcal）
4. 肩ロース （295kcal）
5. ひき肉 （251kcal）
6. ランプ （234kcal）
7. もも （196kcal）
8. ヒレ （177kcal）

牛肉 しゃぶしゃぶ用

1枚（肩ロース） 15g 44kcal

約10×15cm 厚さ1mm

1枚（15g）あたり
- 塩分……………0g
- たんぱく質………2.1g
- 脂質……………3.7g
- 炭水化物………0.7g
- カリウム………39mg
- 鉄………………0.1mg
- 亜鉛……………0.7mg
- ビタミンA………1μg
- ビタミンB₁……0.01mg
- ビタミンB₂……0.03mg
- 葉酸……………1μg
- コレステロール…11mg
- n-3系多価不飽和…0.01g
- n-6系多価不飽和…0.14g

100gあたり
- エネルギー…295kcal
- 塩分……………0.1g

1点重量……27g

●もも1枚
15g／29kcal／塩分0g
約10×16cm 厚さ1mm

100gあたり
- エネルギー…196kcal
- 塩分……………0.1g

1点重量……40g

牛肉部位別たんぱく質の多いランキング
（国産牛100gあたり）
1. ヒレ （17.7g）
2. もも （16.0g）
3. ランプ （15.3g）
4. ひき肉 （14.4g）
5. サーロイン （14.0g）
6. 肩ロース （13.7g）
7. リブロース （12.5g）
8. バラ （11.1g）

2群 牛肉（薄切り・しゃぶしゃぶ用）

2群 牛肉（こま切れ・切り落とし・ひき肉）／牛肉・豚肉（合いびき肉）

牛肉 こま切れ・切り落とし
1枚（肩ロース） 10g 30kcal

約5×10cm
厚さ2～3mm

- もも1枚
- 10g／20kcal／
- 塩分 0g

約5×10cm
厚さ2～3mm

100gあたり
- エネルギー……196kcal
- 塩分……0.1g
- 1点重量……40g

1枚（10g）あたり
- 塩分……0g
- たんぱく質……1.4g
- 脂質……2.5g
- 炭水化物……0.4g
- カリウム……26mg
- 鉄……0.1mg
- 亜鉛……0.5mg
- ビタミンA……1μg
- ビタミンB₁……0.01mg
- ビタミンB₂……0.02mg
- 葉酸……1μg
- コレステロール……7mg
- n-3系多価不飽和……0.01g
- n-6系多価不飽和……0.09g

100gあたり
- エネルギー……295kcal
- 塩分……0.1g
- 1点重量……27g

牛肉部位別脂質の多いランキング
（国産牛 100gあたり）
1. バラ （37.3g）
2. リブロース （35.0g）
3. サーロイン （26.7g）
4. 肩ロース （24.7g）
5. ひき肉 （19.8g）
6. ランプ （17.1g）
7. もも （12.6g）
8. ヒレ （10.1g）

牛肉 ひき肉
100g 251kcal

100gあたり
- 塩分……0.2g
- たんぱく質……14.4g
- 脂質……19.8g
- 炭水化物……3.6g
- カリウム……260mg
- 鉄……2.4mg
- 亜鉛……5.2mg
- ビタミンA……13μg
- ビタミンB₁……0.08mg
- ビタミンB₂……0.19mg
- 葉酸……5μg
- コレステロール……64mg
- n-3系多価不飽和……0.24g
- n-6系多価不飽和……0.39g

100gあたり
- エネルギー……251kcal
- 塩分……0.2g
- 1点重量……30g

牛肉・豚肉 合いびき肉（牛肉70％＋豚肉30％）
100g 238kcal

100gあたり
- 塩分……0.2g
- たんぱく質……14.9g
- 脂質……18.7g
- 炭水化物……2.6g
- カリウム……269mg
- 鉄……2mg
- 亜鉛……4.5mg
- ビタミンA……12μg
- ビタミンB₁……0.26mg
- ビタミンB₂……0.20mg
- 葉酸……4μg
- コレステロール……67mg
- n-3系多価不飽和……0.20g
- n-6系多価不飽和……0.73g

100gあたり
- エネルギー……238kcal
- 塩分……0.2g
- 1点重量……34g

牛肉 焼き肉用

1枚 (カルビ・バラ) 25g 95kcal

約3×8cm 厚さ5mm

1枚 (25g) あたり
- 塩分 …… 0g
- たんぱく質 …… 2.8g
- 脂質 …… 9.3g
- 炭水化物 …… 0.1g
- カリウム …… 48mg
- 鉄 …… 0.4mg
- 亜鉛 …… 0.7mg
- ビタミンA …… 3μg
- ビタミンB1 …… 0.01mg
- ビタミンB2 …… 0.03mg
- 葉酸 …… 1μg
- コレステロール …… 20mg
- n-3系多価不飽和 …… 0.01g
- n-6系多価不飽和 …… 0.24g

100gあたり
- エネルギー …… 381kcal
- 塩分 …… 0.1g
- **1点重量 …… 21g**

牛 はらみ (横隔膜)

1枚 20g 58kcal

約3×8cm 厚さ5mm

横隔膜の部分。さがりとも呼ばれる。

1枚 (20g) あたり
- 塩分 …… 0g
- たんぱく質 …… 2.6g
- 脂質 …… 5.2g
- 炭水化物 …… 0.1g
- カリウム …… 50mg
- 鉄 …… 0.6mg
- 亜鉛 …… 0.7mg
- ビタミンA …… 1μg
- ビタミンB1 …… 0.03mg
- ビタミンB2 …… 0.07mg
- 葉酸 …… 1μg
- コレステロール …… 14mg
- n-3系多価不飽和 …… 0.01g
- n-6系多価不飽和 …… 0.18g

100gあたり
- エネルギー …… 288kcal
- 塩分 …… 0.1g
- **1点重量 …… 28g**

牛 レバー

1枚 (薄切り) 10g 12kcal

約4×6cm 厚さ5mm

鉄やビタミンAのほかに、銅、ビタミンB2、B12、C、ナイアシン、葉酸なども非常に豊富。

1枚 (10g) あたり
- 塩分 …… 0g
- たんぱく質 …… 1.7g
- 脂質 …… 0.2g
- 炭水化物 …… 0.7g
- カリウム …… 30mg
- 鉄 …… 0.4mg
- 亜鉛 …… 0.4mg
- 銅 …… 0.53mg
- ビタミンA …… 110μg
- ビタミンB1 …… 0.02mg
- ビタミンB2 …… 0.30mg
- ナイアシン …… 1.8mg
- ビタミンB12 …… 5.3μg
- 葉酸 …… 100μg
- ビタミンC …… 3mg
- コレステロール …… 24mg
- n-3系多価不飽和 …… 0.01g
- n-6系多価不飽和 …… 0.06g

100gあたり
- エネルギー …… 119kcal
- 塩分 …… 0.1g
- **1点重量 …… 65g**

牛 タン

1枚 (薄切り 焼肉用) 20g 64kcal

約5×6cm 厚さ5mm

舌の部位。各部分肉と栄養的特徴はほぼ同じ。先端部分よりつけ根部分のほうが、やわらかい。

1枚 (20g) あたり
- 塩分 …… 0g
- たんぱく質 …… 2.5g
- 脂質 …… 5.9g
- 炭水化物 …… 0.1g
- カリウム …… 46mg
- 鉄 …… 0.4mg
- 亜鉛 …… 0.6mg
- ビタミンA …… 1μg
- ビタミンB1 …… 0.02mg
- ビタミンB2 …… 0.05mg
- 葉酸 …… 3μg
- コレステロール …… 19mg
- n-3系多価不飽和 …… 0.01g
- n-6系多価不飽和 …… 0.24g

100gあたり
- エネルギー …… 318kcal
- 塩分 …… 0.2g
- **1点重量 …… 25g**

2群 豚肉（豚カツ用・角切り）

豚肉　豚カツ用
1枚（ロース）100g　248kcal

約7×15cm　厚さ1.2cm

1枚（100g）あたり
- 塩分……0.1g
- たんぱく質……17.2g
- 脂質……18.5g
- 炭水化物……3.0g
- カリウム……310mg
- 鉄……0.3mg
- 亜鉛……1.6mg
- ビタミンA……6μg
- ビタミンB₁……0.69mg
- ビタミンB₂……0.15mg
- 葉酸……1μg
- コレステロール……61mg
- n-3系多価不飽和……0.11g
- n-6系多価不飽和……2.10g

100gあたり
- エネルギー……248kcal
- 塩分……0.1g

1点重量……30g

●ヒレ1枚
30g／35kcal／塩分 0g
約5×7cm　厚さ1.5cm
100gあたり
- エネルギー……118kcal
- 塩分……0.1g

1点重量……70g

豚肉
掲載の栄養価は大型種。必須アミノ酸のバランスよい良質たんぱく質を含む。ほかの食肉に比べて、ビタミンB₁、B₂を非常に多く含む。

豚肉　角切り
1個（肩ロース）20g　47kcal

約3×4cm　厚さ2cm

1個（20g）あたり
- 塩分……0g
- たんぱく質……2.9g
- 脂質……3.7g
- 炭水化物……0.7g
- カリウム……60mg
- 鉄……0.1mg
- 亜鉛……0.5mg
- ビタミンA……1μg
- ビタミンB₁……0.13mg
- ビタミンB₂……0.05mg
- 葉酸……0μg
- コレステロール……14mg
- n-3系多価不飽和……0.02g
- n-6系多価不飽和……0.40g

100gあたり
- エネルギー……237kcal
- 塩分……0.1g

1点重量……35g

●バラ1個
20g／73kcal／塩分 0g
約3×4cm　厚さ2cm
100gあたり
- エネルギー……366kcal
- 塩分……0.1g

1点重量……22g

豚肉部位別エネルギーの高いランキング
（大型種100gあたり）

1	バラ	(366 kcal)
2	ロース	(248 kcal)
3	肩ロース	(237 kcal)
4	外もも	(221 kcal)
5	ひき肉	(209 kcal)
6	もも	(171 kcal)
7	ヒレ	(118 kcal)

豚肉 しょうが焼き用

1枚(肩ロース) **40g** **95**kcal

約8×15cm 厚さ4mm

1枚(40g)あたり
- 塩分……………………0g
- たんぱく質………5.9g
- 脂質…………………7.4g
- 炭水化物…………1.4g
- カリウム…………120mg
- 鉄……………………0.2mg
- 亜鉛…………………1.1mg
- ビタミンA…………2μg
- ビタミンB_1……0.25mg
- ビタミンB_2……0.09mg
- 葉酸……………………1μg
- コレステロール…28mg
- n-3系多価不飽和…0.05g
- n-6系多価不飽和…0.80g

100gあたり
- エネルギー…237kcal
- 塩分……………………0.1g

1点重量……35g

●ロース1枚
40g / 99kcal **/塩分 0g**
約8×15cm 厚さ4mm
100gあたり
エネルギー…248kcal
塩分……………………0.1g
1点重量……30g

豚肉部位別 たんぱく質の多いランキング
(大型種100gあたり)

1	ヒレ	(18.5g)
2	ロース	(17.2g)
3	もも	(16.9g)
4	ひき肉	(15.9g)
5	外もも	(15.6g)
6	肩ロース	(14.7g)
7	バラ	(12.8g)

豚肉 薄切り

1枚(もも) **25g** **43**kcal

約8×20cm 厚さ2mm

1枚(25g)あたり
- 塩分……………………0g
- たんぱく質………4.2g
- 脂質…………………2.4g
- 炭水化物…………1.2g
- カリウム……………88mg
- 鉄……………………0.2mg
- 亜鉛…………………0.5mg
- ビタミンA…………1μg
- ビタミンB_1……0.23mg
- ビタミンB_2……0.05mg
- 葉酸……………………1μg
- コレステロール…17mg
- n-3系多価不飽和…0.02g
- n-6系多価不飽和…0.30g

100gあたり
- エネルギー…171kcal
- 塩分……………………0.1g

1点重量……45g

●ロース1枚
20g / 50kcal **/塩分 0g**
約7×15cm 厚さ2mm
100gあたり
エネルギー…248kcal
塩分……………………0.1g
1点重量……30g

●バラ1枚
20g / 73kcal **/塩分 0g**
約5×30cm 厚さ2mm
100gあたり
エネルギー…366kcal
塩分……………………0.1g
1点重量……22g

2群 豚肉(しょうが焼き用・薄切り)

豚肉 しゃぶしゃぶ用

1枚（ロース） 12g 30kcal

約7×18cm 厚さ1mm

豚肉部位別 脂質の多いランキング
（大型種100gあたり）

1. バラ （34.9g）
2. ロース （18.5g）
3. 肩ロース （18.4g）
4. ひき肉 （16.1g）
5. 外もも （15.9g）
6. もも （9.5g）
7. ヒレ （3.3g）

1枚（12g）あたり

- 塩分……………………0g
- たんぱく質…………2.1g
- 脂質……………………2.2g
- 炭水化物……………0.4g
- カリウム……………37mg
- 鉄…………………………0mg
- 亜鉛……………………0.2mg
- ビタミンA……………1μg
- ビタミンB1…………0.08mg
- ビタミンB2…………0.02mg
- 葉酸……………………0μg
- コレステロール……7mg
- n-3系多価不飽和…0.01g
- n-6系多価不飽和…0.25g

100gあたり
- エネルギー……248kcal
- 塩分……………………0.1g

1点重量……30g

豚肉 こま切れ

1枚（肩ロース） 10g 24kcal

約6×14cm 厚さ2mm

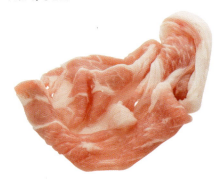

1枚（10g）あたり

- 塩分……………………0g
- たんぱく質…………1.5g
- 脂質……………………1.8g
- 炭水化物……………0.3g
- カリウム……………30mg
- 鉄…………………………0.1mg
- 亜鉛……………………0.3mg
- ビタミンA……………1μg
- ビタミンB1…………0.06mg
- ビタミンB2…………0.02mg
- 葉酸……………………0μg
- コレステロール……7mg
- n-3系多価不飽和…0.01g
- n-6系多価不飽和…0.20g

100gあたり
- エネルギー……237kcal
- 塩分……………………0.1g

1点重量……35g

豚肉 ひき肉

100g / 209kcal

100gあたり
- 塩分……0.1g
- たんぱく質……15.9g
- 脂質……16.1g
- 炭水化物……0.1g
- カリウム……290mg
- 鉄……1.0mg
- 亜鉛……2.8mg
- ビタミンA……9μg
- ビタミンB₁……0.69mg
- ビタミンB₂……0.22mg
- 葉酸……2μg
- コレステロール……74mg
- n-3系多価不飽和……0.10g
- n-6系多価不飽和……1.52g

100gあたり
- エネルギー……209kcal
- 塩分……0.1g
- 1点重量……40g

豚肉加工品 ウインナーソーセージ

1本 20g / 64kcal

1本(20g)あたり
- 塩分……0.4g
- たんぱく質……2.1g
- 脂質……5.9g
- 炭水化物……0.6g
- カリウム……36mg
- 鉄……0.1mg
- 亜鉛……0.3mg
- ビタミンA……0μg
- ビタミンB₁……0.07mg
- ビタミンB₂……0.02mg
- 葉酸……0μg
- コレステロール……12mg
- n-3系多価不飽和……0.05g
- n-6系多価不飽和……0.67g

100gあたり
- エネルギー……319kcal
- 塩分……1.9g
- 1点重量……25g

豚肉加工品 生ハム

1枚 5g / 13kcal

1枚(5g)あたり
- 塩分……0.3g
- たんぱく質……1.1g
- 脂質……0.9g
- 炭水化物……0g
- カリウム……24mg
- 鉄……0.1mg
- 亜鉛……0.2mg
- ビタミンA……0μg
- ビタミンB₁……0.05mg
- ビタミンB₂……0.01mg
- 葉酸……0μg
- コレステロール……5mg
- n-3系多価不飽和……0.01g
- n-6系多価不飽和……0.08g

100gあたり
- エネルギー……253kcal
- 塩分……5.6g
- 1点重量……30g

豚肉加工品 ベーコン

1枚 17g / 68kcal

1枚(17g)あたり
- 塩分……0.3g
- たんぱく質……1.9g
- 脂質……6.5g
- 炭水化物……0.4g
- カリウム……36mg
- 鉄……0.1mg
- 亜鉛……0.3mg
- ビタミンA……1μg
- ビタミンB₁……0.08mg
- ビタミンB₂……0.02mg
- 葉酸……0μg
- コレステロール……9mg
- n-3系多価不飽和……0.05g
- n-6系多価不飽和……0.56g

100gあたり
- エネルギー……400kcal
- 塩分……2.0g
- 1点重量……20g

豚肉加工品 焼き豚

1枚 10g / 17kcal

1枚(10g)あたり
- 塩分……0.2g
- たんぱく質……1.6g
- 脂質……0.7g
- 炭水化物……0.8g
- カリウム……29mg
- 鉄……0.1mg
- 亜鉛……0.1mg
- ビタミンA……微量
- ビタミンB₁……0.09mg
- ビタミンB₂……0.02mg
- 葉酸……0μg
- コレステロール……5mg
- n-3系多価不飽和……0.01g
- n-6系多価不飽和……0.09g

100gあたり
- エネルギー……166kcal
- 塩分……2.4g
- 1点重量……50g

豚肉加工品 ロースハム

1枚 10g / 21kcal

1枚(10g)あたり
- 塩分……0.2g
- たんぱく質……1.6g
- 脂質……1.4g
- 炭水化物……0.6g
- カリウム……29mg
- 鉄……0.1mg
- 亜鉛……0.2mg
- ビタミンA……0μg
- ビタミンB₁……0.07mg
- ビタミンB₂……0.01mg
- 葉酸……0μg
- コレステロール……6mg
- n-3系多価不飽和……0.01g
- n-6系多価不飽和……0.15g

100gあたり
- エネルギー……211kcal
- 塩分……2.3g
- 1点重量……40g

2群 豚肉(ひき肉)／豚肉加工品(ウインナーソーセージ・生ハム・ベーコン・焼き豚・ロースハム)

鶏肉 鶏胸肉

皮つき1枚 280g 372kcal

1枚（280g）あたり
- 塩分 ………… 0.3g
- たんぱく質 …… 48.4g
- 脂質 ………… 15.4g
- 炭水化物 …… 10.1g
- カリウム ……… 952mg
- 鉄 …………… 0.8mg
- 亜鉛 ………… 1.7mg
- ビタミンA …… 50μg
- ビタミンB1 … 0.25mg
- ビタミンB2 … 0.28mg
- 葉酸 ………… 34μg
- コレステロール … 204mg
- n-3系多価不飽和 … 0.31g
- n-6系多価不飽和 … 2.58g

100gあたり
- エネルギー … 133kcal
- 塩分 ………… 0.1g
- 1点重量 …… 60g

鶏肉
必須アミノ酸のバランスがよい良質たんぱく質を含み、消化吸収率が高い。脂肪が皮下に集中してつくため、皮とともに皮下脂肪をとり除けば、エネルギーや脂質、コレステロールをかなり抑えることができる。皮や骨の周りの肉にはコラーゲンが豊富。

皮なし1枚分 255g 268kcal

1枚分（255g）あたり
- 塩分 ………… 0.3g
- たんぱく質 …… 49.0g
- 脂質 ………… 4.1g
- 炭水化物 …… 8.7g
- カリウム ……… 944mg
- 鉄 …………… 0.8mg
- 亜鉛 ………… 1.8mg
- ビタミンA …… 23μg
- ビタミンB1 … 0.26mg
- ビタミンB2 … 0.28mg
- 葉酸 ………… 33μg
- コレステロール … 184mg
- n-3系多価不飽和 … 0.13g
- n-6系多価不飽和 … 0.82g

100gあたり
- エネルギー … 105kcal
- 塩分 ………… 0.1g
- 1点重量 …… 75g

皮1枚分 25g 117kcal

1枚分（25g）あたり
- 塩分 ………… 0g
- たんぱく質 …… 1.7g
- 脂質 ………… 11.7g
- 炭水化物 …… 1.2g
- カリウム ……… 35mg
- 鉄 …………… 0.1mg
- 亜鉛 ………… 0.1mg
- ビタミンA …… 30μg
- ビタミンB1 … 0.01mg
- ビタミンB2 … 0.01mg
- 葉酸 ………… 1μg
- コレステロール … 28mg
- n-3系多価不飽和 … 0.07g
- n-6系多価不飽和 … 1.51g

100gあたり
- エネルギー … 466kcal
- 塩分 ………… 0.1g
- 1点重量 …… 17g

鶏肉　鶏もも肉

皮つき1枚　280g　532kcal

1枚（280g）あたり
- 塩分………………0.6g
- たんぱく質………47.6g
- 脂質………………37.8g
- 炭水化物……………0g
- カリウム………812mg
- 鉄………………1.7mg
- 亜鉛……………4.5mg
- ビタミンA………112μg
- ビタミンB₁……0.28mg
- ビタミンB₂……0.42mg
- 葉酸………………36μg
- コレステロール…249mg
- n-3系多価不飽和・0.25g
- n-6系多価不飽和・4.93g

100gあたり
- エネルギー…190kcal
- 塩分………………0.2g
- 1点重量……40g

皮なし1枚分　220g　249kcal

100gあたり
- エネルギー…113kcal
- 塩分………………0.2g
- 1点重量……70g

1枚分（220g）あたり
- 塩分………………0.4g
- たんぱく質………35.9g
- 脂質………………9.5g
- 炭水化物…………5.1g
- カリウム………704mg
- 鉄………………1.3mg
- 亜鉛……………4.0mg
- ビタミンA………35μg
- ビタミンB₁……0.26mg
- ビタミンB₂……0.42mg
- 葉酸………………22μg
- コレステロール…191mg
- n-3系多価不飽和・0.09g
- n-6系多価不飽和・1.47g

皮1枚分　60g　284kcal

100gあたり
- エネルギー…474kcal
- 塩分………………0.1g
- 1点重量……17g

1枚分（60g）あたり
- 塩分………………0.1g
- たんぱく質………3.2g
- 脂質………………30.2g
- 炭水化物……………0g
- カリウム…………20mg
- 鉄………………0.2mg
- 亜鉛……………0.2mg
- ビタミンA………72μg
- ビタミンB₁……0.01mg
- ビタミンB₂……0.03mg
- 葉酸…………………1μg
- コレステロール…72mg
- n-3系多価不飽和・0.17g
- n-6系多価不飽和・3.75g

2群　鶏肉（もも肉）

2群 鶏肉（ささ身・手羽先・手羽中・手羽元）

鶏肉 ささ身

1本 50g
正味重量* 50g　49kcal
*すじを除いた重量

1本（50g）あたり
- 塩分 …… 0.1g
- たんぱく質 …… 9.9g
- 脂質 …… 0.3g
- 炭水化物 …… 1.4g
- カリウム …… 205mg
- 鉄 …… 0.2mg
- 亜鉛 …… 0.3mg
- ビタミンA …… 3μg
- ビタミンB₁ …… 0.05mg
- ビタミンB₂ …… 0.06mg
- 葉酸 …… 8μg
- コレステロール …… 33mg
- n-3系多価不飽和 …… 0.01g
- n-6系多価不飽和 …… 0.06g

100gあたり
- エネルギー …… 98kcal
- 塩分 …… 0.1g

1点重量 …… 80g
廃棄率 …… 5%
廃棄部位／すじ

鶏肉 手羽先

1本（骨つき）60g
正味重量* 35g　72kcal
*骨を除いた重量

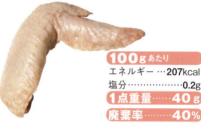

1本（35g）あたり
- 塩分 …… 0.1g
- たんぱく質 …… 5.7g
- 脂質 …… 5.5g
- 炭水化物 …… 0g
- カリウム …… 74mg
- 鉄 …… 0.2mg
- 亜鉛 …… 0.5mg
- ビタミンA …… 18μg
- ビタミンB₁ …… 0.02mg
- ビタミンB₂ …… 0.03mg
- 葉酸 …… 3μg
- コレステロール …… 42mg
- n-3系多価不飽和 …… 0.06g
- n-6系多価不飽和 …… 0.75g

100gあたり
- エネルギー …… 207kcal
- 塩分 …… 0.2g

1点重量 …… 40g
廃棄率 …… 40%
廃棄部位／骨

鶏肉 手羽中

1本（骨つき）20g
正味重量* 15g　28kcal
*骨を除いた重量

1本（20g）あたり
- 塩分 …… 0g
- たんぱく質 …… 2.5g
- 脂質 …… 2.1g
- 炭水化物 …… 0g
- カリウム …… 33mg
- 鉄 …… 0.1mg
- 亜鉛 …… 0.2mg
- ビタミンA …… 7μg
- ビタミンB₁ …… 0.01mg
- ビタミンB₂ …… 0.02mg
- 葉酸 …… 2μg
- コレステロール …… 17mg
- n-3系多価不飽和 …… 0.02g
- n-6系多価不飽和 …… 0.28g

100gあたり
- エネルギー …… 189kcal
- 塩分 …… 0.2g

1点重量 …… 40g
廃棄率 …… 35%
廃棄部位／骨

鶏肉 手羽元

1本（骨つき）60g
正味重量* 40g　70kcal
*骨を除いた重量

1本（40g）あたり
- 塩分 …… 0.1g
- たんぱく質 …… 6.7g
- 脂質 …… 4.8g
- 炭水化物 …… 0g
- カリウム …… 92mg
- 鉄 …… 0.2mg
- 亜鉛 …… 0.4mg
- ビタミンA …… 18μg
- ビタミンB₁ …… 0.03mg
- ビタミンB₂ …… 0.04mg
- 葉酸 …… 5μg
- コレステロール …… 40mg
- n-3系多価不飽和 …… 0.06g
- n-6系多価不飽和 …… 0.64g

100gあたり
- エネルギー …… 175kcal
- 塩分 …… 0.2g

1点重量 …… 45g
廃棄率 …… 30%
廃棄部位／骨

鶏肉 ひき肉
100g 171kcal

100gあたり
- 塩分……………………0.1g
- たんぱく質………14.6g
- 脂質……………………11.0g
- 炭水化物……………3.4g
- カリウム…………250mg
- 鉄………………………0.8mg
- 亜鉛……………………1.1mg
- ビタミンA…………37μg
- ビタミンB₁………0.09mg
- ビタミンB₂………0.17mg
- 葉酸……………………10μg
- コレステロール……80mg
- n-3系多価不飽和…0.13g
- n-6系多価不飽和…1.77g

100gあたり
- エネルギー…171kcal
- 塩分……………………0.1g
- **1点重量……45g**

鶏 レバー
1個 50g 50kcal

鉄やビタミンA、B₁₂、葉酸が非常に多く、銅、ビタミンB₁、B₂、C、ナイアシンなども豊富。

1個（50g）あたり
- 塩分……………………0.1g
- たんぱく質…………8.1g
- 脂質……………………1.0g
- 炭水化物……………2.4g
- カリウム…………165mg
- 鉄………………………4.5mg
- 亜鉛……………………1.7mg
- 銅………………………0.16mg
- ビタミンA……7000μg
- ビタミンB₁………0.19mg
- ビタミンB₂………0.90mg
- ナイアシン………4.5mg
- ビタミンB₁₂……22.0μg
- 葉酸…………………650μg
- ビタミンC…………10mg
- コレステロール…185mg
- n-3系多価不飽和…0.13g
- n-6系多価不飽和…0.19g

100gあたり
- エネルギー…100kcal
- 塩分……………………0.2g
- **1点重量……80g**

鶏 砂肝
1個 25g 22kcal

筋胃という。鉄が多く、かたいが独特の食感がある。

1個（25g）あたり
- 塩分……………………0g
- たんぱく質…………3.9g
- 脂質……………………0.3g
- 炭水化物……………0.9g
- カリウム……………58mg
- 鉄………………………0.6mg
- 亜鉛……………………0.7mg
- ビタミンA……………1μg
- ビタミンB₁………0.02mg
- ビタミンB₂………0.07mg
- 葉酸……………………9μg
- コレステロール……50mg
- n-3系多価不飽和…0.01g
- n-6系多価不飽和…0.05g

100gあたり
- エネルギー……86kcal
- 塩分……………………0.1g
- **1点重量……95g**

ラム ロース
1枚 30g 86kcal

直径12cm
厚さ3mm

生後1歳未満の羊肉のこと。1歳以上の羊肉をマトンと呼ぶ。

1枚（30g）あたり
- 塩分……………………0.1g
- たんぱく質…………4.1g
- 脂質……………………7.0g
- 炭水化物……………1.8g
- カリウム……………75mg
- 鉄………………………0.4mg
- 亜鉛……………………0.8mg
- ビタミンA……………9μg
- ビタミンB₁………0.04mg
- ビタミンB₂………0.05mg
- 葉酸……………………0μg
- コレステロール……20mg
- n-3系多価不飽和…0.10g
- n-6系多価不飽和…0.17g

100gあたり
- エネルギー…287kcal
- 塩分……………………0.2g
- **1点重量……28g**

2群 鶏肉（ひき肉）／鶏（レバー・砂肝）／ラム

2群 豆類（あずき・いんげん豆）

あずき

主成分はたんぱく質と炭水化物。カリウム、鉄、ビタミンB₁、食物繊維が豊富。

乾1カップ（170g）をゆでると
重量比 **2.3倍** 390g
容量比 **2.6倍** 2 3/5 カップ

1カップ（乾） 170g 517kcal

1カップ（170g）あたり	
塩分	0g
たんぱく質	30.3g
脂質	1.4g
炭水化物	71.9g
食物繊維	42.2g
カリウム	2210mg
カルシウム	119mg
マグネシウム	221mg
鉄	9.4mg
亜鉛	4.1mg
ビタミンK	14μg
ビタミンB₁	0.78mg
ビタミンB₂	0.27mg
葉酸	221μg

100gあたり
エネルギー 304kcal
塩分 0g
1点重量 26g

1カップ（ゆで） 150g 186kcal

1カップ（150g）あたり	
塩分	0g
たんぱく質	11.1g
脂質	0.5g
炭水化物	27.5g
食物繊維	13.1g
カリウム	645mg
カルシウム	41mg
マグネシウム	65mg
鉄	2.4mg
亜鉛	1.4mg
ビタミンK	5μg
ビタミンB₁	0.23mg
ビタミンB₂	0.06mg
葉酸	35μg

100gあたり
エネルギー 124kcal
塩分 0g
1点重量 65g

いんげん豆

主成分はたんぱく質と炭水化物。カリウム、カルシウム、鉄、ビタミンB群、食物繊維が豊富。

乾1カップ（160g）をゆでると
重量比 **2.2倍** 350g
容量比 **2.3倍** 2 1/3 カップ

1カップ（乾） 160g 448kcal

1カップ（160g）あたり	
塩分	0g
たんぱく質	28.3g
脂質	2.4g
炭水化物	61.0g
食物繊維	31.4g
カリウム	2240mg
カルシウム	224mg
マグネシウム	240mg
鉄	9.4mg
亜鉛	4.0mg
ビタミンK	13μg
ビタミンB₁	1.02mg
ビタミンB₂	0.26mg
葉酸	139μg

100gあたり
エネルギー 280kcal
塩分 0g
1点重量 29g

1カップ（ゆで） 150g 191kcal

1カップ（150g）あたり	
塩分	0g
たんぱく質	11.0g
脂質	1.1g
炭水化物	23.7g
食物繊維	20.4g
カリウム	615mg
カルシウム	93mg
マグネシウム	69mg
鉄	3.0mg
亜鉛	1.5mg
ビタミンK	5μg
ビタミンB₁	0.33mg
ビタミンB₂	0.11mg
葉酸	48μg

100gあたり
エネルギー 127kcal
塩分 0g
1点重量 65g

えんどう豆

主成分はたんぱく質と炭水化物。ビタミンB群、食物繊維が豊富。豆類には珍しくβ-カロテンが多い。

乾1カップ（170g）をゆでると
重量比 **2.2倍** **375g**
容量比 **2.5倍** 2 1/2カップ

1カップ（乾）
170g 527kcal

1カップ（170g）あたり	
塩分	0g
たんぱく質	30.3g
脂質	2.6g
炭水化物	81.3g
食物繊維	29.6g
カリウム	1479mg
カルシウム	111mg
マグネシウム	204mg
鉄	8.5mg
亜鉛	7.0mg
ビタミンK	27μg
ビタミンB₁	1.22mg
ビタミンB₂	0.26mg
葉酸	41μg

100gあたり
エネルギー 310kcal
塩分 0g
1点重量 26g

1カップ（ゆで）
150g 194kcal

1カップ（150g）あたり	
塩分	0g
たんぱく質	11.1g
脂質	0.9g
炭水化物	29.6g
食物繊維	11.6g
カリウム	390mg
カルシウム	42mg
マグネシウム	60mg
鉄	3.3mg
亜鉛	2.1mg
ビタミンK	11μg
ビタミンB₁	0.41mg
ビタミンB₂	0.09mg
葉酸	8μg

100gあたり
エネルギー 129kcal
塩分 0g
1点重量 60g

ささげ

見た目があずきと酷似。利用法、栄養価もあずきと同様。主成分はたんぱく質と炭水化物。鉄、カリウム、ビタミンB₁、食物繊維が豊富。

乾1カップ（160g）をゆでると
重量比 **2.3倍** **370g**
容量比 **2.8倍** 2 4/5カップ

1カップ（乾）
160g 448kcal

1カップ（160g）あたり	
塩分	0g
たんぱく質	31.4g
脂質	2.1g
炭水化物	59.4g
食物繊維	29.4g
カリウム	2240mg
カルシウム	120mg
マグネシウム	272mg
鉄	9.0mg
亜鉛	7.8mg
ビタミンK	22μg
ビタミンB₁	0.80mg
ビタミンB₂	0.16mg
葉酸	480μg

100gあたり
エネルギー 280kcal
塩分 0g
1点重量 29g

1カップ（ゆで）
130g 169kcal

1カップ（130g）あたり	
塩分	0g
たんぱく質	10.7g
脂質	0.8g
炭水化物	22.1g
食物繊維	13.9g
カリウム	520mg
カルシウム	42mg
マグネシウム	72mg
鉄	3.4mg
亜鉛	2.0mg
ビタミンK	8μg
ビタミンB₁	0.26mg
ビタミンB₂	0.07mg
葉酸	62μg

100gあたり
エネルギー 130kcal
塩分 0g
1点重量 60g

2群 豆類（えんどう豆・ささげ）

2群 豆類（ひよこ豆［ガルバンゾ］・べにばないんげん豆）

ひよこ豆（ガルバンゾ）

もどすのに時間がかかるが、ホクホクとしてくせのない味。主成分はたんぱく質と炭水化物。カリウム、カルシウム、鉄、ビタミンB₁、食物繊維が多い。

乾1カップ（170g）をゆでると
- 重量比 **2.2倍** 375g
- 容量比 **2.7倍** 2⅔カップ

1カップ（乾） 170g 571kcal

1カップ（170g）あたり
- 塩分 ……… 0g
- たんぱく質 ……… 28.4g
- 脂質 ……… 7.3g
- 炭水化物 ……… 84.0g
- 食物繊維 ……… 27.7g
- カリウム ……… 2040mg
- カルシウム ……… 170mg
- マグネシウム ……… 238mg
- 鉄 ……… 4.4mg
- 亜鉛 ……… 5.4mg
- ビタミンK ……… 15μg
- ビタミンB₁ ……… 0.63mg
- ビタミンB₂ ……… 0.26mg
- 葉酸 ……… 595μg

100gあたり
- エネルギー ……… 336kcal
- 塩分 ……… 0g

1点重量 ……… 24g

1カップ（ゆで） 140g 209kcal

1カップ（140g）あたり
- 塩分 ……… 0g
- たんぱく質 ……… 11.1g
- 脂質 ……… 2.9g
- 炭水化物 ……… 25.5g
- 食物繊維 ……… 16.2g
- カリウム ……… 490mg
- カルシウム ……… 63mg
- マグネシウム ……… 71mg
- 鉄 ……… 1.7mg
- 亜鉛 ……… 2.5mg
- ビタミンK ……… 8μg
- ビタミンB₁ ……… 0.22mg
- ビタミンB₂ ……… 0.10mg
- 葉酸 ……… 154μg

100gあたり
- エネルギー ……… 149kcal
- 塩分 ……… 0g

1点重量 ……… 55g

べにばないんげん豆

別名は花豆。主成分はたんぱく質と炭水化物。豆類の中で最も食物繊維が多い。カリウム、鉄、ビタミンB₁も豊富。

乾1カップ（135g）をゆでると
- 重量比 **2.6倍** 350g
- 容量比 **2.7倍** 2⅔カップ

1カップ（乾） 135g 369kcal

1カップ（135g）あたり
- 塩分 ……… 0g
- たんぱく質 ……… 18.6g
- 脂質 ……… 1.6g
- 炭水化物 ……… 51.8g
- 食物繊維 ……… 36.0g
- カリウム ……… 2295mg
- カルシウム ……… 105mg
- マグネシウム ……… 257mg
- 鉄 ……… 7.3mg
- 亜鉛 ……… 4.6mg
- ビタミンK ……… 11μg
- ビタミンB₁ ……… 0.90mg
- ビタミンB₂ ……… 0.20mg
- 葉酸 ……… 189μg

100gあたり
- エネルギー ……… 273kcal
- 塩分 ……… 0g

1点重量 ……… 29g

1カップ（ゆで） 130g 134kcal

1カップ（130g）あたり
- 塩分 ……… 0g
- たんぱく質 ……… 6.5g
- 脂質 ……… 0.5g
- 炭水化物 ……… 20.9g
- 食物繊維 ……… 9.9g
- カリウム ……… 572mg
- カルシウム ……… 36mg
- マグネシウム ……… 65mg
- 鉄 ……… 2.1mg
- 亜鉛 ……… 1.0mg
- ビタミンK ……… 4μg
- ビタミンB₁ ……… 0.18mg
- ビタミンB₂ ……… 0.07mg
- 葉酸 ……… 30μg

100gあたり
- エネルギー ……… 103kcal
- 塩分 ……… 0g

1点重量 ……… 80g

緑豆

豆の中では、β-カロテンが多い。豆そのものをゆでて料理に使うが、もやしやはるさめの原料としても使われる。

乾1カップ（170g）をゆでると
重量比 **2.4倍** **400g**
容量比 **3.4倍** **3 2/5 カップ**

1カップ（乾）
170g **542kcal**

1カップ（170g）あたり	
塩分	0g
たんぱく質	35.2g
脂質	1.7g
炭水化物	84.0g
食物繊維	24.8g
カリウム	2210mg
カルシウム	170mg
マグネシウム	255mg
鉄	10.0mg
亜鉛	6.8mg
ビタミンK	61μg
ビタミンB_1	1.19mg
ビタミンB_2	0.37mg
葉酸	782μg

100gあたり	
エネルギー	319kcal
塩分	0g
1点重量	25g

1カップ（ゆで）
120g **150kcal**

1カップ（120g）あたり	
塩分	0g
たんぱく質	9.8g
脂質	0.5g
炭水化物	23.4g
食物繊維	6.2g
カリウム	384mg
カルシウム	38mg
マグネシウム	47mg
鉄	2.6mg
亜鉛	1.0mg
ビタミンK	19μg
ビタミンB_1	0.23mg
ビタミンB_2	0.07mg
葉酸	96μg

100gあたり	
エネルギー	125kcal
塩分	0g
1点重量	65g

レンズ豆

水でもどさなくても料理できる。主成分はたんぱく質と炭水化物。鉄が非常に多く、カリウムやビタミンB群も豊富。

乾1カップ（170g）をゆでると
重量比 **2.0倍** **340g**
容量比 **2.6倍** **2 3/5 カップ**

1カップ（乾）
170g **532kcal**

1カップ（170g）あたり	
塩分	0g
たんぱく質	33.5g
脂質	1.7g
炭水化物	81.4g
食物繊維	28.4g
カリウム	1700mg
カルシウム	97mg
マグネシウム	170mg
鉄	15.3mg
亜鉛	8.2mg
ビタミンK	29μg
ビタミンB_1	0.88mg
ビタミンB_2	0.29mg
葉酸	131μg

100gあたり	
エネルギー	313kcal
塩分	0g
1点重量	26g

1カップ（ゆで）
130g **194kcal**

1カップ（130g）あたり	
塩分	0g
たんぱく質	12.4g
脂質	0.7g
炭水化物	27.6g
食物繊維	12.2g
カリウム	429mg
カルシウム	35mg
マグネシウム	57mg
鉄	5.6mg
亜鉛	3.3mg
ビタミンK	12μg
ビタミンB_1	0.26mg
ビタミンB_2	0.08mg
葉酸	29μg

100gあたり	
エネルギー	149kcal
塩分	0g
1点重量	55g

2群 豆類（緑豆・レンズ豆）

大豆 (黄大豆)

高たんぱく質で、アミノ酸バランスがきわめてよく、「畑の肉」とも呼ばれる。脂質、ビタミンB群が多く、カリウム、カルシウム、マグネシウム、リン、鉄、亜鉛、銅など多くのミネラル類が非常に豊富。さらにサポニン、イソフラボン、レシチンなどを多く含む。

乾1カップ（150g）をゆでると
重量比 **2.2倍** 330g
容量比 **2.5倍** 2½カップ

1カップ（乾）150g　558kcal

1カップ（150g）あたり
塩分 ……………… 0g
たんぱく質 ……… 49.4g
脂質 ……………… 27.9g
炭水化物 ………… 10.1g
食物繊維 ………… 32.3g
カリウム ………… 2850mg
カルシウム ……… 270mg
マグネシウム …… 330mg
鉄 ………………… 10.2mg
亜鉛 ……………… 4.7mg
ビタミンK ……… 27μg
ビタミンB₁ ……… 1.07mg
ビタミンB₂ ……… 0.39mg
葉酸 ……………… 390μg

100gあたり
エネルギー … 372kcal
塩分 …………… 0g

1点重量 …… 22g

1カップ（ゆで）135g　220kcal

1カップ（135g）あたり
塩分 ……………… 0g
たんぱく質 ……… 19.0g
脂質 ……………… 12.4g
炭水化物 ………… 2.0g
食物繊維 ………… 11.5g
カリウム ………… 716mg
カルシウム ……… 107mg
マグネシウム …… 135mg
鉄 ………………… 3.0mg
亜鉛 ……………… 2.6mg
ビタミンK ……… 9μg
ビタミンB₁ ……… 0.23mg
ビタミンB₂ ……… 0.11mg
葉酸 ……………… 55μg

100gあたり
エネルギー … 163kcal
塩分 …………… 0g

1点重量 …… 50g

2群 大豆

大豆水煮缶詰め

1カップ 140g 174kcal

水に浸漬した大豆を水煮にしたもの。

1カップ（140g）あたり
- 塩分 ……………… 0.7g
- たんぱく質 ……… 17.5g
- 脂質 ……………… 8.8g
- 炭水化物 ………… 1.1g
- 食物繊維 ………… 9.5g
- カリウム ………… 350mg
- カルシウム ……… 140mg
- マグネシウム …… 77mg
- 鉄 ………………… 2.5mg
- 亜鉛 ……………… 1.5mg
- ビタミンK ……… 7µg
- ビタミンB1 ……… 0.01mg
- ビタミンB2 ……… 0.03mg
- 葉酸 ……………… 15µg

100gあたり
- エネルギー …124kcal
- 塩分 ……………… 0.5g

1点重量 …… 65g

蒸し大豆（ドライパック）

1カップ 140g 260kcal

水に浸漬した大豆を水蒸気で加熱処理したもの。

1カップ（140g）あたり
- 塩分 ……………… 0.8g
- たんぱく質 ……… 22.1g
- 脂質 ……………… 12.9g
- 炭水化物 ………… 6.3g
- 食物繊維 ………… 14.8g
- カリウム ………… 1134mg
- カルシウム ……… 105mg
- マグネシウム …… 154mg
- 鉄 ………………… 3.9mg
- 亜鉛 ……………… 2.5mg
- ビタミンK ……… 15µg
- ビタミンB1 ……… 0.21mg
- ビタミンB2 ……… 0.14mg
- 葉酸 ……………… 134µg

100gあたり
- エネルギー …186kcal
- 塩分 ……………… 0.6g

1点重量 …… 45g

黒大豆

大豆の種皮が黒いもの。栄養価は黄大豆とほぼ同様。

乾1カップ（150g）をゆでると
- 重量比 **2.2倍 330g**
- 容量比 **2.5倍 2½カップ**

1カップ（乾） 150g 524kcal

1カップ（ゆで） 135g 209kcal

1カップ（150g）あたり
- 塩分 ……………… 0g
- たんぱく質 ……… 47.3g
- 脂質 ……………… 24.8g
- 炭水化物 ………… 11.0g
- 食物繊維 ………… 30.9g
- カリウム ………… 2700mg
- カルシウム ……… 210mg
- マグネシウム …… 300mg
- 鉄 ………………… 10.2mg
- 亜鉛 ……………… 5.6mg
- ビタミンK ……… 54µg
- ビタミンB1 ……… 1.10mg
- ビタミンB2 ……… 0.35mg
- 葉酸 ……………… 525µg

100gあたり
- エネルギー …349kcal
- 塩分 ……………… 0g

1点重量 …… 23g

1カップ（135g）あたり
- 塩分 ……………… 0g
- たんぱく質 ……… 18.6g
- 脂質 ……………… 11.5g
- 炭水化物 ………… 2.2g
- 食物繊維 ………… 10.7g
- カリウム ………… 648mg
- カルシウム ……… 74mg
- マグネシウム …… 86mg
- 鉄 ………………… 3.5mg
- 亜鉛 ……………… 1.9mg
- ビタミンK ……… 20µg
- ビタミンB1 ……… 0.19mg
- ビタミンB2 ……… 0.07mg
- 葉酸 ……………… 58µg

100gあたり
- エネルギー …155kcal
- 塩分 ……………… 0g

1点重量 …… 50g

2群　大豆（大豆水煮缶詰め・蒸し大豆・黒大豆）

豆腐（絹ごし豆腐）

1丁 300g 168kcal

濃度の濃い豆乳に凝固剤を加えて型に入れ、かためたもの。消化がよく、大豆より栄養の吸収効率がよい。良質たんぱく質で必須アミノ酸をバランスよく含み、鉄が比較的多い。イソフラボンを豊富に含み、レシチンも多い。

1丁（300g）あたり
- 塩分……………………0g
- たんぱく質………15.9g
- 脂質………………9.6g
- 炭水化物…………2.7g
- 食物繊維…………2.7g
- カリウム…………450mg
- カルシウム………225mg
- マグネシウム……150mg
- 鉄……………………3.6mg
- 亜鉛…………………1.5mg
- ビタミンK…………27µg
- ビタミンB₁………0.33mg
- ビタミンB₂………0.12mg
- 葉酸…………………36µg

100gあたり
- エネルギー……56kcal
- 塩分……………………0g
- 1点重量…140g

豆腐（もめん豆腐）

1丁 300g 219kcal

濃度のうすい豆乳に凝固剤を加えてかため、それをくずして型に入れ、重石をして成型したもの。消化がよく、大豆より栄養の吸収効率がよい。良質たんぱく質で必須アミノ酸をバランスよく含み、カルシウムや鉄が多い。イソフラボンを豊富に含み、レシチンも多い。

1丁（300g）あたり
- 塩分……………………0g
- たんぱく質………20.1g
- 脂質………………13.5g
- 炭水化物…………2.4g
- 食物繊維…………3.3g
- カリウム…………330mg
- カルシウム………279mg
- マグネシウム……171mg
- 鉄……………………4.5mg
- 亜鉛…………………1.8mg
- ビタミンK…………18µg
- ビタミンB₁………0.27mg
- ビタミンB₂………0.12mg
- 葉酸…………………36µg

100gあたり
- エネルギー……73kcal
- 塩分……………………0g
- 1点重量…110g

2群　大豆製品（絹ごし豆腐・もめん豆腐）

油揚げ

1枚	20g	75kcal
1枚（手揚げ風）	40g	151kcal

手揚げ風

1枚（20g）あたり
- 塩分 ……………… 0g
- たんぱく質 ……… 4.6g
- 脂質 ……………… 6.2g
- 炭水化物 ………… 0.1g
- 食物繊維 ………… 0.3g
- カリウム ………… 17mg
- カルシウム ……… 62mg
- マグネシウム …… 30mg
- 鉄 ………………… 0.6mg
- 亜鉛 ……………… 0.5mg
- ビタミンK ……… 13μg
- ビタミンB_1 …… 0.01mg
- ビタミンB_2 …… 0.01mg
- 葉酸 ……………… 4μg

100gあたり
- エネルギー … 377kcal
- 塩分 ……………… 0g
- 1点重量 …… 21g

もめん豆腐を薄く切って水きりをし、低温と高温の油の順で2度揚げしたもの。

手揚げ風1枚（40g）あたり
- 塩分 ……………… 0g
- たんぱく質 ……… 9.2g
- 脂質 ……………… 12.5g
- 炭水化物 ………… 0.2g
- 食物繊維 ………… 0.5g
- カリウム ………… 34mg
- カルシウム ……… 124mg
- マグネシウム …… 60mg
- 鉄 ………………… 1.3mg
- 亜鉛 ……………… 1.0mg
- ビタミンK ……… 27μg
- ビタミンB_1 …… 0.02mg
- ビタミンB_2 …… 0.02mg
- 葉酸 ……………… 7μg

100gあたり
- エネルギー … 377kcal
- 塩分 ……………… 0g
- 1点重量 …… 21g

生揚げ（厚揚げ）

1枚（大）	200g	286kcal

● 1枚（小）　100g／143kcal／塩分 0g

100gあたり
- エネルギー … 143kcal
- 塩分 ……………… 0g
- 1点重量 …… 55g

もめん豆腐を厚めに切って高温の油で揚げたもの。

1枚（200g）あたり
- 塩分 ……………… 0g
- たんぱく質 ……… 20.6g
- 脂質 ……………… 21.4g
- 炭水化物 ………… 2.2g
- 食物繊維 ………… 1.4g
- カリウム ………… 240mg
- カルシウム ……… 480mg
- マグネシウム …… 110mg
- 鉄 ………………… 5.2mg
- 亜鉛 ……………… 2.2mg
- ビタミンK ……… 50μg
- ビタミンB_1 …… 0.14mg
- ビタミンB_2 …… 0.06mg
- 葉酸 ……………… 46μg

2群　大豆製品（油揚げ・生揚げ）

2群 大豆製品（凍り豆腐・糸引き納豆・ひきわり納豆）

凍り豆腐（高野豆腐）

乾1枚（17g）を水煮にすると
重量比 **4.3倍 75g**

豆腐を凍結、脱水、乾燥させたもの。豆腐の栄養分が凝縮されている。たんぱく質や脂質のほか、カルシウム、鉄、亜鉛、マンガンなどのミネラルが豊富。水煮は水もどし後、煮たもの。

1個（乾燥）17g 84kcal

1個（水煮）75g 78kcal

1個（17g）あたり
- 塩分……………0.2g
- たんぱく質……8.4g
- 脂質……………5.5g
- 炭水化物………0g
- 食物繊維………0.4g
- カリウム………6mg
- カルシウム……107mg
- マグネシウム…24mg
- 鉄………………1.3mg
- 亜鉛……………0.9mg
- マンガン………0.73mg
- ビタミンK……10μg
- ビタミンB₁……0mg
- ビタミンB₂……0mg
- 葉酸……………1μg

100gあたり
- エネルギー……496kcal
- 塩分……………1.1g

1点重量……16g

1個（75g）あたり
- 塩分……………0.5g
- たんぱく質……8.1g
- 脂質……………5.0g
- 炭水化物………0.1g
- 食物繊維………0.4g
- カリウム………2mg
- カルシウム……113mg
- マグネシウム…22mg
- 鉄………………1.3mg
- 亜鉛……………0.9mg
- マンガン………0.77mg
- ビタミンK……10μg
- ビタミンB₁……0mg
- ビタミンB₂……0mg
- 葉酸……………0μg

100gあたり
- エネルギー……104kcal
- 塩分……………0.7g

1点重量……75g

納豆（糸引き納豆）

1パック 40g 76kcal

● 1パック（小） 30g／57kcal／塩分 0g

原料は蒸煮大豆。ビタミンK、B₂が非常に多く、鉄や食物繊維も豊富。

100gあたり
- エネルギー……190kcal
- 塩分……………0g

1点重量……40g

1パック（40g）あたり
- 塩分……………0g
- たんぱく質……5.8g
- 脂質……………3.9g
- 炭水化物………3.1g
- 食物繊維………2.7g
- カリウム………264mg
- カルシウム……36mg
- マグネシウム…40mg
- 鉄………………1.3mg
- 亜鉛……………0.8mg
- ビタミンK……240μg
- ビタミンB₁……0.03mg
- ビタミンB₂……0.22mg
- 葉酸……………48μg

納豆（ひきわり納豆）

1パック 40g 74kcal

● 1パック（小） 30g／56kcal／塩分 0g

原料は焙煎大豆をひきわったもの。ビタミンK、B₂が非常に多く、鉄や食物繊維も豊富。

100gあたり
- エネルギー……185kcal
- 塩分……………0g

1点重量……45g

1パック（40g）あたり
- 塩分……………0g
- たんぱく質……6.0g
- 脂質……………3.9g
- 炭水化物………2.6g
- 食物繊維………2.4g
- カリウム………280mg
- カルシウム……24mg
- マグネシウム…35mg
- 鉄………………1.0mg
- 亜鉛……………0.5mg
- ビタミンK……372μg
- ビタミンB₁……0.06mg
- ビタミンB₂……0.14mg
- 葉酸……………44μg

2群 大豆製品（おから・がんもどき・豆乳・きな粉・湯葉・調製豆乳）

おから
1カップ 70g　62kcal

豆乳を絞ったあとに残ったもの。非常に食物繊維が多い。

1カップ（70g）あたり
- 塩分 … 0g
- たんぱく質 … 3.8g
- 脂質 … 2.4g
- 炭水化物 … 2.2g
- 食物繊維 … 8.1g
- カリウム … 245mg
- カルシウム … 57mg
- マグネシウム … 28mg
- 鉄 … 0.9mg
- 亜鉛 … 0.4mg
- ビタミンK … 6μg
- ビタミンB1 … 0.08mg
- ビタミンB2 … 0.02mg
- 葉酸 … 10μg

100gあたり
- エネルギー … 88kcal
- 塩分 … 0g

1点重量 … 90g

がんもどき
1個（大）100g　223kcal

●1個（小）20g／45kcal／塩分0.1g

1個（100g）あたり
- 塩分 … 0.5g
- たんぱく質 … 15.2g
- 脂質 … 16.8g
- 炭水化物 … 2.0g
- 食物繊維 … 1.4g
- カリウム … 80mg
- カルシウム … 270mg
- マグネシウム … 98mg
- 鉄 … 3.6mg
- 亜鉛 … 1.6mg
- ビタミンK … 43μg
- ビタミンB1 … 0.03mg
- ビタミンB2 … 0.04mg
- 葉酸 … 21μg

100gあたり
- エネルギー … 223kcal
- 塩分 … 0.5g

1点重量 … 35g

豆乳
コップ1杯 150g　66kcal

●1カップ 200g／88kcal／塩分0g

1カップ（150g）あたり
- 塩分 … 0g
- たんぱく質 … 5.1g
- 脂質 … 2.7g
- 炭水化物 … 5.0g
- 食物繊維 … 0.3g
- カリウム … 285mg
- カルシウム … 23mg
- マグネシウム … 38mg
- 鉄 … 1.8mg
- 亜鉛 … 0.5mg
- ビタミンK … 6μg
- ビタミンB1 … 0.05mg
- ビタミンB2 … 0.03mg
- 葉酸 … 42μg

100gあたり
- エネルギー … 44kcal
- 塩分 … 0g

1点重量 … 180g

きな粉
大さじ1　5g　23kcal

大豆をいって粉末状にしたもの。大豆の栄養が凝縮されている。

大さじ1（5g）あたり
- 塩分 … 0g
- たんぱく質 … 1.7g
- 脂質 … 1.2g
- 炭水化物 … 0.7g
- 食物繊維 … 0.9g
- カリウム … 100mg
- カルシウム … 10mg
- マグネシウム … 13mg
- 鉄 … 0.4mg
- 亜鉛 … 0.2mg
- ビタミンK … 1μg
- ビタミンB1 … 0mg
- ビタミンB2 … 0.01mg
- 葉酸 … 11μg

100gあたり
- エネルギー … 451kcal
- 塩分 … 0g

1点重量 … 18g

湯葉（生）
1枚 30g　65kcal

豆乳を80℃以上に熱してできる表面の薄い膜をすくいあげたもの。たんぱく質が豊富。

1枚（30g）あたり
- 塩分 … 0g
- たんぱく質 … 6.4g
- 脂質 … 3.7g
- 炭水化物 … 1.5g
- 食物繊維 … 0.2g
- カリウム … 87mg
- カルシウム … 27mg
- マグネシウム … 24mg
- 鉄 … 1.1mg
- 亜鉛 … 0.7mg
- ビタミンK … 7μg
- ビタミンB1 … 0.05mg
- ビタミンB2 … 0.03mg
- 葉酸 … 8μg

100gあたり
- エネルギー … 218kcal
- 塩分 … 0g

1点重量 … 35g

調製豆乳
コップ1杯 150g　95kcal

●1カップ 200g／126kcal／塩分0.2g

コップ1杯（150g）あたり
- 塩分 … 0.2g
- たんぱく質 … 4.7g
- 脂質 … 5.1g
- 炭水化物 … 7.2g
- 食物繊維 … 0.5g
- カリウム … 255mg
- カルシウム … 47mg
- マグネシウム … 29mg
- 鉄 … 1.8mg
- 亜鉛 … 0.6mg
- ビタミンK … 9μg
- ビタミンB1 … 0.11mg
- ビタミンB2 … 0.03mg
- 葉酸 … 47μg

100gあたり
- エネルギー … 63kcal
- 塩分 … 0.1g

1点重量 … 130g

3群 野菜（枝豆・オクラ）

枝豆 淡色野菜

さやつき10さや　30g　正味重量*15g　19kcal

*さやを除いた重量（25粒）

● 10粒　6g／8kcal／塩分 0g

旬は夏。大豆の未熟豆。良質のたんぱく質や脂質、鉄が豊富。完熟大豆にはほとんど含まれないβ-カロテンやビタミンCも含む。大豆と同様にサポニン、レシチン、イソフラボンなどの生理的機能成分を含む。

100gあたり
エネルギー……125kcal
塩分…………………0g
1点重量　65g
廃棄率　　45%
廃棄部位／さや

さやつき10さや（15g）あたり
塩分…………………0g
たんぱく質………1.5g
脂質………………0.9g
炭水化物…………0.9g
食物繊維…………0.8g
カリウム…………89mg
カルシウム…………9mg
マグネシウム………9mg
鉄…………………0.4mg
ビタミンA……………3μg
ビタミンK……………5μg
ビタミンB₁………0.05mg
ビタミンB₂………0.02mg
葉酸………………48μg
ビタミンC……………4mg

オクラ 緑黄色野菜

1本　12g　正味重量*10g　3kcal

*へたを除いた重量

● 1パック　100g
　正味 85g／22kcal／塩分 0g

旬は夏。カルシウムやβ-カロテン、ビタミンK、葉酸などを多く含む。特有のネバネバ成分は、水溶性食物繊維の粘性多糖類。

100gあたり
エネルギー……26kcal
塩分…………………0g
1点重量　310g
廃棄率　　15%
廃棄部位／へた

1本（10g）あたり
塩分…………………0g
たんぱく質………0.2g
脂質…………………0g
炭水化物…………0.2g
食物繊維…………0.5g
カリウム…………26mg
カルシウム…………9mg
マグネシウム………5mg
鉄…………………0.1mg
ビタミンA……………6μg
ビタミンE………0.1mg
ビタミンK……………7μg
ビタミンB₂………0.01mg
葉酸………………11μg
ビタミンC……………1mg

かいわれ大根

緑黄色野菜

1パック（小） 50g 11kcal

● 1パック（大） 80g／17kcal／塩分 0g

通年出回る。もやしと同様のスプラウトと呼ばれる発芽野菜の一種。種子が発芽するときにビタミンE、K、Cをはじめ、各種ビタミン類が新しく合成されるので、ビタミンが多い。

1パック（50g）あたり
- 塩分…………………0g
- たんぱく質………0.9g
- 脂質………………0.1g
- 炭水化物…………1.0g
- 食物繊維…………1.0g
- カリウム…………50mg
- カルシウム………27mg
- マグネシウム……17mg
- 鉄…………………0.3mg
- ビタミンA………80μg
- ビタミンE………1.1mg
- ビタミンK………100μg
- ビタミンB₂……0.07mg
- 葉酸………………48μg
- ビタミンC………24mg

100gあたり
- エネルギー……21kcal
- 塩分………………0g

1点重量…380g
廃棄率…………0%

根元側を1cm除いたもの

かぶ

淡色野菜

1個 80g 正味重量*70g 13kcal

＊皮、根、葉柄基部を除いた重量

直径5〜6cm

旬は冬から春。消化を助けるジアスターゼを多く含む。葉は緑黄色野菜に分類され、β-カロテンやビタミンC、カルシウムを豊富に含む。

1個（70g）あたり
- 塩分…………………0g
- たんぱく質………0.4g
- 脂質………………0.1g
- 炭水化物…………2.5g
- 食物繊維…………1.0g
- カリウム………175mg
- カルシウム………17mg
- マグネシウム……6mg
- 鉄…………………0.1mg
- ビタミンA………0μg
- ビタミンE………0mg
- ビタミンK………0μg
- ビタミンB₂……0.02mg
- 葉酸………………34μg
- ビタミンC………13mg

100gあたり
- エネルギー……19kcal
- 塩分………………0g

1点重量…420g
廃棄率…………15%

廃棄部位／皮、根、葉柄基部

3群 野菜（かいわれ大根・かぶ）

3群 野菜（かぼちゃ・カリフラワー）

かぼちゃ（西洋かぼちゃ） 緑黄色野菜

| ¼個 | 300g | 正味重量* | 270g | 211kcal |

＊わた、種、両端を除いた重量

● 1個　1200g
　正味1080g／842kcal／塩分 0g

旬は夏から秋。日本かぼちゃもあるが、出回っているのはほとんどが西洋かぼちゃ。日本かぼちゃより栄養価が高い。β-カロテン、ビタミンE、Cや食物繊維が豊富。

100gあたり
エネルギー……78kcal
塩分……………0g

1点重量…100g
廃棄率………10%

廃棄部位／わた、種、両端

¼個（270g）あたり
塩分……………0g
たんぱく質……3.2g
脂質……………0.5g
炭水化物………42.9g
食物繊維………9.5g
カリウム………1215mg
カルシウム……41mg
マグネシウム…68mg
鉄………………1.4mg
ビタミンA……891μg
ビタミンE……13.2mg
ビタミンK……68μg
ビタミンB₂……0.24mg
葉酸……………113μg
ビタミンC……116mg

カリフラワー 淡色野菜

| 1個 | 600g | 正味重量* | 300g | 84kcal |

＊茎、葉を除いた重量

● 1房　15g／4kcal／塩分 0g

旬は冬から春。つぼみの集まりを食べる野菜。ビタミンCを多く含み、加熱しても失われにくい特性を持つ。食物繊維も多い。

100gあたり
エネルギー……28kcal
塩分……………0g

1点重量…290g
廃棄率………50%

廃棄部位／茎、葉

1個（300g）あたり
塩分……………0g
たんぱく質……6.3g
脂質……………0.3g
炭水化物………9.6g
食物繊維………8.7g
カリウム………1230mg
カルシウム……72mg
マグネシウム…54mg
鉄………………1.8mg
ビタミンA……6μg
ビタミンE……0.6mg
ビタミンK……51μg
ビタミンB₂……0.33mg
葉酸……………282μg
ビタミンC……243mg

キャベツ 〔淡色野菜〕

1枚 **95**g　正味重量* **80**g　**17**kcal

＊芯（葉脈）を除いた重量

● 1個 1200g　正味1000g／210kcal／塩分 0g

旬は冬から春。ビタミンCが豊富で、特に外側の葉や葉脈の部分に多く含まれる。ビタミンKが多く、カルシウムもやや多めに含む。

100gあたり
エネルギー……21kcal
塩分…………………0g
1点重量…380g
廃棄率…………15%
廃棄部位／芯（葉脈）

1枚（80g）あたり
塩分…………………0g
たんぱく質………0.7g
脂質………………0.1g
炭水化物…………2.8g
食物繊維…………1.4g
カリウム………160mg
カルシウム………34mg
マグネシウム……11mg
鉄…………………0.2mg
ビタミンA…………3μg
ビタミンE…………0.1mg
ビタミンK…………62μg
ビタミンB₂………0.02mg
葉酸………………62μg
ビタミンC…………33mg

きゅうり 〔淡色野菜〕

1本 **100**g　正味重量* **100**g　**13**kcal

＊両端を除いた重量

旬は夏から秋。95％は水分で、カリウムが豊富。体を冷やす作用があるので、夏場の水分補給に効果的。淡色野菜だが、β-カロテンやビタミンKをやや多めに含む。

100gあたり
エネルギー……13kcal
塩分…………………0g
1点重量…620g
廃棄率…………2%
廃棄部位／両端

1本（100g）あたり
塩分…………………0g
たんぱく質………0.7g
脂質………………微量
炭水化物…………1.9g
食物繊維…………1.1g
カリウム………200mg
カルシウム………26mg
マグネシウム……15mg
鉄…………………0.3mg
ビタミンA………28μg
ビタミンE………0.3mg
ビタミンK………34μg
ビタミンB₂………0.03mg
葉酸………………25μg
ビタミンC…………14mg

3群 野菜（キャベツ・きゅうり）

空心菜（ようさい） 緑黄色野菜

1束 150g 26kcal

● 1茎 8g／1kcal／塩分 0g

ようさい、えんさいとも呼ばれる。カルシウムや鉄分が多い。さらにβ-カロテンが非常に多く、ビタミンKや葉酸も多い。

100gあたり
エネルギー……17kcal
塩分……0.1g
1点重量…470g
廃棄率……0%

1束（150g）あたり
塩分……0.2g
たんぱく質……2.6g
脂質……0.2g
炭水化物……1.4g
食物繊維……4.7g
カリウム……570mg
カルシウム……111mg
マグネシウム……42mg
鉄……2.3mg
ビタミンA……540μg
ビタミンE……3.3mg
ビタミンK……375μg
ビタミンB₂……0.30mg
葉酸……180μg
ビタミンC……29mg

グリーンアスパラガス 緑黄色野菜

1本 20g 正味重量*15g 3kcal

＊株元を除いた重量

長さ 20～23cm

● 1束（7本）150g
正味120g／25kcal／塩分 0g

旬は春から夏。地下茎から出る若い芽を食用にする。β-カロテンが多めだが、緑黄色野菜の基準には達していないが、見た目の色などから緑黄色野菜に分類される。

100gあたり
エネルギー……21kcal
塩分……0g
1点重量…380g
廃棄率……20%

廃棄部位／株元

1本（15g）あたり
塩分……0g
たんぱく質……0.3g
脂質……0g
炭水化物……0.3g
食物繊維……0.3g
カリウム……41mg
カルシウム……3mg
マグネシウム……1mg
鉄……0.1mg
ビタミンA……5μg
ビタミンE……0.2mg
ビタミンK……6μg
ビタミンB₂……0.02mg
葉酸……29μg
ビタミンC……2mg

グリーンピース

淡色野菜

10粒（むき身） 10g 8kcal

10粒（10g）あたり
- 塩分 ………… 0g
- たんぱく質 …… 0.5g
- 脂質 ………… 0g
- 炭水化物 …… 1.0g
- 食物繊維 …… 0.8g
- カリウム …… 34mg
- カルシウム …… 2mg
- マグネシウム …… 4mg
- 鉄 …………… 0.2mg
- ビタミンA …… 4μg
- ビタミンE …… 0mg
- ビタミンK …… 3μg
- ビタミンB₁ …… 0.04mg
- ビタミンB₂ …… 0.02mg
- 葉酸 ………… 8μg
- ビタミンC …… 2mg

● むき身　1カップ
130g／99kcal／塩分 0g
● さや1個（6粒入り）12g
正味6g／5kcal／塩分 0g

100gあたり
- エネルギー …… 76kcal
- 塩分 ………… 0g
- **1点重量…110g**
- **廃棄率…… 0%**
- さやつきの廃棄率…55%

旬は春から初夏。えんどう豆の未熟豆。ビタミンB₁と葉酸、食物繊維が多い。

クレソン

緑黄色野菜

1束 25g 正味重量* 20g 3kcal

＊株元を除いた重量

● 1茎　5g／1kcal／塩分 0g

1束（20g）あたり
- 塩分 ………… 0g
- たんぱく質 …… 0.3g
- 脂質 ………… 0g
- 炭水化物 …… 0.1g
- 食物繊維 …… 0.5g
- カリウム …… 66mg
- カルシウム …… 22mg
- マグネシウム …… 3mg
- 鉄 …………… 0.2mg
- ビタミンA …… 46μg
- ビタミンE …… 0.3mg
- ビタミンK …… 38μg
- ビタミンB₁ …… 0.02mg
- ビタミンB₂ …… 0.04mg
- 葉酸 ………… 30μg
- ビタミンC …… 5mg

100gあたり
- エネルギー …… 13kcal
- 塩分 ………… 0.1g
- **1点重量…620g**
- **廃棄率…… 15%**
- 廃棄部位／株元

水がらしやウォータークレスとも呼ばれ、独特の香りと辛味が特徴。カルシウムや鉄分が多く、ビタミンA、C、葉酸も豊富。

3群　野菜（グリーンピース・クレソン）

3群 野菜（ごぼう・小松菜）

ごぼう （淡色野菜）

1本 180g　正味重量* 160g　93kcal
＊皮を除いた重量

● 10cm　22g　正味20g／12kcal／塩分0g

旬は晩秋から初冬。野菜の中でも食物繊維が特に多い。水溶性食物繊維イヌリン、不溶性食物繊維リグニン、この2つの食物繊維の働きが期待できる。

100gあたり
エネルギー……58kcal
塩分……………0g
1点重量…140g
廃棄率………10%
廃棄部位／皮

1本（160g）あたり
塩分……………0g
たんぱく質………1.8g
脂質……………0.2g
炭水化物………16.6g
食物繊維…………9.1g
カリウム………512mg
カルシウム………74mg
マグネシウム……86mg
鉄………………1.1mg
ビタミンA………微量
ビタミンE………1.0mg
ビタミンK………微量
ビタミンB₂……0.06mg
葉酸……………109μg
ビタミンC………5mg

小松菜 （緑黄色野菜）

1株 40g　正味重量* 35g　5kcal
＊根、株元を除いた重量

● 1束　300g　正味255g／33kcal／塩分0g

旬は冬。カルシウムや鉄、β-カロテンやビタミンC、K、葉酸が豊富。特に鉄の含有量は、ほうれん草より多く、100gあたり 2.8mg。

100gあたり
エネルギー……13kcal
塩分……………0g
1点重量…620g
廃棄率………15%
廃棄部位／根、株元

1株（35g）あたり
塩分……………0g
たんぱく質………0.5g
脂質……………0g
炭水化物…………0.3g
食物繊維…………0.7g
カリウム………175mg
カルシウム………60mg
マグネシウム……4mg
鉄………………1.0mg
ビタミンA………91μg
ビタミンE………0.3mg
ビタミンK………74μg
ビタミンB₂……0.05mg
葉酸……………39μg
ビタミンC………14mg

サニーレタス

緑黄色野菜

1枚 30g 5kcal

●1株 300g 正味280g／42kcal／塩分 0g

あかちりめんちしゃとも呼ばれる。ビタミンAとなるβ-カロテンが非常に多く、ビタミンKや葉酸も多い。

1枚（30g）あたり
- 塩分……………0g
- たんぱく質………0.2g
- 脂質……………0g
- 炭水化物………0.5g
- 食物繊維………0.6g
- カリウム………123mg
- カルシウム………20mg
- マグネシウム………5mg
- 鉄………………0.5mg
- ビタミンA………51μg
- ビタミンE………0.4mg
- ビタミンK………48μg
- ビタミンB₂……0.03mg
- 葉酸……………36μg
- ビタミンC………5mg

100gあたり
- エネルギー……15kcal
- 塩分……………0g
- 1点重量…530g
- 廃棄率………6%

1株の廃棄率…6%

さやいんげん

緑黄色野菜

1本 8g 正味重量*7g 2kcal

*筋、両端を除いた重量

旬は夏から秋。いんげん豆の若ざや。ビタミンKが多い。β-カロテンは、緑黄色野菜の基準には、ほんの少し達していないが、緑黄色野菜に分類される。

廃棄部位／筋、両端

1本（7g）あたり
- 塩分……………0g
- たんぱく質………0.1g
- 脂質……………0g
- 炭水化物………0.2g
- 食物繊維………0.2g
- カリウム………18mg
- カルシウム………3mg
- マグネシウム………2mg
- 鉄………………0mg
- ビタミンA………3μg
- ビタミンE………0mg
- ビタミンK………4μg
- ビタミンB₂……0.01mg
- 葉酸……………4μg
- ビタミンC………1mg

100gあたり
- エネルギー……23kcal
- 塩分……………0g
- 1点重量…350g
- 廃棄率………3%

3群 野菜（サニーレタス・さやいんげん）

3群 野菜（さやえんどう・スナップえんどう・サラダ菜）

さやえんどう 〈緑黄色野菜〉

1枚 3.5g 正味重量* 3g 1kcal
*筋、両端を除いた重量

旬は春。えんどう豆の若ざや。見た目の色から緑黄色野菜に。ビタミンCが多い。

100gあたり
- エネルギー……38kcal
- 塩分……………0g
- 1点重量……210g
- 廃棄率…………9%
- 廃棄部位／筋、両端

1枚（3g）あたり
- 塩分……………0g
- たんぱく質……0.1g
- 脂質……………0g
- 炭水化物………0.2g
- 食物繊維………0.1g
- カリウム………6mg
- カルシウム……1mg
- マグネシウム…1mg
- 鉄………………0mg
- ビタミンA……1μg
- ビタミンE……0mg
- ビタミンK……1μg
- ビタミンB2……0mg
- 葉酸……………2μg
- ビタミンC……2mg

スナップえんどう 〈淡色野菜〉

1個 10g 正味重量* 10g 5kcal
*筋、両端を除いた重量

旬は春。スナックえんどうとも呼ばれ、肉厚で歯切れがよい。

100gあたり
- エネルギー……47kcal
- 塩分……………0g
- 1点重量……170g
- 廃棄率…………5%
- 廃棄部位／筋、両端

1個（10g）あたり
- 塩分……………0g
- たんぱく質……0.2g
- 脂質……………0g
- 炭水化物………0.9g
- 食物繊維………0.3g
- カリウム………16mg
- カルシウム……3mg
- マグネシウム…2mg
- 鉄………………0.1mg
- ビタミンA……3μg
- ビタミンE……0mg
- ビタミンK……3μg
- ビタミンB2……0.01mg
- 葉酸……………5μg
- ビタミンC……4mg

サラダ菜 〈緑黄色野菜〉

1株 80g 正味重量* 70g 7kcal
*株元を除いた重量

● **1枚 8g／1kcal／塩分 0g**

旬は初夏から初秋。結球しない葉レタスの一種。葉レタスは玉レタスに比べてβ-カロテンが約10倍。ビタミンC、E、K、カリウム、カルシウムも2〜5倍と圧倒的に多い。

100gあたり
- エネルギー……10kcal
- 塩分……………0g
- 1点重量……800g
- 廃棄率…………10%
- 廃棄部位／株元

1株（70g）あたり
- 塩分……………0g
- たんぱく質……0.6g
- 脂質……………0.1g
- 炭水化物………0.5g
- 食物繊維………1.3g
- カリウム………287mg
- カルシウム……39mg
- マグネシウム…10mg
- 鉄………………1.7mg
- ビタミンA……126μg
- ビタミンE……1.0mg
- ビタミンK……77μg
- ビタミンB2……0.09mg
- 葉酸……………50μg
- ビタミンC……10mg

サンチュ

1枚 6g 1kcal

● 1パック 10枚 60g ／8kcal／塩分 0g

かきちしゃとも呼ばれる。焼肉を包んで食べるのによく使われる。ビタミンAとなるβ-カロテンが非常に多く、ビタミンKも多い。

100gあたり
- エネルギー……14kcal
- 塩分………………0g
- 1点重量…570g
- 廃棄率………0%

1枚（6g）あたり
- 塩分………………0g
- たんぱく質………0.1g
- 脂質………………0g
- 炭水化物…………0.1g
- 食物繊維…………0.1g
- カリウム…………28mg
- カルシウム………4mg
- マグネシウム……1mg
- 鉄…………………0mg
- ビタミンA………19μg
- ビタミンE………0mg
- ビタミンK………13μg
- ビタミンB₂………0.01mg
- 葉酸………………5μg
- ビタミンC………1mg

ししとうがらし

1本 4g 正味重量* 4g 1kcal

＊へたを除いた重量

● 1パック 100g
正味90g／22kcal／塩分 0g

旬は夏。辛味の少ない甘味種のとうがらしで、熟す前の青いうちに収穫したもの。ビタミンK、Cや食物繊維が豊富。β-カロテンは基準に少し足りないが、緑黄色野菜。

100gあたり
- エネルギー……24kcal
- 塩分………………0g
- 1点重量…330g
- 廃棄率………10%

廃棄部位／へた

1本（4g）あたり
- 塩分………………0g
- たんぱく質………0.1g
- 脂質………………0g
- 炭水化物…………0.1g
- 食物繊維…………0.1g
- カリウム…………14mg
- カルシウム………0mg
- マグネシウム……1mg
- 鉄…………………0mg
- ビタミンA………2μg
- ビタミンE………0.1mg
- ビタミンK………2μg
- ビタミンB₂………0mg
- 葉酸………………1μg
- ビタミンC………2mg

3群 野菜（サンチュ・ししとうがらし）

しそ（青じそ）

緑黄色野菜

10枚 7g 2kcal

旬は初夏から初秋。β-カロテンが非常に多く、100gあたり11000μg。ビタミンK、葉酸も豊富。

100gあたり
- エネルギー……32kcal
- 塩分……………0g
- 1点重量…250g
- 廃棄率…………0%

10枚（7g）あたり
- 塩分………………0g
- たんぱく質………0.2g
- 脂質………………0g
- 炭水化物…………0.1g
- 食物繊維…………0.5g
- カリウム…………35mg
- カルシウム………16mg
- マグネシウム……5mg
- 鉄…………………0.1mg
- ビタミンA………62μg
- ビタミンE………0.3mg
- ビタミンK………48μg
- ビタミンB2………0.02mg
- 葉酸………………8μg
- ビタミンC………2mg

シャンツァイ（パクチー・コリアンダー）

緑黄色野菜

1株 12g 正味重量* 11g 2kcal

＊根を除いた重量

漢字表記は「香菜」。英名コリアンダー。通年出回る。独特の香気が特徴で、おもにエスニック料理に用いられる。

100gあたり
- エネルギー……18kcal
- 塩分……………0g
- 1点重量…440g
- 廃棄率…………10%

廃棄部位／根

1株（11g）あたり
- 塩分………………0g
- たんぱく質………0.2g
- 脂質………………0g
- 炭水化物…………0g
- 食物繊維…………0.5g
- カリウム…………65mg
- カルシウム………9mg
- マグネシウム……2mg
- 鉄…………………0.2mg
- ビタミンA………17μg
- ビタミンE………0.2mg
- ビタミンK………21μg
- ビタミンB2………0.01mg
- 葉酸………………8μg
- ビタミンC………4mg

春菊

緑黄色野菜

1束 200g 正味重量* 200g 40kcal

＊基部を除いた重量

● 1茎 15g／3kcal／塩分 0g

旬は冬。β-カロテンがきわめて豊富（100gあたり4500μg）で、ほうれん草や小松菜を上回る。ビタミンKや葉酸も多い。独特の香りは、10種類ほどの香り成分による。

100gあたり
- エネルギー……20kcal
- 塩分……………0.2g
- 1点重量…400g
- 廃棄率…………1%

廃棄部位／基部

1束（200g）あたり
- 塩分………………0.4g
- たんぱく質………3.8g
- 脂質………………0.2g
- 炭水化物…………2.6g
- 食物繊維…………6.4g
- カリウム…………920mg
- カルシウム………240mg
- マグネシウム……52mg
- 鉄…………………3.4mg
- ビタミンA………760μg
- ビタミンE………3.4mg
- ビタミンK………500μg
- ビタミンB2………0.32mg
- 葉酸………………380μg
- ビタミンC………38mg

しょうが （淡色野菜）

1かけ 20g　正味重量*15g　4kcal
*皮を除いた重量

- ●薄切り（1枚）　2g／1kcal／塩分 0g
- ●みじん切り（小さじ1）　4g／1kcal／塩分 0g
- ●すりおろし（小さじ1）　6g／1kcal／塩分 0g
- ●おろし汁（小さじ1）　5g／1kcal／塩分 0g

旬は夏。栄養的な特徴はあまりないが、昔から生薬として活用されてきたように香り（シオネールなど）や辛味（ジンゲロンなど）に優れた薬効があるとされる。魚などの生臭みを消す作用や殺菌力もある。

1かけ（15g）あたり
- 塩分　0g
- たんぱく質　0.1g
- 脂質　0g
- 炭水化物　0.7g
- 食物繊維　0.3g
- カリウム　41mg
- カルシウム　2mg
- マグネシウム　4mg
- 鉄　0.1mg
- ビタミンA　微量
- ビタミンE　0.6mg
- ビタミンK　0µg
- ビタミンB2　0mg
- 葉酸　1µg
- ビタミンC　0mg

100gあたり
- エネルギー　28kcal
- 塩分　0g

1点重量　290g
廃棄率　20%
廃棄部位／皮

ズッキーニ （淡色野菜）

1本 170g　正味重量*160g　26kcal
*両端を除いた重量

長さ20cm

旬は夏。完熟させない未熟果を食べる。多種類のミネラル類をバランスよく含み、炭水化物が少ないため低エネルギー。淡色野菜の中ではβ-カロテンやビタミンK、Cが多め。

1本（160g）あたり
- 塩分　0g
- たんぱく質　1.4g
- 脂質　0.2g
- 炭水化物　3.7g
- 食物繊維　2.1g
- カリウム　512mg
- カルシウム　38mg
- マグネシウム　40mg
- 鉄　0.8mg
- ビタミンA　43µg
- ビタミンE　0.6mg
- ビタミンK　56µg
- ビタミンB2　0.08mg
- 葉酸　58µg
- ビタミンC　32mg

100gあたり
- エネルギー　16kcal
- 塩分　0g

1点重量　500g
廃棄率　4%
廃棄部位／両端

3群 野菜（しょうが・ズッキーニ）

セロリ 淡色野菜

1本 100g　正味重量* 65g　8kcal

*株元、葉身、表皮を除いた重量

1本（65g）あたり
- 塩分……………………0.1g
- たんぱく質…………0.3g
- 脂質……………………0.1g
- 炭水化物……………0.8g
- 食物繊維……………1.0g
- カリウム……………267mg
- カルシウム…………25mg
- マグネシウム………6mg
- 鉄………………………0.1mg
- ビタミンA……………3μg
- ビタミンE……………0.1mg
- ビタミンK……………7μg
- ビタミンB₂…………0.02mg
- 葉酸……………………19μg
- ビタミンC……………5mg

100gあたり
- エネルギー……12kcal
- 塩分……………………0.1g
- **1点重量…670g**
- **廃棄率………35%**

廃棄部位／株元、葉身、表皮

旬は秋から春。独特の強い香りと歯ごたえが特徴。40種類もの香り成分が含まれ、さまざまな働きがあるとされる。

そら豆 淡色野菜

3粒 12g　正味重量* 9g　9kcal

*薄皮を除いた重量

3粒（9g）あたり
- 塩分……………………0g
- たんぱく質…………0.7g
- 脂質……………………0g
- 炭水化物……………1.4g
- 食物繊維……………0.2g
- カリウム……………40mg
- カルシウム…………2mg
- マグネシウム………3mg
- 鉄………………………0.2mg
- ビタミンA……………2μg
- ビタミンE……………微量
- ビタミンK……………2μg
- ビタミンB₂…………0.02mg
- 葉酸……………………11μg
- ビタミンC……………2mg

● **1さや**（3粒入り）　45g
正味9g／9kcal／塩分 0g

100gあたり
- エネルギー……102kcal
- 塩分……………………0g
- **1点重量…80g**
- **廃棄率………25%**

廃棄部位／種皮（薄皮）
さやつきの廃棄率…80%

旬は春から夏。主成分はたんぱく質と炭水化物。ビタミン類が豊富で、なかでもビタミンB₂、葉酸が多い。

3群　野菜（セロリ・そら豆）

タアサイ（ターツァイ）

緑黄色野菜

1株 200g　正味重量* 190g　23kcal
*株元を除いた重量

旬は冬。寒さに強い典型的な冬野菜で、霜が降りるとやわらかくなり、甘味も増す。β-カロテンが非常に多く、カルシウムや鉄、ビタミンKも豊富。

1株（190g）あたり
- 塩分…………0.2g
- たんぱく質………2.1g
- 脂質……………0.2g
- 炭水化物………1.1g
- 食物繊維………3.6g
- カリウム………817mg
- カルシウム……228mg
- マグネシウム……44mg
- 鉄………………1.3mg
- ビタミンA……342μg
- ビタミンE……2.9mg
- ビタミンK……418μg
- ビタミンB₂……0.17mg
- 葉酸……………124μg
- ビタミンC……59mg

100gあたり
- エネルギー……12kcal
- 塩分……………0.1g

1点重量…670g
廃棄率………6%
廃棄部位／株元

大根

淡色野菜

5cm（直径約7cm）200g　正味重量* 180g　27kcal
*皮を除いた重量

- ●1本　1200g
  正味1000g／150kcal／塩分0g
- ●おろし大根（1カップ）
  200g／30kcal／塩分0g
- ●おろし大根（1カップ、50%水切りしたもの）
  200g／33kcal／塩分0.2g

100gあたり
エネルギー……15kcal
塩分……………0g

1点重量…530g
廃棄率………10%
廃棄部位／皮
1本（葉なし）の廃棄率…15%

旬は冬。約95％が水分で、栄養的特徴は少ないが、でんぷん消化酵素であるジアスターゼを含む。

5cm（180g）あたり
- 塩分……………0g
- たんぱく質………0.5g
- 脂質……………微量
- 炭水化物………5.0g
- 食物繊維………2.3g
- カリウム………414mg
- カルシウム……41mg
- マグネシウム……18mg
- 鉄………………0.4mg
- ビタミンA……0μg
- ビタミンE……0mg
- ビタミンK……微量
- ビタミンB₂……0.02mg
- 葉酸……………59μg
- ビタミンC……20mg

3群　野菜（タアサイ・大根）

3群 野菜（竹の子・玉ねぎ）

竹の子 〈淡色野菜〉

1本 1000g　正味重量* 500g　135kcal

*竹皮、基部を除いた重量

旬は春。カリウムの豊富さは野菜のなかでトップクラス。ゆでてもあまりカリウムが減らない。ゆで竹の子内の白いものは、うま味のもととなるチロシン。不溶性食物繊維のセルロースも豊富。

100gあたり
エネルギー……27kcal
塩分……………0g

1点重量…300g
廃棄率………50%
廃棄部位／竹皮、基部

1本（500g）あたり
塩分……………………0g
たんぱく質………12.5g
脂質………………0.5g
炭水化物…………12.5g
食物繊維…………14.0g
カリウム………2600mg
カルシウム………80mg
マグネシウム……65mg
鉄…………………2.0mg
ビタミンA…………5μg
ビタミンE………3.5mg
ビタミンK…………10μg
ビタミンB₂……0.55mg
葉酸……………315μg
ビタミンC………50mg

玉ねぎ 〈淡色野菜〉

1個 200g　正味重量*190g　63kcal

*皮、底盤部、頭部を除いた重量

直径7〜8cm

● **1個(大) 250g**
　正味 235g ／ 78kcal ／ 塩分 0g
● **1個(小) 120g**
　正味 110g ／ 36kcal ／ 塩分 0g
● **みじん切り (大さじ1)**
　10g ／ 3kcal ／ 塩分 0g

通年出回る。特有の催涙性の刺激臭はアリシン。生の玉ねぎを切ると酵素の働きで発生する。玉ねぎを加熱すると酵素が失活するため、刺激臭は発生しない。

100gあたり
エネルギー……33kcal
塩分……………0g

1点重量…240g
廃棄率…………6%
廃棄部位／皮、底盤部、頭部

1個（190g）あたり
塩分……………………0g
たんぱく質…………1.3g
脂質………………微量
炭水化物…………13.1g
食物繊維…………2.9g
カリウム………285mg
カルシウム………32mg
マグネシウム……17mg
鉄…………………0.6mg
ビタミンA…………0μg
ビタミンE………微量
ビタミンK…………0μg
ビタミンB₂……0.02mg
葉酸……………29μg
ビタミンC………13mg

青梗菜（チンゲンサイ）

緑黄色野菜

1株 100g 正味重量* 85g 8kcal
＊芯を除いた重量

通年出回る。低エネルギーで、アクやクセも少ないので用途が広く、シャキシャキとした歯ごたえがある。β-カロテンが非常に多く、カルシウムや鉄、ビタミンKも豊富。

1株（85g）あたり
- 塩分…………0.1g
- たんぱく質……0.6g
- 脂質…………0.1g
- 炭水化物………0.6g
- 食物繊維………1.0g
- カリウム………221mg
- カルシウム……85mg
- マグネシウム…14mg
- 鉄……………0.9mg
- ビタミンA……145μg
- ビタミンE……0.6mg
- ビタミンK……71μg
- ビタミンB₂……0.06mg
- 葉酸…………56μg
- ビタミンC……20mg

100gあたり
- エネルギー……9kcal
- 塩分…………0.1g

1点重量…890g
廃棄率……15%
廃棄部位／芯

トウミョウ

緑黄色野菜

1パック 130g 35kcal

えんどう豆を密植栽培して芽生えた若苗。えんどうの若芽を摘んだものもある。カルシウムや鉄が多く、ビタミンA、C、葉酸も豊富。

1パック（130g）あたり
- 塩分……………0g
- たんぱく質……2.9g
- 脂質…………0.4g
- 炭水化物………3.4g
- 食物繊維………2.9g
- カリウム………169mg
- カルシウム……9mg
- マグネシウム…17mg
- 鉄……………1.0mg
- ビタミンA……325μg
- ビタミンE……2.1mg
- ビタミンK……273μg
- ビタミンB₂……0.27mg
- 葉酸…………156μg
- ビタミンC……56mg

100gあたり
- エネルギー……27kcal
- 塩分……………0g

1点重量…300g
廃棄率………0%

3群 野菜（青梗菜・トウミョウ）

とうもろこし 淡色野菜

1本 300g　正味重量* 150g　134kcal

*包葉、めしべ、穂軸を除いた重量

旬は夏。スイートコーンとも呼ばれ、種子が未熟のもの。ビタミンB群やリノール酸が多く、実のつけ根にあたる胚芽部分に多い。食物繊維が豊富。

1本（150g）あたり
- 塩分……………………0g
- たんぱく質………4.1g
- 脂質………………2.0g
- 炭水化物………22.2g
- 食物繊維…………4.5g
- カリウム………435mg
- カルシウム…………5mg
- マグネシウム……56mg
- 鉄…………………1.2mg
- ビタミンA……………6μg
- ビタミンE………0.5mg
- ビタミンK……………2μg
- ビタミンB₂……0.15mg
- 葉酸……………143μg
- ビタミンC…………12mg

100gあたり
- エネルギー……89kcal
- 塩分……………………0g

1点重量……90g
廃棄率……………50%

廃棄部位／包葉、めしべ、穂軸

トマト 緑黄色野菜

1個 200g　正味重量* 190g　38kcal

*へたを除いた重量

直径7〜8cm

- ●1個（大）直径8〜9cm　250g
  正味240g／48kcal／塩分0g
- ●1個（小）直径6〜7cm　150g
  正味145g／29kcal／塩分0g

旬は夏。赤い色素はリコピンで、強力な抗酸化作用を持つ。カリウムも多く、酸味はクエン酸、食物繊維はペクチンを多く含む。β-カロテンは少なく、緑黄色野菜の基準には達していないが、緑黄色野菜に分類される。

1個（190g）あたり
- 塩分……………………0g
- たんぱく質………1.0g
- 脂質………………0.2g
- 炭水化物…………6.7g
- 食物繊維…………1.9g
- カリウム………399mg
- カルシウム………13mg
- マグネシウム……17mg
- 鉄…………………0.4mg
- ビタミンA…………86μg
- ビタミンE………1.7mg
- ビタミンK……………8μg
- ビタミンB₂……0.04mg
- 葉酸………………42μg
- ビタミンC…………29mg

100gあたり
- エネルギー……20kcal
- 塩分……………………0g

1点重量……400g
廃棄率………………3%

廃棄部位／へた

トマト（ミニトマト） 〔緑黄色野菜〕

1個 10g　正味重量*10g　3kcal
＊へたを除いた重量

直径約2.5cm

- **1個（大）** 直径約3.5cm　**20g**
  正味20g／6kcal／塩分0g
- **1個（中）** 直径約3cm　**15g**
  正味15g／5kcal／塩分0g

旬は夏。トマトを品種改良して、1個10〜15gの小粒にしたもの。中粒のものはミディトマトとも呼ばれる。トマトより栄養価が高く、特にβ-カロテンが非常に多い。甘味が強く、トマトよりエネルギーが高い。

100gあたり
エネルギー……30kcal
塩分………………0g
1点重量…270g
廃棄率………2％
廃棄部位／へた

1個（10g）あたり
塩分………………0g
たんぱく質………0.1g
脂質………………0g
炭水化物………0.6g
食物繊維………0.1g
カリウム………29mg
カルシウム………1mg
マグネシウム……1mg
鉄…………………0mg
ビタミンA………8μg
ビタミンE……0.1mg
ビタミンK………1mg
ビタミンB₂…0.01mg
葉酸………………4μg
ビタミンC………3mg

なす 〔淡色野菜〕

1本 80g　正味重量*70g　13kcal
＊へたを除いた重量

長さ13〜15cm

旬は初夏から秋。濃い紫色のもとであるアントシアニン色素のナスニンには、強い抗酸化作用がある。切り口を茶色に変色させるクロロゲン酸にも抗酸化作用がある。カリウムも豊富。

100gあたり
エネルギー……18kcal
塩分………………0g
1点重量…440g
廃棄率………10％
廃棄部位／へた

1本（70g）あたり
塩分………………0g
たんぱく質………0.5g
脂質……………微量
炭水化物………1.8g
食物繊維………1.5g
カリウム……154mg
カルシウム……13mg
マグネシウム……12mg
鉄……………0.2mg
ビタミンA………6μg
ビタミンE……0.2mg
ビタミンK………7μg
ビタミンB₂…0.04mg
葉酸……………22μg
ビタミンC………3mg

3群　野菜（ミニトマト・なす）

菜の花 緑黄色野菜

1茎 20g 7kcal

● **1束 200g／68kcal／塩分 0g**

旬は春。春野菜のなかでは、ビタミンとミネラルが群を抜いて豊富。特にビタミンCは、野菜の中でトップクラス。カリウムやカルシウム、β-カロテン、ビタミンK、食物繊維を非常に多く含む。

100gあたり
エネルギー……34kcal
塩分……………0g
1点重量…240g
廃棄率………0%

1茎（20g）あたり
塩分……………0g
たんぱく質………0.7g
脂質……………0g
炭水化物………0.5g
食物繊維………0.8g
カリウム…………78mg
カルシウム………32mg
マグネシウム……6mg
鉄………………0.6mg
ビタミンA………36μg
ビタミンE………0.6mg
ビタミンK………50μg
ビタミンB₂……0.06mg
葉酸……………68μg
ビタミンC………26mg

にがうり（ゴーヤー） 淡色野菜

1本 250g 正味重量* 210g 32kcal
＊種子、わた、両端を除いた重量

長さ20㎝

旬は夏。ビタミンCの含有量が非常に多く、加熱しても損失しにくいのが特徴。ビタミンKや食物繊維も多い。苦味の主成分はモモルディシンやククルビタシン。

廃棄部位／種子、わた、両端

100gあたり
エネルギー……15kcal
塩分……………0g
1点重量…530g
廃棄率………15%

1本（210g）あたり
塩分……………0g
たんぱく質………1.5g
脂質……………0.2g
炭水化物………3.4g
食物繊維………5.5g
カリウム…………546mg
カルシウム………29mg
マグネシウム……29mg
鉄………………0.8mg
ビタミンA………36μg
ビタミンE………1.7mg
ビタミンK………86μg
ビタミンB₂……0.15mg
葉酸……………151μg
ビタミンC………160mg

にら

緑黄色野菜

1束 100g 正味重量* 95g 17kcal
＊株元を除いた重量

● 1本 5g／1kcal／塩分 0g

旬は春。β-カロテン、ビタミンE、K、葉酸、食物繊維を豊富に含む。ねぎ類に共通する強烈な匂いは、香り成分のアリシン。

100gあたり
- エネルギー……18kcal
- 塩分……………0g
- 1点重量…440g
- 廃棄率………5%
- 廃棄部位／株元

1束（95g）あたり
- 塩分……………0g
- たんぱく質………1.2g
- 脂質……………0.1g
- 炭水化物………1.6g
- 食物繊維………2.6g
- カリウム………485mg
- カルシウム……46mg
- マグネシウム……17mg
- 鉄………………0.7mg
- ビタミンA………276μg
- ビタミンE………2.4mg
- ビタミンK………171μg
- ビタミンB₂………0.12mg
- 葉酸……………95μg
- ビタミンC………18mg

にんじん

緑黄色野菜

1本 150g 正味重量* 135g 41kcal
＊皮、根、葉柄基部を除いた重量

長さ12〜13cm

● 5cm 90g 正味80g／24kcal／塩分0.1g

旬は晩秋から冬。β-カロテンの含有量は、野菜のなかでトップ。カリウムも豊富。

100gあたり
- エネルギー……30kcal
- 塩分……………0.1g
- 1点重量…270g
- 廃棄率………10%
- 廃棄部位／皮、根、葉柄基部

1本（135g）あたり
- 塩分……………0.1g
- たんぱく質………0.8g
- 脂質……………0.1g
- 炭水化物………7.7g
- 食物繊維………3.2g
- カリウム………365mg
- カルシウム……35mg
- マグネシウム……12mg
- 鉄………………0.3mg
- ビタミンA………932μg
- ビタミンE………0.7mg
- ビタミンK………24μg
- ビタミンB₂………0.08mg
- 葉酸……………31μg
- ビタミンC………8mg

3群 野菜（にら・にんじん）

にんにく

淡色野菜

| 1かけ | **6**g | 正味重量* **5**g | **6**kcal |

＊りん皮、茎、根盤部を除いた重量

- 1玉　50g
  正味45g／58kcal／塩分 0g
- みじん切り（小さじ1）
  4g／5kcal／塩分 0g
- すりおろし（小さじ1）
  6g／8kcal／塩分 0g

旬は春から初夏。にんにくの香り成分アリシンは、強力な殺菌作用やビタミンB₁の働きを持続させるなど、さまざまな効用が期待される。

100gあたり
エネルギー……129kcal
塩分………………0g

1点重量……60g

廃棄率………9%

廃棄部位／りん皮、茎、根盤部

1かけ（5g）あたり
塩分………………0g
たんぱく質………0.2g
脂質………………0g
炭水化物…………1.2g
食物繊維…………0.3g
カリウム…………26mg
カルシウム………1mg
マグネシウム……1mg
鉄…………………0mg
ビタミンA………0μg
ビタミンE………0mg
ビタミンK………0μg
ビタミンB₂………0mg
葉酸………………5μg
ビタミンC………1mg

ねぎ（小ねぎ・万能ねぎ）

緑黄色野菜

| 1本 | **5**g | 正味重量* **5**g | **1**kcal |

＊株元を除いた重量

- 1束　100g
  正味90g／23kcal／塩分 0g
- 小口切り 2.5mm幅
  （大さじ1）5g／1kcal／塩分 0g
  （小さじ1）2g／1kcal／塩分 0g

ハウス栽培などが盛んで、通年出回る。緑色の葉の部分が多く、β-カロテンが豊富なので緑黄色野菜。カルシウムやビタミンK、C、葉酸も多い。

100gあたり
エネルギー……26kcal
塩分………………0g

1点重量…310g

廃棄率………10%

廃棄部位／株元

1本（5g）あたり
塩分………………0g
たんぱく質………0.1g
脂質………………0g
炭水化物…………0.2g
食物繊維…………0.1g
カリウム…………16mg
カルシウム………5mg
マグネシウム……1mg
鉄…………………0.1mg
ビタミンA………10μg
ビタミンE………0.1mg
ビタミンK………6μg
ビタミンB₂………0.01mg
葉酸………………6μg
ビタミンC………2mg

ねぎ（根深ねぎ） 〔淡色野菜〕

1本 165g　正味重量* 100g　35kcal

＊株元、緑葉部を除いた重量

直径 2cm

- 10cm　25g／9kcal／塩分 0g
- 小口切り 2mm幅
  - （大さじ1） 6g／2kcal／塩分 0g
  - （小さじ1） 2g／1kcal／塩分 0g
- みじん切り 3mm角
  - （大さじ1） 9g／3kcal／塩分 0g
  - （小さじ1） 3g／1kcal／塩分 0g

旬は秋から初春。関東で栽培しやすく、好まれるねぎ。白い部分を主に食べるので、淡色野菜。ねぎ類に共通する香り成分はアリシン。

1本（100g）あたり
- 塩分 …………… 0g
- たんぱく質 …… 1.0g
- 脂質 …………… 微量
- 炭水化物 ……… 6.4g
- 食物繊維 ……… 2.5g
- カリウム ……… 200mg
- カルシウム …… 36mg
- マグネシウム … 13mg
- 鉄 ……………… 0.3mg
- ビタミンA …… 7μg
- ビタミンE …… 0.2mg
- ビタミンK …… 8μg
- ビタミンB₂ …… 0.04mg
- 葉酸 …………… 72μg
- ビタミンC …… 14mg

100gあたり
- エネルギー …… 35kcal
- 塩分 …………… 0g
- **1点重量 … 230g**
- **廃棄率 …… 40%**

廃棄部位／株元、緑葉部

ねぎ（葉ねぎ・九条ねぎ） 〔緑黄色野菜〕

1本 25g　正味重量* 25g　7kcal

＊株元を除いた重量

- 1束 150g
  - 正味 140g／41kcal／塩分 0g

旬は秋から初春。関西で栽培しやすく、また好まれるねぎ。緑色の葉の部分が多く、β-カロテンが豊富なので緑黄色野菜。ビタミンK、B₂、C、葉酸も多い。

1本（25g）あたり
- 塩分 …………… 0g
- たんぱく質 …… 0.3g
- 脂質 …………… 0g
- 炭水化物 ……… 1.0g
- 食物繊維 ……… 0.8g
- カリウム ……… 65mg
- カルシウム …… 20mg
- マグネシウム … 5mg
- 鉄 ……………… 0.3mg
- ビタミンA …… 30μg
- ビタミンE …… 0.2mg
- ビタミンK …… 28μg
- ビタミンB₂ …… 0.03mg
- 葉酸 …………… 25μg
- ビタミンC …… 8mg

100gあたり
- エネルギー …… 29kcal
- 塩分 …………… 0g
- **1点重量 … 280g**
- **廃棄率 …… 7%**

廃棄部位／株元

3群　野菜（ねぎ〔根深ねぎ・葉ねぎ・九条ねぎ〕）

3群 野菜（白菜・バジル・パセリ）

白菜

淡色野菜

1枚（外葉） 150g 20kcal

- **1枚（中葉）**
  100g ／ 13kcal ／塩分 0g
- **1玉** 2500g
  正味 2350g ／ 306kcal ／塩分 0g

旬は秋から冬。約95%が水分で、たんぱく質や糖質が少なく、低エネルギー。カリウムやビタミンKが豊富。

1枚（150g）あたり
塩分	0g
たんぱく質	0.9g
脂質	微量
炭水化物	3.0g
食物繊維	2.0g
カリウム	330mg
カルシウム	65mg
マグネシウム	15mg
鉄	0.5mg
ビタミンA	12µg
ビタミンE	0.3mg
ビタミンK	89µg
ビタミンB₂	0.05mg
葉酸	92µg
ビタミンC	29mg

100gあたり
- エネルギー……13kcal
- 塩分……0g
- 1点重量…620g
- 廃棄率………6%
- 1玉の廃棄率…6%

バジル

緑黄色野菜

1枝 5g 正味重量* 4g 1kcal
*茎、穂を除いた重量

100gあたり
- エネルギー……21kcal
- 塩分……0g
- 1点重量…380g
- 廃棄率………20%
- 廃棄部位／茎、穂

- **葉1枚**
  1g／エネルギー 0kcal／塩分 0g

1枝（4g）あたり
塩分	0g
たんぱく質	0g
脂質	0g
炭水化物	0g
食物繊維	0.2g
カリウム	17mg
カルシウム	10mg
マグネシウム	3mg
鉄	0.1mg
ビタミンA	21µg
ビタミンE	0.1mg
ビタミンK	18µg
ビタミンB₂	0.01mg
葉酸	3µg
ビタミンC	1mg

パセリ

緑黄色野菜

1枝 15g 正味重量* 14g 5kcal
*茎を除いた重量

100gあたり
- エネルギー……34kcal
- 塩分……0g
- 1点重量…240g
- 廃棄率………10%
- 廃棄部位／茎

- **一房**
  1g／エネルギー 0kcal／塩分 0g
- **みじん切り（小さじ1）**
  1g／エネルギー 0kcal／塩分 0g

1枝（14g）あたり
塩分	0g
たんぱく質	0.4g
脂質	0.1g
炭水化物	0.1g
食物繊維	1.0g
カリウム	140mg
カルシウム	41mg
マグネシウム	6mg
鉄	1.1mg
ビタミンA	87µg
ビタミンE	0.5mg
ビタミンK	119µg
ビタミンB₂	0.03mg
葉酸	31µg
ビタミンC	17mg

パプリカ・赤 (赤ピーマン) 緑黄色野菜

1個 150g　正味重量*135g　38kcal

*へた、種子、芯を除いた重量

旬は夏、輸入品は通年。ジャンボピーマンとも呼ばれる。とうがらしの仲間で、大型で辛味のない種類。β-カロテン、ビタミンCが非常に豊富。パプリカには、赤色やオレンジ色のカロテノイド系色素のカプサンチンが多い。

100gあたり
エネルギー……28kcal
塩分………………0g
1点重量…290g
廃棄率………10%
廃棄部位／へた、種子、芯

1個（135g）あたり
塩分………………0g
たんぱく質………1.1g
脂質………………0.3g
炭水化物…………7.2g
食物繊維…………2.2g
カリウム…………284mg
カルシウム………9mg
マグネシウム……14mg
鉄…………………0.5mg
ビタミンA………119μg
ビタミンE………5.8mg
ビタミンK………9μg
ビタミンB₂………0.19mg
葉酸………………92μg
ビタミンC………230mg

パプリカ・黄 (黄ピーマン) 淡色野菜

1個 150g　正味重量*135g　38kcal

*へた、種子、芯を除いた重量

旬は夏、輸入品は通年。ジャンボピーマンとも呼ばれる。とうがらしの仲間で、大型で辛味のない種類。濃い黄色だが、β-カロテンが少なく、淡色野菜。ビタミンCやカプサンチンは豊富。

100gあたり
エネルギー……28kcal
塩分………………0g
1点重量…290g
廃棄率………10%
廃棄部位／へた、種子、芯

1個（135g）あたり
塩分………………0g
たんぱく質………0.8g
脂質………………0.1g
炭水化物…………7.7g
食物繊維…………1.8g
カリウム…………270mg
カルシウム………11mg
マグネシウム……14mg
鉄…………………0.4mg
ビタミンA………23μg
ビタミンE………3.2mg
ビタミンK………4μg
ビタミンB₂………0.04mg
葉酸………………73μg
ビタミンC………203mg

3群 野菜（赤パプリカ・黄パプリカ）

ピーマン 〈緑黄色野菜〉

1個 30g　正味重量* 25g　5kcal
*へた、種子、芯を除いた重量

- **1個（大） 50g**
  正味 40g／8kcal／塩分 0g

旬は夏。とうがらしの仲間で、中型で辛みのない種類で、未熟果。熟すと赤や黄色に変わる。ビタミンCが豊富。β-カロテンは、緑黄色野菜の基準には達していないが、緑黄色野菜に分類される。

1個（25g）あたり
塩分 …………… 0g
たんぱく質 ……… 0.2g
脂質 …………… 0g
炭水化物 ……… 0.8g
食物繊維 ……… 0.6g
カリウム ……… 48mg
カルシウム …… 3mg
マグネシウム … 3mg
鉄 …………… 0.1mg
ビタミンA …… 8µg
ビタミンE …… 0.2mg
ビタミンK …… 5µg
ビタミンB₂ … 0.01mg
葉酸 ………… 7µg
ビタミンC …… 19mg

100gあたり
エネルギー …… 20kcal
塩分 …………… 0g
1点重量… 400g
廃棄率… 15%
廃棄部位／へた、種子、芯

ふき 〈淡色野菜〉

1本 80g　正味重量* 50g　6kcal
*葉、表皮、葉柄基部を除いた重量

旬は春から夏。歯ざわりのよさと、さわやかな香りが特徴。カリウムが多い。ふきのとうは、ふきの花のつぼみ。

100gあたり
エネルギー …… 11kcal
塩分 …………… 0.1g
1点重量… 730g
廃棄率… 40%
廃棄部位／葉、表皮、葉柄基部

1本（50g）あたり
塩分 …………… 0.1g
たんぱく質 ……… 0.2g
脂質 …………… 0g
炭水化物 ……… 0.9g
食物繊維 ……… 0.7g
カリウム ……… 165mg
カルシウム …… 20mg
マグネシウム … 3mg
鉄 …………… 0.1mg
ビタミンA …… 2µg
ビタミンE …… 0.1mg
ビタミンK …… 3µg
ビタミンB₂ … 0.01mg
葉酸 ………… 6µg
ビタミンC …… 1mg

ブロッコリー

緑黄色野菜

1株 250g 正味重量*160g 59kcal
＊茎、葉を除いた重量

- 1房 15g／6kcal／塩分 0g

旬は晩秋から初春。つぼみの集まりを食べる野菜。ビタミンK、B₁、B₂、C、葉酸などが豊富。鉄も比較的多い。

1株（160g）あたり
- 塩分 0g
- たんぱく質 6.1g
- 脂質 0.5g
- 炭水化物 3.7g
- 食物繊維 8.2g
- カリウム 736mg
- カルシウム 80mg
- マグネシウム 46mg
- 鉄 2.1mg
- ビタミンA 120μg
- ビタミンE 4.8mg
- ビタミンK 336μg
- ビタミンB₁ 0.27mg
- ビタミンB₂ 0.37mg
- 葉酸 352μg
- ビタミンC 224mg

100gあたり
- エネルギー 37kcal
- 塩分 0g
- 1点重量 220g
- 廃棄率 35%
- 廃棄部位／茎、葉

ほうれん草

緑黄色野菜

1株 20g 正味重量*18g 3kcal
＊株元を除いた重量

- 1束（大、冬） 300g 正味270g／49kcal／塩分 0g
- 1束（小、夏） 200g 正味180g／32kcal／塩分 0g

旬は冬。緑黄色野菜の中でも抜群の栄養価を誇る。特に鉄、β-カロテン、ビタミンA、K、C、葉酸が豊富。ビタミンB群をはじめ、カリウム、カルシウム、マンガンなどのミネラルもバランスよく含む。

1株（18g）あたり
- 塩分 0g
- たんぱく質 0.3g
- 脂質 0g
- 炭水化物 0.1g
- 食物繊維 0.5g
- カリウム 124mg
- カルシウム 9mg
- マグネシウム 12mg
- 鉄 0.4mg
- マンガン 0.06mg
- ビタミンA 63μg
- ビタミンE 0.4mg
- ビタミンK 49μg
- ビタミンB₂ 0.04mg
- 葉酸 38μg
- ビタミンC 6mg

100gあたり
- エネルギー 18kcal
- 塩分 0g
- 1点重量 440g
- 廃棄率 10%
- 廃棄部位／株元

3群 野菜（ブロッコリー・ほうれん草）

3群 野菜(水菜・三つ葉[糸三つ葉・根三つ葉])

水菜 (京菜) 緑黄色野菜

1株 50g　正味重量* 40g　9kcal
*株元を除いた重量

● 1袋(3株入り) 150g
正味130g／30kcal／塩分 0.1g

旬は冬。古くから京都を中心に関西で栽培される伝統的な京野菜。繊細でやわらかく上品な味わい。葉がギザギザしている水菜やひらたく切れ込みのない壬生菜などがある。ビタミンK、C、葉酸が豊富。

100gあたり
エネルギー……23kcal
塩分………………0.1g
1点重量…350g
廃棄率………15%
廃棄部位／株元

1株(40g)あたり
塩分………………0g
たんぱく質………0.8g
脂質………………0g
炭水化物…………0.8g
食物繊維…………1.2g
カリウム……192mg
カルシウム……84mg
マグネシウム……12mg
鉄…………………0.8mg
ビタミンA………44μg
ビタミンE………0.7mg
ビタミンK………48μg
ビタミンB₂……0.06mg
葉酸……………56μg
ビタミンC………22mg

三つ葉 (糸三つ葉) 緑黄色野菜

1袋 60g 正味重量* 55g　7kcal
*株元を除いた重量

100gあたり
エネルギー……12kcal
塩分………………0g
1点重量…670g
廃棄率………8%
廃棄部位／株元

● 3本　　　　　5g／1kcal／塩分 0g
● スポンジ1個分　18g／2kcal／塩分 0g

1袋 (55g)あたり
塩分………………0g
たんぱく質………0.4g
脂質………………0.1g
炭水化物…………0.4g
食物繊維…………1.3g
カリウム……275mg
カルシウム……26mg
マグネシウム……12mg
鉄…………………0.5mg
ビタミンA……149μg
ビタミンE………0.5mg
ビタミンK……121μg
ビタミンB₂……0.08mg
葉酸……………35μg
ビタミンC………7mg

三つ葉 (根三つ葉) 緑黄色野菜

1束 200g 正味重量* 130g　25kcal
*根、株元を除いた重量

100gあたり
エネルギー……19kcal
塩分………………0g
1点重量…420g
廃棄率………35%
廃棄部位／根、株元

● 1株　20g　正味13g／2kcal／塩分 0g

1束 (130g)あたり
塩分………………0g
たんぱく質………2.3g
脂質………………0.1g
炭水化物…………1.7g
食物繊維…………3.8g
カリウム……650mg
カルシウム……68mg
マグネシウム……27mg
鉄…………………2.3mg
ビタミンA……182μg
ビタミンE………1.4mg
ビタミンK……156μg
ビタミンB₂……0.17mg
葉酸……………86μg
ビタミンC………29mg

みょうが
淡色野菜

1個 20g　正味重量* 20g　2kcal
＊花茎を除いた重量

旬は夏から秋。夏を代表する香味野菜で、さわやかな香りとほのかな苦味、シャキッとした食感が特徴。栄養的特徴は乏しいが、食物繊維が豊富。

100gあたり
エネルギー……11kcal
塩分…………………0g
1点重量…730g
廃棄率…………3%
廃棄部位／花茎

1個（20g）あたり
塩分…………………0g
たんぱく質………0.1g
脂質…………………0g
炭水化物…………0.1g
食物繊維…………0.4g
カリウム…………42mg
カルシウム…………5mg
マグネシウム………6mg
鉄……………………0.1mg
ビタミンA……………1μg
ビタミンE……………0mg
ビタミンK……………4μg
ビタミンB₂………0.01mg
葉酸…………………5μg
ビタミンC……………0mg

もやし（大豆もやし）
淡色野菜

1袋 200g　正味重量* 190g　55kcal
＊種皮、損傷部を除いた重量

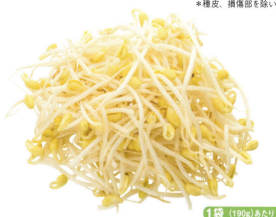

通年出回る。大豆を暗所で発芽させたもの。発芽する段階でたんぱく質がアミノ酸に分解されて消化・吸収しやすくなる。低エネルギーで、ビタミンK、B₂、イソフラボン、食物繊維などが豊富。

100gあたり
エネルギー……29kcal
塩分…………………0g
1点重量…280g
廃棄率…………4%
廃棄部位／種皮、損傷部

1袋（190g）あたり
塩分…………………0g
たんぱく質………5.5g
脂質………………2.3g
炭水化物…………1.1g
食物繊維…………4.4g
カリウム………304mg
カルシウム………44mg
マグネシウム……44mg
鉄……………………1.0mg
ビタミンA……………0μg
ビタミンE……………1.0mg
ビタミンK…………108μg
ビタミンB₂………0.13mg
葉酸………………162μg
ビタミンC…………10mg

3群　野菜（みょうが・もやし[大豆もやし]）

もやし (ブラックマッペもやし) 淡色野菜

1袋 200g　正味重量* 200g　34kcal
*種皮、損傷部を除いた重量

通年出回る。ブラックマッペという豆を発芽させたもの。細めで、低エネルギーで、ビタミンB₂、食物繊維などが多い。

100gあたり
エネルギー……17kcal
塩分………………0g
1点重量…470g
廃棄率………0%
廃棄部位／種皮、損傷部

1袋（200g）あたり
塩分………………0g
たんぱく質………2.8g
脂質………………微量
炭水化物…………4.2g
食物繊維…………3.0g
カリウム…………130mg
カルシウム………32mg
マグネシウム……24mg
鉄…………………0.8mg
ビタミンA………0μg
ビタミンE………微量
ビタミンK………14μg
ビタミンB₂………0.12mg
葉酸………………84μg
ビタミンC………20mg

もやし (緑豆もやし) 淡色野菜

1袋 200g　正味重量* 190g　29kcal
*種皮、損傷部を除いた重量

通年出回る。緑豆を発芽させたもの。太めで、低エネルギーで、ビタミンB₂、食物繊維が豊富。

100gあたり
エネルギー……15kcal
塩分………………0g
1点重量…530g
廃棄率………3%
廃棄部位／種皮、損傷部

1袋（190g）あたり
塩分………………0g
たんぱく質………2.3g
脂質………………0.2g
炭水化物…………3.4g
食物繊維…………2.5g
カリウム…………131mg
カルシウム………19mg
マグネシウム……15mg
鉄…………………0.4mg
ビタミンA………微量
ビタミンE………0.2mg
ビタミンK………6μg
ビタミンB₂………0.10mg
葉酸………………78μg
ビタミンC………15mg

モロヘイヤ

緑黄色野菜

1束 100g 36kcal

● 1茎 8g／3kcal／塩分 0g

ビタミンAとなるβ-カロテンが非常に多く、ビタミンKや葉酸も豊富。カルシウムなどの無機質や食物繊維も多い。シュウ酸が多いのでゆでてから使う。刻むと粘りが出るのが特徴。

1束（100g）あたり
塩分	0g
たんぱく質	3.6g
脂質	0.4g
炭水化物	1.8g
食物繊維	5.9g
カリウム	530mg
カルシウム	260mg
マグネシウム	46mg
鉄	1.0mg
ビタミンA	840μg
ビタミンE	6.5mg
ビタミンK	640μg
ビタミンB₂	0.42mg
葉酸	250μg
ビタミンC	65mg

100gあたり
エネルギー	36kcal
塩分	0g
1点重量	220g
廃棄率	0%

ラディッシュ

淡色野菜

1個 10g 正味重量* 7g 1kcal

＊根端、葉及び葉柄基部を除いた重量

旬は春から秋。大根と同種で、でんぷん消化酵素のジアスターゼや辛味成分を含む。カリウムが多い。皮の鮮やかな赤色は水溶性なので、長く水に浸すと色が落ちる。酢と合わせるとピンク色に発色する。

廃棄部位／根端、葉及び葉柄基部

1個（7g）あたり
塩分	0g
たんぱく質	0g
脂質	0g
炭水化物	0.1g
食物繊維	0.1g
カリウム	15mg
カルシウム	1mg
マグネシウム	1mg
鉄	0mg
ビタミンA	0μg
ビタミンE	0mg
ビタミンK	0μg
ビタミンB₂	0mg
葉酸	4μg
ビタミンC	1mg

100gあたり
エネルギー	13kcal
塩分	0g
1点重量	620g
廃棄率	25%

3群 野菜（モロヘイヤ・ラディッシュ）

3群 野菜（リーフレタス・ルッコラ）

リーフレタス

緑黄色野菜

1枚（大） 40g 6kcal

旬は初夏から初秋。結球しない葉レタスの一種でグリーンカールなどがある。葉レタスは玉レタスに比べてβ-カロテンが約10倍。ビタミンK、C、葉酸、カリウム、カルシウムも2〜5倍と圧倒的に多い。

1枚（40g）あたり
- 塩分‥‥‥‥‥‥‥0g
- たんぱく質‥‥‥‥0.4g
- 脂質‥‥‥‥‥‥‥0g
- 炭水化物‥‥‥‥‥0.7g
- 食物繊維‥‥‥‥‥0.8g
- カリウム‥‥‥‥196mg
- カルシウム‥‥‥23mg
- マグネシウム‥‥‥6mg
- 鉄‥‥‥‥‥‥‥0.4mg
- ビタミンA‥‥‥‥80μg
- ビタミンE‥‥‥‥0.5mg
- ビタミンK‥‥‥‥64μg
- ビタミンB₂‥‥‥0.04mg
- 葉酸‥‥‥‥‥‥44μg
- ビタミンC‥‥‥‥8mg

100gあたり
- エネルギー‥‥16kcal
- 塩分‥‥‥‥‥‥‥0g
- 1点重量‥‥500g
- 廃棄率‥‥‥‥0%

1株の廃棄率‥6%

ルッコラ

緑黄色野菜

1束 50g 正味重量* 50g 9kcal

*株元を除いた重量

● 1茎 10g／2kcal／塩分 0g

ロケットサラダとも呼ばれる。独特の香りがあり、ごまの香りに例えられる。カルシウムや鉄分が多い。さらにビタミンAとなるβ-カロテン、ビタミンK、葉酸も多い。

廃棄部位／株元

1束（50g）あたり
- 塩分‥‥‥‥‥‥‥0g
- たんぱく質‥‥‥‥1.0g
- 脂質‥‥‥‥‥‥‥0.1g
- 炭水化物‥‥‥‥‥0.4g
- 食物繊維‥‥‥‥‥1.3g
- カリウム‥‥‥‥240mg
- カルシウム‥‥‥85mg
- マグネシウム‥‥23mg
- 鉄‥‥‥‥‥‥‥0.8mg
- ビタミンA‥‥‥150μg
- ビタミンE‥‥‥‥0.7mg
- ビタミンK‥‥‥105μg
- ビタミンB₂‥‥‥0.09mg
- 葉酸‥‥‥‥‥‥85μg
- ビタミンC‥‥‥‥33mg

100gあたり
- エネルギー‥‥17kcal
- 塩分‥‥‥‥‥‥‥0g
- 1点重量‥‥470g
- 廃棄率‥‥‥‥2%

レタス

淡色野菜

1枚（外葉） **40**g **4**kcal

- **1枚**（中葉）
  25g／3kcal／塩分 0g
- **1玉 400**g
  正味390g／43kcal／塩分 0g

旬は初夏から初秋。結球する玉レタス。葉レタスは緑黄色野菜だが、玉レタスは淡色野菜。約96％が水分なので低エネルギー。シャキシャキとした食感が特徴。

1枚（40g）あたり
- 塩分……………0g
- たんぱく質……0.2g
- 脂質……………微量
- 炭水化物………0.7g
- 食物繊維………0.4g
- カリウム………80mg
- カルシウム……8mg
- マグネシウム…3mg
- 鉄………………0.1mg
- ビタミンA……8μg
- ビタミンE……0.1mg
- ビタミンK……12μg
- ビタミンB₂……0.01mg
- 葉酸……………29μg
- ビタミンC……2mg

100gあたり
- エネルギー……11kcal
- 塩分……………0g

1点重量 730g

廃棄率 2%
1玉の廃棄率…2%

れんこん（はす）

淡色野菜

1節 200g 正味重量*160g **106**kcal
＊節部、皮を除いた重量

- **1節**（小） **100**g
  正味80g／53kcal／塩分 0.1g

旬は冬。野菜としては炭水化物が豊富。ビタミンCや食物繊維が多い。糸を引く粘り気のもとは粘性多糖類。また切り口を変色させるのはポリフェノールの一種のタンニンである。

1節（160g）あたり
- 塩分……………0.2g
- たんぱく質……2.1g
- 脂質……………微量
- 炭水化物………22.6g
- 食物繊維………3.2g
- カリウム………704mg
- カルシウム……32mg
- マグネシウム…26mg
- 鉄………………0.8mg
- ビタミンA……微量
- ビタミンE……1.0mg
- ビタミンK……0μg
- ビタミンB₂……0.02mg
- 葉酸……………22μg
- ビタミンC……77mg

100gあたり
- エネルギー……66kcal
- 塩分……………0.1g

1点重量 120g

廃棄率 20%
廃棄部位／節部、皮

3群 野菜（レタス・れんこん）

3群 野菜加工品（かんぴょう・切り干し大根）

かんぴょう（乾燥） 淡色野菜

1本（40cm） 4g 10kcal

100gあたり
- エネルギー……239kcal
- 塩分……………0g
- 1点重量……35g

ユウガオの実を薄く細長い帯状にむいて乾燥させたもの。食物繊維が豊富で、中でも不溶性食物繊維が特に多い。鉄、亜鉛、マンガンなどのミネラルも多く、特にカリウムが非常に多い。

1本（乾燥・4g）あたり
- 塩分……………0g
- たんぱく質………0.2g
- 脂質……………0.2g
- 炭水化物………1.6g
- 食物繊維………1.2g
- カリウム………72mg
- カルシウム……10mg
- マグネシウム……4mg
- 鉄………………0.1mg
- 亜鉛……………0.1mg
- マンガン………0.06mg
- ビタミンA……0μg
- ビタミンE……0mg
- ビタミンB₂……0mg
- 葉酸……………4μg

もどしてゆでると 5.3倍

かんぴょう（ゆで） 淡色野菜

1本 20g 4kcal

1本（ゆで・20g）あたり
- 塩分……………0g
- たんぱく質………0.1g
- 脂質……………0g
- 炭水化物………0.4g
- 食物繊維………1.1g
- カリウム………20mg
- カルシウム……7mg
- マグネシウム……2mg
- 鉄………………0.1mg
- 亜鉛……………0mg
- マンガン………0.03mg
- ビタミンA……0μg
- ビタミンE……0mg
- ビタミンB₂……0mg
- 葉酸……………1μg

100gあたり
- エネルギー……21kcal
- 塩分……………0g
- 1点重量……380g

切り干し大根 淡色野菜

大根を切って乾燥させたもの。乾燥によってたんぱく質や糖質、カルシウムなどが凝縮される。そのためカリウムが非常に多い。食物繊維や鉄も豊富。

乾10gをゆでると 5.6倍 56g

 →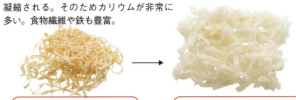

（乾）10g 28kcal　　**（ゆで）56g 7kcal**

10g（乾燥）あたり
- 塩分……………0.1g
- たんぱく質………0.7g
- 脂質……………0g
- 炭水化物………5.1g
- 食物繊維………2.1g
- カリウム………350mg
- カルシウム……50mg
- マグネシウム……16mg
- 鉄………………0.3mg
- ビタミンA……0μg
- ビタミンE……0mg
- ビタミンK……微量
- ビタミンB₂……0.02mg
- 葉酸……………21μg
- ビタミンC……3mg

100gあたり
- エネルギー…280kcal
- 塩分……………0.5g
- 1点重量……29g

56g（ゆで）あたり
- 塩分……………0g
- たんぱく質………0.4g
- 脂質……………微量
- 炭水化物………0.4g
- 食物繊維………2.1g
- カリウム………35mg
- カルシウム……34mg
- マグネシウム……8mg
- 鉄………………0.2mg
- ビタミンA……0μg
- ビタミンE……0mg
- ビタミンK……0μg
- ビタミンB₂……微量
- 葉酸……………4μg
- ビタミンC……0mg

100gあたり
- エネルギー……13kcal
- 塩分……………0g
- 1点重量……620g

コーン（クリームタイプ） 淡色野菜

大さじ1　16g　13kcal

- 1カップ　220g／180kcal／塩分 1.5g
- 1缶　　　435g／357kcal／塩分 3.0g

とうもろこしの実をゆでてクリーム状にしたもの。塩分を含んでいる。

大さじ1（16g）あたり
- 塩分……………0.1g
- たんぱく質……0.2g
- 脂質……………0.1g
- 炭水化物………2.7g
- 食物繊維………0.3g
- カリウム………24mg
- カルシウム……0mg
- マグネシウム…3mg
- 鉄………………0.1mg
- ビタミンA………1μg
- ビタミンE………0mg
- ビタミンK………0μg
- ビタミンB₂……0.01mg
- 葉酸……………3μg
- ビタミンC………0mg

100gあたり
- エネルギー……82kcal
- 塩分……………0.7g

1点重量……100g

コーン（ホールタイプ） 淡色野菜

大さじ1（水切りしたもの）　12g　9kcal

- 1カップ　150g／117kcal／塩分 0.8g
- 1缶　　　425g（コーン265g）／207kcal／塩分 1.3g

とうもろこしの実をゆでたもの。塩分を含んでいる。

大さじ1（12g）あたり
- 塩分……………0.1g
- たんぱく質……0.3g
- 脂質……………0.1g
- 炭水化物………1.8g
- 食物繊維………0.4g
- カリウム………16mg
- カルシウム……0mg
- マグネシウム…2mg
- 鉄………………0mg
- ビタミンA………1μg
- ビタミンE………0mg
- ビタミンK………微量
- ビタミンB₂……0.01mg
- 葉酸……………2μg
- ビタミンC………0mg

100gあたり
- エネルギー……78kcal
- 塩分……………0.5g

1点重量……100g

3群　野菜加工品（コーン缶詰め［クリームタイプ・ホールタイプ］）

3群 野菜加工品（竹の子水煮・トマト水煮缶詰め）

竹の子（水煮） 淡色野菜

1個（中） 50g 11kcal

竹の子をゆでたもの。不溶性食物繊維のセルロースが豊富。竹の子内にある白い粉は、うま味のもととなるチロシン。

100gあたり
- エネルギー……22kcal
- 塩分……………0g
- 1点重量…360g

1個（50g）あたり
- 塩分……………0g
- たんぱく質………1.0g
- 脂質……………0.1g
- 炭水化物…………1.1g
- 食物繊維…………1.2g
- カリウム…………39mg
- カルシウム………10mg
- マグネシウム……2mg
- 鉄………………0.2mg
- ビタミンA………0μg
- ビタミンE………0.5mg
- ビタミンK………1μg
- ビタミンB₂………0.02mg
- 葉酸……………18μg
- ビタミンC………0mg

トマト（水煮缶詰め・食塩無添加） 緑黄色野菜

1缶（ホールタイプ） 400g 84kcal

● **1カップ**（ホールタイプ）
200g／42kcal／塩分 0g

完熟した加工用のトマトの皮をむいて水煮にし、固形のトマトの間隙をわずかに濃縮したトマトジュースで充填している。

100gあたり
- エネルギー……21kcal
- 塩分……………0g
- 1点重量…380g

1缶（400g）あたり
- 塩分……………0g
- たんぱく質………3.6g
- 脂質……………0.4g
- 炭水化物………14.4g
- 食物繊維…………5.2g
- カリウム………960mg
- カルシウム………36mg
- マグネシウム……52mg
- 鉄………………1.6mg
- ビタミンA……188μg
- ビタミンE………4.8mg
- ビタミンK………20μg
- ビタミンB₂………0.12mg
- 葉酸……………84μg
- ビタミンC………40mg

冷凍野菜（枝豆・かぼちゃ・グリーンピース・コーン・にんじん・ほうれん草）

3群

冷凍 枝豆　淡色野菜

10さや 正味重量 20g　29kcal

20gあたり
- 塩分……0g
- たんぱく質……2.2g
- 脂質……1.4g
- 炭水化物……1.0g
- 食物繊維……1.5g
- カリウム……130mg
- カルシウム……15mg
- マグネシウム……15mg
- 鉄……0.5mg
- ビタミンA……3μg
- ビタミンE……0.2mg
- ビタミンK……6μg
- ビタミンB₂……0.03mg
- 葉酸……62μg
- ビタミンC……5mg

●10粒 9g／13kcal／塩分 0g
●1カップ 120g／172kcal／塩分 0g

100gあたり
- エネルギー……143kcal
- 塩分……0g

1点重量……55g

冷凍 かぼちゃ　緑黄色野菜

1切れ 30g　23kcal

1切れ（30g）あたり
- 塩分……0g
- たんぱく質……0.4g
- 脂質……0.1g
- 炭水化物……4.4g
- 食物繊維……1.3g
- カリウム……129mg
- カルシウム……8mg
- マグネシウム……8mg
- 鉄……0.2mg
- ビタミンA……93μg
- ビタミンE……1.3mg
- ビタミンK……5μg
- ビタミンB₂……0.03mg
- 葉酸……14μg
- ビタミンC……10mg

100gあたり
- エネルギー……75kcal
- 塩分……0g

1点重量……110g

冷凍 グリーンピース　淡色野菜

大さじ1 3g　2kcal

大さじ1（3g）あたり
- 塩分……0g
- たんぱく質……0.1g
- 脂質……0g
- 炭水化物……0.3g
- 食物繊維……0.3g
- カリウム……7mg
- カルシウム……1mg
- マグネシウム……1mg
- 鉄……0mg
- ビタミンA……1μg
- ビタミンE……微量
- ビタミンK……1μg
- ビタミンB₂……0mg
- 葉酸……2μg
- ビタミンC……1mg

●10粒 3g／2kcal／塩分 0g

100gあたり
- エネルギー……80kcal
- 塩分……0g

1点重量……100g

冷凍 コーン　淡色野菜

大さじ1 10g　9kcal

大さじ1（10g）あたり
- 塩分……0g
- たんぱく質……0.2g
- 脂質……0.1g
- 炭水化物……1.6g
- 食物繊維……0.5g
- カリウム……23mg
- カルシウム……0mg
- マグネシウム……2mg
- 鉄……0mg
- ビタミンA……1μg
- ビタミンE……0mg
- ビタミンK……0μg
- ビタミンB₂……0.01mg
- 葉酸……6μg
- ビタミンC……0mg

●1カップ 130g／118kcal／塩分 0g

100gあたり
- エネルギー……91kcal
- 塩分……0g

1点重量……90g

冷凍 にんじん　緑黄色野菜

1個 5g 2kcal

直径3cm

1個（5g）あたり
- 塩分……0g
- たんぱく質……0g
- 脂質……0g
- 炭水化物……0.2g
- 食物繊維……0.2g
- カリウム……10mg
- カルシウム……2mg
- マグネシウム……0mg
- 鉄……0mg
- ビタミンA……46μg
- ビタミンE……0mg
- ビタミンK……0μg
- ビタミンB₂……0mg
- 葉酸……1μg
- ビタミンC……0mg

●大さじ1（6mm角）10g／3kcal／塩分 0g

100gあたり
- エネルギー……30kcal
- 塩分……0.1g

1点重量……270g

冷凍 ほうれん草　緑黄色野菜

50g 11kcal

50gあたり
- 塩分……0.2g
- たんぱく質……1.2g
- 脂質……0.1g
- 炭水化物……0.3g
- 食物繊維……1.7g
- カリウム……105mg
- カルシウム……50mg
- マグネシウム……26mg
- 鉄……0.5mg
- ビタミンA……220μg
- ビタミンE……1.4mg
- ビタミンK……150μg
- ビタミンB₂……0.07mg
- 葉酸……60μg
- ビタミンC……10mg

100gあたり
- エネルギー……22kcal
- 塩分……0.3g

1点重量……360g

3群 漬物（梅干し・オリーブ・キムチ・ザーサイ・しば漬け・しょうが甘酢漬け・高菜漬け・たくあん漬け）

梅干し
1個 20g　正味重量* 15g　4kcal
*核(種)を除いた重量

1個(15g)あたり
- 塩分 …… 2.7g
- たんぱく質 … 0.1g
- 脂質 …… 0.1g
- 炭水化物 … 0.1g
- 食物繊維 … 0.5g
- カリウム … 33mg
- 葉酸 …… 微量
- ビタミンC … 0mg

100gあたり
- エネルギー … 29kcal
- 塩分 …… 18.2g
- 1点重量 … 280g
- 廃棄率 …… 25%
- 廃棄部位／核(種)

オリーブ(スタッフド)
2個 10g　14kcal

10gあたり
- 塩分 …… 0.5g
- たんぱく質 … 0.1g
- 脂質 …… 1.4g
- 炭水化物 … 0.1g
- 食物繊維 … 0.4g
- カリウム … 3mg
- 葉酸 …… 0μg
- ビタミンC … 1mg

100gあたり
- エネルギー … 141kcal
- 塩分 …… 5.1g
- 1点重量 … 55g

キムチ
10g　3kcal

10gあたり
- 塩分 …… 0.3g
- たんぱく質 … 0.2g
- 脂質 …… 0g
- 炭水化物 … 0.3g
- 食物繊維 … 0.2g
- カリウム … 29mg
- 葉酸 …… 2μg
- ビタミンC … 2mg

100gあたり
- エネルギー … 27kcal
- 塩分 …… 2.9g
- 1点重量 … 300g

ザーサイ
10g　2kcal

10gあたり
- 塩分 …… 1.4g
- たんぱく質 … 0.2g
- 脂質 …… 0g
- 炭水化物 … 0.1g
- 食物繊維 … 0.5g
- カリウム … 68mg
- 葉酸 …… 1μg
- ビタミンC … 0mg

100gあたり
- エネルギー … 20kcal
- 塩分 …… 13.7g
- 1点重量 … 400g

しば漬け
10g　3kcal

10gあたり
- 塩分 …… 0.4g
- たんぱく質 … 0.1g
- 脂質 …… 0g
- 炭水化物 … 0.3g
- 食物繊維 … 0.4g
- カリウム … 5mg
- 葉酸 …… 1μg
- ビタミンC … 0mg

100gあたり
- エネルギー … 27kcal
- 塩分 …… 4.1g
- 1点重量 … 300g

しょうが甘酢漬け
10g　4kcal

10gあたり
- 塩分 …… 0.2g
- たんぱく質 … 0g
- 脂質 …… 0g
- 炭水化物 … 0.9g
- 食物繊維 … 0.2g
- カリウム … 1mg
- 葉酸 …… 0μg
- ビタミンC … 0mg

100gあたり
- エネルギー … 44kcal
- 塩分 …… 2.0g
- 1点重量 … 180g

高菜漬け
10g　3kcal

10gあたり
- 塩分 …… 0.4g
- たんぱく質 … 0.2g
- 脂質 …… 0.1g
- 炭水化物 … 0.2g
- 食物繊維 … 0.4g
- カリウム … 11mg
- 葉酸 …… 2μg
- ビタミンC … 微量

100gあたり
- エネルギー … 30kcal
- 塩分 …… 4.0g
- 1点重量 … 270g

たくあん漬け
10g　4kcal

10gあたり
- 塩分 …… 0.3g
- たんぱく質 … 0.1g
- 脂質 …… 0g
- 炭水化物 … 0.9g
- 食物繊維 … 0.2g
- カリウム … 6mg
- 葉酸 …… 1μg
- ビタミンC … 4mg

100gあたり
- エネルギー … 43kcal
- 塩分 …… 3.3g
- 1点重量 … 190g

3群 漬物（奈良漬け・ぬかみそ漬け・野沢菜 塩漬け・ピクルス・福神漬け・らっきょう漬け・わさび漬け）

奈良漬け
10g 21kcal

10gあたり
- 塩分 ……… 0.5g
- たんぱく質 …… 0.5g
- 脂質 ……… 0g

100gあたり
- エネルギー … 216kcal
- 塩分 ……… 4.8g
- 炭水化物 …… 3.7g
- 食物繊維 …… 0.3g
- カリウム …… 10mg
- 葉酸 ……… 5µg
- ビタミンC …… 0mg

1点重量 …… 35g

ぬかみそ漬け（かぶ）
10g 3kcal

10gあたり
- 塩分 ……… 0.2g
- たんぱく質 …… 0.2g
- 脂質 ……… 0g

100gあたり
- エネルギー … 27kcal
- 塩分 ……… 2.2g
- 炭水化物 …… 0.4g
- 食物繊維 …… 0.2g
- カリウム …… 50mg
- 葉酸 ……… 7µg
- ビタミンC …… 3mg

1点重量 …… 300g

ぬかみそ漬け（きゅうり）
10g 3kcal

10gあたり
- 塩分 ……… 0.5g
- たんぱく質 …… 0.2g
- 脂質 ……… 微量

100gあたり
- エネルギー … 28kcal
- 塩分 ……… 5.3g
- 炭水化物 …… 0.5g
- 食物繊維 …… 0.2g
- カリウム …… 61mg
- 葉酸 ……… 2µg
- ビタミンC …… 2mg

1点重量 …… 290g

野沢菜 塩漬け
10g 2kcal

10gあたり
- 塩分 ……… 0.2g
- たんぱく質 …… 0.1g
- 脂質 ……… 0g

100gあたり
- エネルギー … 17kcal
- 塩分 ……… 1.5g
- 炭水化物 …… 0.2g
- 食物繊維 …… 0.3g
- カリウム …… 30mg
- 葉酸 ……… 6µg
- ビタミンC …… 3mg

1点重量 …… 470g

ピクルス（スイート型）
½個 10g 7kcal

10gあたり
- 塩分 ……… 0.1g
- たんぱく質 …… 0g
- 脂質 ……… 微量

100gあたり
- エネルギー … 70kcal
- 塩分 ……… 1.1g
- 炭水化物 …… 1.7g
- 食物繊維 …… 0.2g
- カリウム …… 2mg
- 葉酸 ……… 0µg
- ビタミンC …… 0mg

1点重量 …… 110g

福神漬け
10g 14kcal

10gあたり
- 塩分 ……… 0.5g
- たんぱく質 …… 0.3g
- 脂質 ……… 0g

100gあたり
- エネルギー … 137kcal
- 塩分 ……… 5.1g
- 炭水化物 …… 2.9g
- 食物繊維 …… 0.4g
- カリウム …… 10mg
- 葉酸 ……… 0µg
- ビタミンC …… 0mg

1点重量 …… 60g

らっきょう漬け
2個 10g 12kcal

10gあたり
- 塩分 ……… 0.2g
- たんぱく質 …… 0g
- 脂質 ……… 0g

100gあたり
- エネルギー … 117kcal
- 塩分 ……… 1.9g
- 炭水化物 …… 2.7g
- 食物繊維 …… 0.3g
- カリウム …… 1mg
- 葉酸 ……… 微量
- ビタミンC …… 0mg

1点重量 …… 70g

わさび漬け
10g 14kcal

10gあたり
- 塩分 ……… 0.3g
- たんぱく質 …… 0.7g
- 脂質 ……… 0.1g

100gあたり
- エネルギー … 140kcal
- 塩分 ……… 2.5g
- 炭水化物 …… 2.5g
- 食物繊維 …… 0.3g
- カリウム …… 14mg
- 葉酸 ……… 5µg
- ビタミンC …… 0mg

1点重量 …… 55g

えのきたけ

1袋 (小) 100g　正味重量* 85g　29kcal
*石づきを除いた重量

● **1袋 (大) 200g**
正味 170g／58kcal／塩分 0g

旬は冬だが、一般的に出回っているものは栽培品がほとんどなので通年出回る。鉄が多い。ビタミンDの元になるエルゴステロールが豊富。ビタミン B_1、B_2、ナイアシンも多く、ビタミン B_1 は生しいたけより多い。

1袋 (85g) あたり
- 塩分……………0g
- たんぱく質………1.4g
- 脂質……………0.1g
- 炭水化物…………4.1g
- 食物繊維…………3.3g
- カリウム………289mg
- リン……………94mg
- 鉄………………0.9mg
- マンガン………0.06mg
- ビタミンD………0.8μg
- ビタミン B_1……0.20mg
- ビタミン B_2……0.14mg
- ナイアシン………6.3mg
- 葉酸……………64μg

100gあたり
- エネルギー……34kcal
- 塩分……………0g

1点重量…240g
廃棄率……15%
廃棄部位／石づき

エリンギ

1本 40g　正味重量* 35g　11kcal
*石づきを除いた重量

一般的に出回っているものは栽培品なので通年出回る。食物繊維、カリウムが多い。

1本 (35g) あたり
- 塩分……………0g
- たんぱく質………0.6g
- 脂質……………0.1g
- 炭水化物…………1.3g
- 食物繊維…………1.2g
- カリウム………119mg
- リン……………31mg
- 鉄………………0.1mg
- マンガン………0.02mg
- ビタミンD………0.4μg
- ビタミン B_1……0.04mg
- ビタミン B_2……0.08mg
- ナイアシン………2.3mg
- 葉酸……………23μg

100gあたり
- エネルギー……31kcal
- 塩分……………0g

1点重量…260g
廃棄率………6%
廃棄部位／石づき

あらげきくらげ (乾燥)

1個 5g 9kcal

100gあたり
- エネルギー……184kcal
- 塩分……0.1g
- **1点重量……45g**
- **廃棄率……0%**

乾燥したものは片側は黒色だが、もう一方は白っぽくてビロード状に毛羽立っている。コリコリした歯ごたえが特徴。カルシウム、鉄、ビタミンD、食物繊維が非常に豊富。

1個（乾燥・5g）あたり
- 塩分……0g
- たんぱく質……0.2g
- 脂質……0g
- 炭水化物……0g
- 食物繊維……4.0g
- カリウム……32mg
- カルシウム……4mg
- リン……6mg
- 鉄……0.5mg
- マンガン……0.06mg
- ビタミンD……6.5μg
- ビタミンB₁……0mg
- ビタミンB₂……0.02mg
- ナイアシン……0.2mg
- 葉酸……1μg

ゆでると 4.9倍

あらげきくらげ (ゆで)

1個 25g 10kcal

100gあたり
- エネルギー……38kcal
- 塩分……0g
- **1点重量……210g**
- **廃棄率……0%**

1個（ゆで・25g）あたり
- 塩分……0g
- たんぱく質……0.2g
- 脂質……0g
- 炭水化物……0.1g
- 食物繊維……4.1g
- カリウム……19mg
- カルシウム……9mg
- リン……3mg
- 鉄……0.4mg
- マンガン……0.05mg
- ビタミンD……6.3μg
- ビタミンB₁……0mg
- ビタミンB₂……0.02mg
- ナイアシン……0.1mg
- 葉酸……0μg

きくらげ (乾燥)

5個 2g 4kcal

100gあたり
- エネルギー……216kcal
- 塩分……0.1g
- **1点重量……35g**
- **廃棄率……0%**

プリプリとした食感が特徴。カリウム、カルシウムが多く、また鉄は全食品の中でトップクラス、食物繊維も非常に多い。ビタミンDに変化するエルゴステロールも豊富。

5個（乾燥・2g）あたり
- 塩分……0g
- たんぱく質……0.1g
- 脂質……0g
- 炭水化物……0.3g
- 食物繊維……1.1g
- カリウム……20mg
- カルシウム……6mg
- リン……5mg
- 鉄……0.7mg
- マンガン……0.12mg
- ビタミンD……1.7μg
- ビタミンB₁……0mg
- ビタミンB₂……0.02mg
- ナイアシン……0.1mg
- 葉酸……2μg

ゆでると 10倍

きくらげ (ゆで)

5個 20g 3kcal

100gあたり
- エネルギー……14kcal
- 塩分……0g
- **1点重量……570g**
- **廃棄率……0%**

5個（ゆで・20g）あたり
- 塩分……0g
- たんぱく質……0.1g
- 脂質……0g
- 炭水化物……0g
- 食物繊維……1.0g
- カリウム……7mg
- カルシウム……5mg
- リン……2mg
- 鉄……0.1mg
- マンガン……0.11mg
- ビタミンD……1.8μg
- ビタミンB₁……0mg
- ビタミンB₂……0.01mg
- ナイアシン……0mg
- 葉酸……0μg

3群 きのこ（あらげきくらげ・きくらげ）

3群 きのこ（生しいたけ・干ししいたけ[香信]）

しいたけ（生しいたけ）

1個 15g　正味重量* 15g　4kcal
＊石づきを除いた重量

● 1個 15g　柄（軸）全体を除いた場合
正味 10g ／ 3kcal ／ 塩分 0g

旬は春と秋。紫外線を当てるとビタミンDに変化するエルゴステロールを豊富に含む。また食物繊維も多い。β-グルカンなど様々な効用が期待される栄養素を多種含んでいる。

100gあたり
エネルギー……25kcal
塩分……………0g
1点重量……320g
廃棄率………20%
廃棄部位／石づき
柄（軸）全体を除いた廃棄率…20%

1個（15g）あたり
塩分……………0g
たんぱく質……0.3g
脂質……………0g
炭水化物………0.1g
食物繊維………0.7g
カリウム………44mg
リン……………13mg
マンガン………0.03mg
ビタミンD……0μg
ビタミンB1……0.02mg
ビタミンB2……0.03mg
ナイアシン……0.6mg
葉酸……………7μg

しいたけ（干ししいたけ[香信]）（乾燥）

1個 2g　正味重量* 2g　5kcal
＊軸を除いた重量

100gあたり
エネルギー……258kcal
塩分……………0g
1点重量……30g
廃棄率………20%
廃棄部位／柄（軸）

1個（乾燥・2g）あたり
塩分……………0g
たんぱく質……0.3g
脂質……………0g
炭水化物………0.4g
食物繊維………0.9g
カリウム………44mg
リン……………6mg
マンガン………0.02mg
ビタミンD……0.3μg
ビタミンB1……0.01mg
ビタミンB2……0.03mg
ナイアシン……0.5mg
葉酸……………5μg

傘が開いてから収穫し、乾燥させたもの。日干ししたものはビタミンDを多量に含む。煮出すとグアニル酸といううま味物質ができる。

ゆでると 5.7倍 ↓

しいたけ（干ししいたけ[香信]）（ゆで）

1個* 10g　4kcal
＊傘のみの重量

100gあたり
エネルギー……40kcal
塩分……………0g
1点重量……200g
廃棄率………0%

1個（ゆで・10g）あたり
塩分……………0g
たんぱく質……0.2g
脂質……………0g
炭水化物………0.4g
食物繊維………0.7g
カリウム………20mg
リン……………4mg
マンガン………0.01mg
ビタミンD……0.1μg
ビタミンB1……0.01mg
ビタミンB2……0.03mg
ナイアシン……0.3mg
葉酸……………4μg

しいたけ（干ししいたけ[冬菇]）（乾燥）

1個 4g 正味重量* 3g 8kcal
*軸を除いた重量

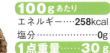

100gあたり
エネルギー……258kcal
塩分……………0g
1点重量……30g
廃棄率………20%
廃棄部位／柄（軸）

1個（乾燥・3g）あたり
塩分……………0g
たんぱく質………0.4g
脂質……………0.1g
炭水化物…………0.7g
食物繊維…………1.4g
カリウム…………66mg
リン………………9mg
マンガン…………0.03mg
ビタミンD………0.5μg
ビタミンB₁………0.01mg
ビタミンB₂………0.05mg
ナイアシン………0.7mg
葉酸………………8μg

傘があまり開かないうちに収穫し、乾燥させたもの。日干ししたものはビタミンDを多量に含む。煮出すとグアニル酸といううま味物質ができる。

ゆでると 5.7倍

しいたけ（干ししいたけ[冬菇]）（ゆで）

1個* 18g 7kcal
*傘のみの重量

100gあたり
エネルギー……40kcal
塩分……………0g
1点重量…200g
廃棄率………0%

1個（ゆで・18g）あたり
塩分……………0g
たんぱく質………0.4g
脂質……………0g
炭水化物…………0.7g
食物繊維…………1.2g
カリウム…………36mg
リン………………7mg
マンガン…………0.02mg
ビタミンD………0.3μg
ビタミンB₁………0.01mg
ビタミンB₂………0.05mg
ナイアシン………0.5mg
葉酸………………6μg

しめじ（ぶなしめじ）

1パック 100g 正味重量* 90g 23kcal
*石づきを除いた重量

● **5本**（石づき除く） 15g／4kcal／塩分 0g

天然物は「本しめじ」で旬は秋。栽培品は「ぶなしめじ」で、通年出回っている。ビタミンB₂や食物繊維が多い。なお、かつて「しめじ」として販売されていたのは、「ひらたけ」の栽培品である。

100gあたり
エネルギー……26kcal
塩分……………0g
1点重量…308g
廃棄率………10%
廃棄部位／石づき

1パック（90g）あたり
塩分……………0g
たんぱく質………1.4g
脂質……………0.2g
炭水化物…………2.3g
食物繊維…………2.7g
カリウム…………333mg
リン………………86mg
マンガン…………0.14mg
ビタミンD………0.5μg
ビタミンB₁………0.14mg
ビタミンB₂………0.15mg
ナイアシン………5.8mg
葉酸………………26μg

3群 きのこ（干ししいたけ[冬菇]・しめじ）

3群 きのこ（なめこ・まいたけ）

なめこ

1袋　100g　14kcal

● 5粒　8g／1kcal／塩分 0g

旬は晩秋から冬だが、一般的に販売されているのは栽培品なので通年出回る。最大の特徴であるぬめりの主成分は粘性多糖類の水溶性食物繊維。

100gあたり
エネルギー……14kcal
塩分………………0g
1点重量…570g
廃棄率………0%

1袋（100g）あたり
塩分………………0g
たんぱく質………0.7g
脂質………………0.1g
炭水化物…………1.8g
食物繊維…………1.9g
カリウム………130mg
リン………………36mg
マンガン………0.04mg
ビタミンD…………0μg
ビタミンB₁……0.03mg
ビタミンB₂……0.08mg
ナイアシン……3.7mg
葉酸………………57μg

まいたけ

1パック　100g　正味重量* 90g　20kcal
＊石づきを除いた重量

● 1房　15g／3kcal／塩分 0g

旬は秋だが、一般的に販売されているのは栽培品なので通年出回る。ビタミンDや食物繊維が豊富。様々な効用が期待されるβ-グルカンなどを含む。

100gあたり
エネルギー……22kcal
塩分………………0g
1点重量…360g
廃棄率………10%
廃棄部位／石づき

1パック（90g）あたり
塩分………………0g
たんぱく質………1.1g
脂質………………0.3g
炭水化物…………1.6g
食物繊維…………3.2g
カリウム………207mg
リン………………49mg
マンガン………0.04mg
ビタミンD………4.4μg
ビタミンB₁……0.08mg
ビタミンB₂……0.17mg
ナイアシン……4.9mg
葉酸………………48μg

マッシュルーム

生1個 8g
正味重量* 8g 1kcal
＊石づきを除いた重量

水煮缶詰め5切れ
10g 2kcal

1個（8g）あたり
- 塩分……………0g
- たんぱく質………0.1g
- 脂質……………0g
- 炭水化物…………0g
- 食物繊維…………0.2g
- カリウム…………28mg
- リン………………8mg
- マンガン…………0mg
- ビタミンD………0μg
- ビタミンB_1………0mg
- ビタミンB_2……0.02mg
- ナイアシン………0.3mg
- 葉酸………………2μg

100gあたり
- エネルギー……15kcal
- 塩分………………0g
- **1点重量…530g**
- **廃棄率………5%**

廃棄部位／石づき

ビタミンB_2、食物繊維が多い。色がブラウン、クリーム、ホワイトの3種類あるが、成分の違いはほとんどない。

5切れ（10g）あたり
- 塩分……………0.1g
- たんぱく質………0.2g
- 脂質……………0g
- 炭水化物…………0g
- 食物繊維…………0.3g
- カリウム…………9mg
- リン………………6mg
- マンガン…………0mg
- ビタミンD………0μg
- ビタミンB_1………0mg
- ビタミンB_2……0.02mg
- ナイアシン………0.2mg
- 葉酸………………0μg

100gあたり
- エネルギー……18kcal
- 塩分………………0.9g
- **1点重量…440g**
- **廃棄率………0%**

松たけ

1本 50g 正味重量* 50g 16kcal
＊石づきを除いた重量

旬は秋。すべてが天然物で、特有の香り成分を持つ。国内産は減少の一途をたどり、多くが韓国、中国、カナダ、モロッコなどからの輸入品。ビタミンB_2、ナイアシン、食物繊維が豊富。様々な効用が期待される β-グルカンも含む。

100gあたり
- エネルギー……32kcal
- 塩分………………0g
- **1点重量…250g**
- **廃棄率………3%**

廃棄部位／石づき

1本（50g）あたり
- 塩分……………0g
- たんぱく質………0.6g
- 脂質……………0.1g
- 炭水化物…………1.7g
- 食物繊維…………2.4g
- カリウム…………205mg
- リン………………20mg
- マンガン…………0.06mg
- ビタミンD………0.3μg
- ビタミンB_1……0.05mg
- ビタミンB_2……0.05mg
- ナイアシン………4.2mg
- 葉酸………………32μg

3群　きのこ（マッシュルーム・松たけ）

3群 海藻（青のり・棒かんてん・角かんてん・粉かんてん）

青のり
小さじ1　0.4g　1kcal

●大さじ1　1.2g／3kcal／塩分 0.1g

ナトリウム（塩分）を多く含み、カリウム、カルシウム、マグネシウム、鉄、ヨウ素が非常に多く含まれる。そのほかのリン、亜鉛、銅、マンガンなどのミネラルや食物繊維も豊富。

小さじ1（0.4g）あたり
- 塩分‥‥‥‥‥‥‥0g
- たんぱく質‥‥‥‥0.1g
- 脂質‥‥‥‥‥‥‥0g
- 炭水化物‥‥‥‥‥0.1g
- 食物繊維‥‥‥‥‥0.1g
- カリウム‥‥‥‥‥10mg
- カルシウム‥‥‥‥3mg
- マグネシウム‥‥‥6mg
- リン‥‥‥‥‥‥‥2mg
- 鉄‥‥‥‥‥‥‥‥0.3mg
- 亜鉛‥‥‥‥‥‥‥0mg
- 銅‥‥‥‥‥‥‥‥0mg
- マンガン‥‥‥‥‥0.05mg
- ヨウ素‥‥‥‥‥‥11μg

100gあたり
- エネルギー‥‥249kcal
- 塩分‥‥‥‥‥‥‥8.1g
- 1点重量‥‥‥‥30g

かんてん（棒かんてん・角かんてん）
1本　7g　11kcal

原料はテングサ。低エネルギーで食物繊維が豊富。加熱でとかした寒天は40℃前後でかたまるので、冷蔵庫に入れなくてもかたまる。

1本（7g）あたり
- 塩分‥‥‥‥‥‥‥0g
- たんぱく質‥‥‥‥0.1g
- 脂質‥‥‥‥‥‥‥0g
- 炭水化物‥‥‥‥‥0.1g
- 食物繊維‥‥‥‥‥5.2g
- カリウム‥‥‥‥‥4mg
- カルシウム‥‥‥‥46mg
- マグネシウム‥‥‥7mg
- リン‥‥‥‥‥‥‥2mg
- 鉄‥‥‥‥‥‥‥‥0.3mg
- マンガン‥‥‥‥‥0.22mg
- ヨウ素‥‥‥‥‥未測定

100gあたり
- エネルギー‥‥159kcal
- 塩分‥‥‥‥‥‥‥0.3g
- 1点重量‥‥‥‥50g

かんてん（粉かんてん）
小さじ1　2g　3kcal

●大さじ1　6g／10kcal／塩分 0g

乾燥させたかんてんを粉末状にしたもの。

小さじ1（2g）あたり
- 塩分‥‥‥‥‥‥‥0g
- たんぱく質‥‥‥‥0g
- 脂質‥‥‥‥‥‥‥0g
- 炭水化物‥‥‥‥‥0g
- 食物繊維‥‥‥‥‥1.6g
- カリウム‥‥‥‥‥1mg
- カルシウム‥‥‥‥2mg
- マグネシウム‥‥‥1mg
- リン‥‥‥‥‥‥‥1mg
- 鉄‥‥‥‥‥‥‥‥0.1mg
- マンガン‥‥‥‥‥0.02mg
- ヨウ素‥‥‥‥‥‥2μg

100gあたり
- エネルギー‥‥160kcal
- 塩分‥‥‥‥‥‥‥0.4g
- 1点重量‥‥‥‥50g

こんぶ

1枚（10㎝角） **10g** **17**kcal

● **1枚**（5㎝角）
2.5g ／ **4**kcal ／塩分 **0.2g**

カリウム、カルシウム、マグネシウム、鉄などのミネラルやβ-カロテンが豊富。特にヨウ素が桁外れに多い。こんぶのうま味成分はグルタミン酸。干ししいたけのグアニル酸やカツオ節のイノシン酸と合わせると相乗的に働いて、うま味を何倍にも増強して感じる。ヌルヌル成分は、水溶性食物繊維のアルギン酸やフコイダン。

1枚（10g）あたり
塩分……………0.7g
たんぱく質………0.5g
脂質……………0.1g
炭水化物………1.0g
食物繊維………3.2g
カリウム………610mg
カルシウム………78mg
マグネシウム……53mg
鉄………………0.3mg
ヨウ素………20000μg
ビタミンK………11μg

100gあたり
エネルギー……170kcal
塩分……………6.6g

1点重量……45g

のり（焼きのり）

1枚（全型） **3g** **9**kcal

アマノリが原料で、天日干しし、焼いたもの。ビタミン類を多く含み、中でもβ-カロテンを非常に多く含む。多種のミネラルや食物繊維も多く、低エネルギー。海藻中のミネラルは消化吸収率が高い。良質たんぱく質を多く含むが、消化吸収率は低い。

1枚（3g）あたり
塩分……………0g
たんぱく質………1.0g
脂質……………0.1g
炭水化物………0.6g
食物繊維………1.1g
カリウム………72mg
カルシウム………8mg
マグネシウム……9mg
鉄………………0.3mg
ヨウ素…………63μg
ビタミンK………12μg

100gあたり
エネルギー……297kcal
塩分……………1.3g

1点重量……27g

3群 海藻（こんぶ・のり）

ひじき (芽ひじき・ステンレス釜)

乾物のひじきは、鉄釜製は鉄が100g中58.0mgと全食品の中でトップクラスだが、ステンレス釜製は100g中6.2mgである。カルシウム、ヨウ素、β-カロテン、ビタミンKも豊富。海藻中のミネラルは消化・吸収率が高い。水溶性食物繊維のフコイダンが多い。

乾5gをゆでると **9.9倍 50g**

(乾) **5**g **9**kcal　　(ゆで) **50**g **6**kcal

5g（乾燥）あたり
- 塩分……………0.2g
- たんぱく質………0.4g
- 脂質……………0.1g
- 炭水化物………0.3g
- 食物繊維………2.6g
- カリウム………320mg
- カルシウム………50mg
- マグネシウム……32mg
- 鉄………………0.3mg
- ヨウ素…………2250μg
- ビタミンK………29μg

100gあたり
- エネルギー……180kcal
- 塩分……………4.7g

1点重量……45g

50g（ゆで）あたり
- 塩分……………0.1g
- たんぱく質………0.3g
- 脂質……………0.1g
- 炭水化物………0g
- 食物繊維………1.9g
- カリウム………80mg
- カルシウム………48mg
- マグネシウム……19mg
- 鉄………………0.2mg
- ヨウ素…………480μg
- ビタミンK………20μg

100gあたり
- エネルギー……11kcal
- 塩分……………0.1g

1点重量…730g

もずく

1パック 80g 3kcal

約98％が水分なので低エネルギー。β-カロテンが豊富。ぬめり成分はアルギン酸と水溶性食物繊維のフコイダン。掲載の栄養価は、塩蔵を塩抜きしたもの。

100gあたり
- エネルギー……4kcal
- 塩分……………0.2g

1点重量 2000g

1パック（80g）あたり
- 塩分……………0.2g
- たんぱく質………0.2g
- 脂質……………0.1g
- 炭水化物………0.1g
- 食物繊維………1.1g
- カリウム………2mg
- カルシウム………18mg
- マグネシウム……10mg
- 鉄………………0.6mg
- ヨウ素…………未測定
- ビタミンK………11μg

わかめ (カットわかめ)

2g **4**kcal

水でもどすと
12倍 **24**g
塩分 0.1g (0.3%)

湯通し塩蔵わかめを細切りにして乾燥させたもの。ミネラルやビタミン、食物繊維を豊富に含み、中でもカルシウム、鉄、ヨウ素、β-カロテン、ビタミンKが非常に多い。

100gあたり
エネルギー……186kcal
塩分……………23.5g
1点重量…45g

2g（乾燥）あたり
塩分……………0.5g
たんぱく質………0.3g
脂質………………0g
炭水化物………0.2g
食物繊維………0.8g
カリウム…………9mg
カルシウム……17mg
マグネシウム……9mg
鉄………………0.1mg
ヨウ素…………200μg
ビタミンK………32μg

わかめ

30g **5**kcal

湯通し塩蔵わかめを水でもどして塩抜きしたもの。ミネラルやビタミン、食物繊維を豊富に含み、中でもヨウ素、β-カロテン、ビタミンKが豊富。カルシウム、鉄も多め。

100gあたり
エネルギー……16kcal
塩分……………1.4g
1点重量…620g

30gあたり
塩分……………0.4g
たんぱく質………0.4g
脂質……………0.1g
炭水化物………0.3g
食物繊維………0.9g
カリウム…………3mg
カルシウム……15mg
マグネシウム……5mg
鉄………………0.2mg
ヨウ素…………243μg
ビタミンK………33μg

3群 海藻（カットわかめ・生わかめ）

3群 芋（さつま芋・里芋）

さつま芋

1本 200g（中） 正味重量* 180g 227kcal

＊表層（皮）及び両端を除いた重量

長さ 18〜20cm
直径 4〜5cm

● 1本（大） 300g
正味270g／340kcal／塩分 0g

旬は初秋から初冬。ビタミンCの含有量は、芋類の中で最も多く、加熱に強いのが特徴。ビタミンD、Kを除くほとんどのビタミンを含み、鉄、カルシウム、カリウムなどのミネラルもわりと多め。β-カロテンは、黄色が強いほど豊富。紅芋の赤色はアントシアニン。

100gあたり
エネルギー……126kcal
塩分………………0g
1点重量……65g
廃棄率………9％
廃棄部位／表層（皮）及び両端（表皮2％）

1本（180g）あたり
塩分………………0g
たんぱく質………1.8g
脂質………………0.2g
炭水化物…………50.9g
食物繊維…………4.0g
カリウム…………864mg
カルシウム………65mg
マグネシウム……43mg
鉄…………………1.1mg
ビタミンA………4μg
ビタミンE………2.7mg
ビタミンK………0μg
ビタミンB2………0.07mg
葉酸………………88μg
ビタミンC………52mg

里芋

1個 50g 正味重量* 45g 24kcal

＊表層（皮）を除いた重量

旬は冬。芋類でありながら水分が84％と多く、炭水化物は10％と少なめで、低エネルギー。ぬめりには食物繊維のガラクタン、グルコマンナンなどの成分が含まれる。

100gあたり
エネルギー……53kcal
塩分………………0g
1点重量…150g
廃棄率………15％
廃棄部位／表層（皮）

1個（45g）あたり
塩分………………0g
たんぱく質………0.5g
脂質………………0g
炭水化物…………4.6g
食物繊維…………1.0g
カリウム…………288mg
カルシウム………5mg
マグネシウム……9mg
鉄…………………0.2mg
ビタミンA………微量
ビタミンE………0.3mg
ビタミンK………0μg
ビタミンB2………0.01mg
葉酸………………14μg
ビタミンC………3mg

じゃが芋

1個 150g(男爵・メークイン) **正味重量* 135g 80kcal**

＊表層(皮)を除いた重量

男爵　　メークイン

新じゃが

● **1個**（新じゃが）　**50g**
正味 **45g** ／ **27kcal** ／ 塩分 **0g**

旬は春と秋。主成分はでんぷん（炭水化物）。ビタミンCを多く含み、でんぷんに包まれているため加熱しても壊れにくいのが特徴。男爵はホクホクした粉質系。メークインは煮くずれしにくい粘質系。

1個（135g）あたり
- 塩分 ……………… 0g
- たんぱく質 ……… 1.8g
- 脂質 …………… 微量
- 炭水化物 ……… 11.5g
- 食物繊維 ……… 12.0g
- カリウム ……… 554mg
- カルシウム ……… 5mg
- マグネシウム …… 26mg
- 鉄 ………………… 0.5mg
- ビタミンA ……… 0μg
- ビタミンE ……… 微量
- ビタミンK ……… 1μg
- ビタミンB₂ …… 0.04mg
- 葉酸 …………… 27μg
- ビタミンC ……… 38mg

100gあたり
- エネルギー …… 59kcal
- 塩分 ……………… 0g

1点重量 … 140g
廃棄率 …… 10%

廃棄部位／表層(皮)

長芋

1本 600g 正味重量* 540g 346kcal

＊表層(皮)、ひげ根及び切り口を除いた重量

● **10cm　150g**
正味 **135g** ／ **86kcal** ／ 塩分 **0g**

旬は晩秋から冬。昔から滋養強壮にすぐれているとされるのは、豊富に含まれる消化酵素のため。ヌルヌルした粘りには、アミラーゼ、グルコシダーゼなどの消化酵素が非常に多く含まれる。また粘り成分は水溶性食物繊維の粘性多糖類。

1本（540g）あたり
- 塩分 ……………… 0g
- たんぱく質 ……… 8.1g
- 脂質 …………… 0.5g
- 炭水化物 ……… 74.5g
- 食物繊維 ……… 5.4g
- カリウム ……… 2322mg
- カルシウム …… 92mg
- マグネシウム …… 92mg
- 鉄 ………………… 2.2mg
- ビタミンA ……… 0μg
- ビタミンE ……… 1.1mg
- ビタミンK ……… 0μg
- ビタミンB₂ …… 0.11mg
- 葉酸 …………… 43μg
- ビタミンC ……… 32mg

100gあたり
- エネルギー …… 64kcal
- 塩分 ……………… 0g

1点重量 … 130g
廃棄率 …… 10%

廃棄部位／表層(皮)、ひげ根及び切り口

3群　芋（じゃが芋・長芋）

こんにゃく

1枚（大） 250g 13kcal

- **1枚（小） 150g／8kcal／塩分 0g**

約97％が水分で、主成分はグルコマンナンという食物繊維なので、低エネルギー食品。ほとんど精粉こんにゃくから作るが、これは白色で、黒いこんにゃくには、ひじきなどが加えられている。

1枚（250g）あたり
- 塩分 ……… 0g
- たんぱく質 ……… 0.3g
- 脂質 ……… 微量
- 炭水化物 ……… 0.3g
- 食物繊維 ……… 5.5g
- カリウム ……… 83mg
- カルシウム ……… 108mg
- マグネシウム ……… 5mg
- 鉄 ……… 1.0mg
- ビタミンA ……… 0μg
- ビタミンE ……… 0mg
- ビタミンK ……… 0μg
- ビタミンB₂ ……… 0mg
- 葉酸 ……… 3μg
- ビタミンC ……… 0mg

100gあたり
- エネルギー ……… 5kcal
- 塩分 ……… 0g
- **1点重量・1600g**

しらたき（糸こんにゃく）

1玉 200g 14kcal

精粉こんにゃくを原料とし、こんにゃくにかためるときに小さな穴からひも状に押し出し、加熱・凝固させたもの。

1玉（200g）あたり
- 塩分 ……… 0g
- たんぱく質 ……… 0.4g
- 脂質 ……… 微量
- 炭水化物 ……… 0.2g
- 食物繊維 ……… 5.8g
- カリウム ……… 24mg
- カルシウム ……… 150mg
- マグネシウム ……… 8mg
- 鉄 ……… 1.0mg
- ビタミンA ……… 0μg
- ビタミンE ……… 0mg
- ビタミンK ……… 0μg
- ビタミンB₂ ……… 0mg
- 葉酸 ……… 0μg
- ビタミンC ……… 0mg

100gあたり
- エネルギー ……… 7kcal
- 塩分 ……… 0g
- **1点重量・1100g**

アボカド

1個 200g　正味重量* 140g　246kcal

*果皮、種子を除いた重量

ほとんどが中南米あたりからの輸入品。森のバターと呼ばれるほど脂質が豊富。脂質の8割はリノール酸やオレイン酸などの不飽和脂肪酸。カリウム、ビタミンE、食物繊維を豊富に含む。

100gあたり
エネルギー……176kcal
塩分………………0g

1点重量……45g
廃棄率………30%

廃棄部位／果皮、種子

1個（140g）あたり
塩分………………0g
たんぱく質………2.2g
脂質……………21.7g
炭水化物…………6.7g
食物繊維…………7.8g
カリウム………826mg
ビタミンE………4.6mg
葉酸……………116μg
ビタミンC………17mg

いちご

1個 15g　正味重量* 15g　5kcal

*へたを除いた重量

● **1パック　300g**
正味290g／90kcal／塩分0g

旬は冬から春。ビタミンCが多い。含まれる食物繊維にはペクチンが豊富。日本のいちご栽培技術は世界でもトップクラス。50種類以上の品種が栽培されている。

100gあたり
エネルギー……31kcal
塩分………………0g

1点重量……260g
廃棄率…………2%

廃棄部位／へた

1個（15g）あたり
塩分………………0g
たんぱく質………0.1g
脂質………………0g
炭水化物…………0.9g
食物繊維…………0.2g
カリウム………26mg
ビタミンE………14μg
ビタミンC………9mg

3群 くだもの（アボカド・いちご）

いちじく

1個 80g　正味重量* 70g　40kcal

＊果皮、果柄を除いた重量

旬は夏から秋。甘味が強く、食物繊維中にはペクチンも多い。果実の切り口から出る白い乳液にはたんぱく質を分解するフィシンが含まれ、果実にも消化を促進するリパーゼやアミラーゼなどの消化酵素を含まれる。

100gあたり
- エネルギー……57kcal
- 塩分……………0g

1点重量…140g
廃棄率………15%

廃棄部位／果皮、果柄

1個（70g）あたり
- 塩分……………0g
- たんぱく質………0.3g
- 脂質………………0.1g
- 炭水化物…………8.8g
- 食物繊維…………1.3g
- カリウム………119mg
- 葉酸………………15μg
- ビタミンC…………1mg

いよかん

1個 200g　正味重量* 120g　60kcal

＊果皮、薄皮、種子を除いた重量

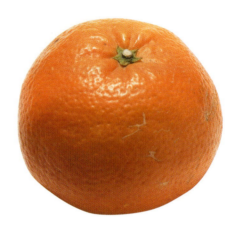

旬は冬から初春。ビタミンCが多い。特産地が愛媛県であることから「伊予柑」と名づけられた。特有の芳香に富み、風味がよい。

100gあたり
- エネルギー……50kcal
- 塩分……………0g

1点重量…160g
廃棄率………40%

廃棄部位／果皮、じょうのう膜（薄皮）、種子

1個（120g）あたり
- 塩分……………0g
- たんぱく質………0.6g
- 脂質………………0.1g
- 炭水化物………13.3g
- 食物繊維…………1.3g
- カリウム………228mg
- 葉酸………………23μg
- ビタミンC………42mg

3群 くだもの（いちじく・いよかん）

オレンジ（バレンシアオレンジ）

1個 200g　正味重量* 120g　50kcal
*果皮、薄皮、種子を除いた重量

- 絞り汁1個分
  80g／34kcal／塩分 0g
- ストレートジュース
  100g／45kcal／塩分 0g

ほとんどがアメリカからの輸入品。カリウムやビタミンCが豊富。独特のさわやかな芳香がある。

100gあたり
エネルギー……42kcal
塩分……………0g

1点重量…190g
廃棄率………40%

廃棄部位／果皮、じょうのう膜（薄皮）、種子

1個（120g）あたり
塩分……………0g
たんぱく質……0.8g
脂質……………0.1g
炭水化物………11.3g
食物繊維………1.0g
カリウム………168mg
葉酸……………38μg
ビタミンC……48mg

柿

1個 200g　正味重量* 180g　113kcal
*果皮、へた、種子を除いた重量

旬は秋。ビタミンCが豊富。オレンジ系色素のβ-カロテンやクリプトキサンチンが多い。アルコールの分解を促すアルコールデヒドロゲナーゼも多く、カリウムとともに、二日酔いや悪酔を防ぐ効果も期待できる。渋味のもとはタンニン。

100gあたり
エネルギー……63kcal
塩分……………0g

1点重量…130g
廃棄率…………9%

廃棄部位／果皮、へた、種子

1個（180g）あたり
塩分……………0g
たんぱく質……0.5g
脂質……………0.2g
炭水化物………26.1g
食物繊維………2.9g
カリウム………306mg
葉酸……………32μg
ビタミンC……126mg

3群　くだもの（オレンジ・柿）

3群 くだもの（キウイフルーツ・グレープフルーツ）

キウイフルーツ

1個 80g　正味重量* 70g　36kcal
*果皮、両端を除いた重量

長期貯蔵でき、輸入品が多いため通年出回る。ビタミンCが豊富。水溶性食物繊維のペクチンやカリウムも豊富。果肉の緑色はクロロフィル。渋味は少ないがタンニンは多い。たんぱく質分解酵素の一種アクチニジンを含む。

100gあたり
エネルギー……51kcal
塩分……………0g
1点重量…160g
廃棄率………15%
廃棄部位／果皮、両端

1個（70g）あたり
塩分………………0g
たんぱく質………0.6g
脂質………………0.1g
炭水化物…………6.7g
食物繊維…………1.8g
カリウム………210mg
葉酸………………26μg
ビタミンC………50mg

グレープフルーツ

1個 300g　正味重量* 210g　84kcal
*果皮、薄皮、種子を除いた重量

● 絞り汁1個分
120g／48kcal／塩分 0g
● ストレートジュース
100g／44kcal／塩分 0g

アメリカや南アフリカからの輸入品が多い。甘味は少なくて果汁が多い。さわやかな酸味で、ほのかな苦味が特徴。苦味のもとはリモノイド。ビタミンCを豊富に含み、ビタミンCの吸収を助けるフラボノイドも多い。果肉は白色と赤色（ルビー）があるが、赤色はリコピン。

1個（210g）あたり
塩分………………0g
たんぱく質………1.1g
脂質………………0.2g
炭水化物………17.4g
食物繊維…………1.3g
カリウム………294mg
葉酸………………32μg
ビタミンC………76mg
100gあたり
エネルギー……40kcal
塩分……………0g
1点重量…200g
廃棄率………30%
廃棄部位／果皮、じょうのう膜（薄皮）、種子

さくらんぼ (アメリカ産)

1粒 10g　正味重量* 9g　6kcal
*種子、果柄を除いた重量

アメリカからの輸入品。アメリカンチェリー、ダークチェリーやブラックチェリーと呼ばれる。濃赤色から紫黒色の赤肉種。赤色色素のアントシアニンを多く含む。

100gあたり
エネルギー……64kcal
塩分………………0g
1点重量…130g
廃棄率………9%
廃棄部位／種子、果柄

1粒 (9g)あたり
塩分………………0g
たんぱく質………0.1g
脂質………………0g
炭水化物…………1.2g
食物繊維…………0.1g
カリウム…………23mg
葉酸………………4μg
ビタミンC………1mg

さくらんぼ (国産)

1粒 7g　正味重量* 6g　4kcal
*種子、果柄を除いた重量

旬は晩春から初夏。清涼感あるさわやかな甘味が特徴。佐藤錦など黄みを帯びた実の国産品種はβ-カロテンが多く、含有量はアメリカンチェリーの4倍強。

100gあたり
エネルギー……64kcal
塩分………………0g
1点重量…130g
廃棄率………10%
廃棄部位／種子、果柄

1粒 (6g)あたり
塩分………………0g
たんぱく質………0g
脂質………………0g
炭水化物…………0.9g
食物繊維…………0.1g
カリウム…………13mg
葉酸………………2μg
ビタミンC………1mg

3群 くだもの (さくらんぼ[アメリカ産・国産])

すいか

⅛玉 400g　正味重量* 240g　98kcal
*果皮、種子を除いた重量

● 1玉 3kg
正味1800g／738kcal／塩分 0g

旬は夏。約90％が水分で、一度にたくさん食べられるため、夏場の水分補給に重宝されている。カリウムを多く含み、赤肉種はリコピンとβ-カロテンが豊富で、特にβ-カロテンは緑黄色野菜に匹敵するほど。黄肉種には少ない。

100gあたり
エネルギー……41kcal
塩分……………0g
1点重量 200g
廃棄率………40％
廃棄部位／果皮、種子

⅛玉（240g）あたり
塩分……………0g
たんぱく質………0.7g
脂質………………0.2g
炭水化物………22.8g
食物繊維…………0.7g
カリウム………288mg
ビタミンA……166μg
葉酸………………7μg
ビタミンC………24mg

すもも

1個 70g　正味重量* 65g　30kcal
*核（種）を除いた重量

日本すもものことで品種が多い。旬は夏。桃と近縁の果樹だが、実はあんずや梅の仲間。ほどよい酸味と甘味がある。主成分はブドウ糖、果糖、ショ糖などの糖質。酸味はリンゴ酸。ちなみにプルーンはヨーロッパすもものこと。

100gあたり
エネルギー……46kcal
塩分……………0g
1点重量 170g
廃棄率…………7％
廃棄部位／核（種）

1個（65g）あたり
塩分……………0g
たんぱく質………0.3g
脂質………………0.7g
炭水化物…………5.2g
食物繊維…………1.0g
カリウム………98mg
葉酸……………24μg
ビタミンC………3mg

梨（西洋梨）

1個 200g　正味重量* 170g　82kcal

*種子、果柄を除いた重量

旬は秋から冬。やわらかな舌ざわりとねっとりとした食感や独特の芳香などがあり、濃厚な味わい。炭水化物（糖質）が多く、日本梨よりエネルギーが高い。

100gあたり
エネルギー……48kcal
塩分……………0g
1点重量…170g
廃棄率………15%
廃棄部位／果皮、果しん部

1個（170g）あたり
塩分………………0g
たんぱく質………0.3g
脂質………………0.2g
炭水化物………15.6g
食物繊維…………3.2g
カリウム………238mg
葉酸………………7μg
ビタミンC………5mg

梨（日本梨）

1個 300g　正味重量* 255g　97kcal

*果皮、果しん部を除いた重量

旬は夏から秋。青梨（二十世紀など）と赤梨（豊水など）とがある。ザラつきのある独特の食感は、果肉に含まれる石細胞によるもので、食物繊維と同じ働きを持つ。酸味は少ないがクエン酸やリンゴ酸を含む。たんぱく質の消化を助ける酵素も含む。

100gあたり
エネルギー……38kcal
塩分……………0g
1点重量…210g
廃棄率………15%
廃棄部位／果皮、果しん部

1個（255g）あたり
塩分………………0g
たんぱく質………0.5g
脂質………………0.3g
炭水化物………20.7g
食物繊維…………2.3g
カリウム………357mg
葉酸……………15μg
ビタミンC………8mg

3群　くだもの（西洋梨・日本梨）

パイナップル

⅛玉 100g 54kcal

● 1玉 1500g
正味825g／446kcal／塩分 0g

旬は春から夏。甘味とほどよい酸味があり、特有の香りが強く、ジューシー。舌に刺激を感じることがあるのは、強力なたんぱく質消化酵素のブロメリンの作用。ただし、ブロメリンは60℃以上の加熱で消失する。

100gあたり
エネルギー……54kcal
塩分……………0g
1点重量…150g
廃棄率………45%
1玉の廃棄率…45%

⅛玉（100g）あたり
塩分……………0g
たんぱく質………0.4g
脂質……………0.1g
炭水化物………12.2g
食物繊維………1.2g
カリウム………150mg
葉酸……………12µg
ビタミンC………35mg

はっさく

1個 300g 正味重量* 195g 92kcal
＊果皮、薄皮、種子を除いた重量

陰暦の8月1日（八朔）のころから食べられるとされたので、この名前がついた。だが、冬に収穫し、貯蔵後、3月ごろに出荷される。糖質は、ブドウ糖と果糖が比較的多く、酸味はクエン酸が主体でリンゴ酸も含む。

100gあたり
エネルギー……47kcal
塩分……………0g
1点重量…170g
廃棄率………35%
廃棄部位／果皮、じょうのう膜（薄皮）、種子

1個（195g）あたり
塩分……………0g
たんぱく質………1.0g
脂質……………0.2g
炭水化物………20.1g
食物繊維………2.9g
カリウム………351mg
葉酸……………31µg
ビタミンC………78mg

バナナ

1本 **200**g 正味重量* **120**g **112**kcal

*果皮、果柄を除いた重量

長さ 18～20cm

ほとんどが輸入品。芋類並みに炭水化物（糖質）が多く、でんぷんと消化吸収されやすいブドウ糖、果糖、ショ糖をバランスよく含むので、すばやくエネルギー補給ができる。カリウムが多く、食物繊維のフラクトオリゴ糖を含む。

100gあたり
エネルギー……93kcal
塩分……………0g
1点重量……85g
廃棄率………40%
廃棄部位／果皮、果柄

1本（120g）あたり
塩分……………0g
たんぱく質………0.8g
脂質………………0.1g
炭水化物………25.3g
食物繊維…………1.3g
カリウム………432mg
葉酸………………31μg
ビタミンC………19mg

パパイヤ

1玉 **400**g 正味重量* **260**g **86**kcal

*果皮、種子を除いた重量

甘く強い香りを持つ。ビタミンCが多い。果肉が黄色系のものはβ-カロテン、オレンジ系のものはリコピンが多い。熟すにつれ、それらの含有量はさらに増える。実の乳液には、たんぱく質消化酵素パパインが含まれる。

100gあたり
エネルギー……33kcal
塩分……………0g
1点重量…240g
廃棄率………35%
廃棄部位／果皮、種子

1玉（260g）あたり
塩分……………0g
たんぱく質………0.5g
脂質………………0.5g
炭水化物………18.5g
食物繊維…………5.7g
カリウム………546mg
ビタミンA……104μg
葉酸……………114μg
ビタミンC……130mg

3群 くだもの（バナナ・パパイヤ）

びわ

1個 50g 正味重量* 35g 14kcal
*果皮、種子を除いた重量

旬は初夏。名前の由来は、楽器の琵琶に似ていることから。β-カロテンが多く、びわのオレンジの色素成分である。クエン酸やリンゴ酸も多い。

100gあたり
エネルギー……41kcal
塩分……………0g
1点重量 200g
廃棄率 30%
廃棄部位／果皮、種子

1個（35g）あたり
塩分……………………0g
たんぱく質……………0.1g
脂質……………………0g
炭水化物………………3.2g
食物繊維………………0.6g
カリウム………………56mg
ビタミンA……………24μg
葉酸……………………3μg
ビタミンC……………2mg

ぶどう

1房（デラウェア）100g 正味重量* 85g 49kcal
*果皮、種子を除いた重量

● **1粒（大・巨峰） 20g**
正味**16g／9kcal／塩分 0g
● **1粒（中・甲斐路） 15g**
正味 14g／8kcal／塩分 0g
● **1粒（小・デラウェア） 2g**
正味 1.5g／1kcal／塩分 0g

旬は秋。ジューシーで甘味が強く、果肉に含まれる炭水化物（糖質）のほとんどはブドウ糖と果糖。紫色系の果皮に含まれるアントシアニンをはじめ、フラボノイドやタンニンなどのポリフェノールが豊富。

100gあたり
エネルギー……58kcal
塩分……………0g
1点重量 140g
廃棄率 15%
廃棄部位／果皮、種子
**大粒種の廃棄率…20%

1房（85g）あたり
塩分……………………0g
たんぱく質……………0.2g
脂質……………………微量
炭水化物………………12.2g
食物繊維………………0.4g
カリウム………………111mg
葉酸……………………3μg
ビタミンC……………2mg

ブルーベリー

10粒 10g 5kcal

旬は夏。果糖、ブドウ糖を中心とする炭水化物（糖質）が多く、甘味が強い。熟すほど濃くなる果実の青紫色は、水溶性色素のアントシアニンによるもの。食物繊維の含有量はくだものの中でも多い。

100gあたり
エネルギー……48kcal
塩分………………0g
1点重量…170g
廃棄率………0%

10粒（10g）あたり
塩分………………0g
たんぱく質………0g
脂質………………0g
炭水化物…………1.0g
食物繊維…………0.3g
カリウム…………7mg
葉酸………………1μg
ビタミンC………1mg

マンゴー

1個（アップルマンゴー）400g 正味重量* 260g 177kcal
*果皮、種子を除いた重量

● 1個（ペリカンマンゴー）200g
　正味130g／88kcal／塩分 0g

濃厚な香りと甘さがあり、ねっとりとした食感。品種により形や色はバラエティに富むが、栄養成分はほぼ同じ。β-カロテンが非常に多く、熟して色が濃くなるにつれて含有量はさらに増え、緑黄色野菜に匹敵するほど。

100gあたり
エネルギー……68kcal
塩分………………0g
1点重量…120g
廃棄率………35%
廃棄部位／果皮、種子

1個（260g）あたり
塩分………………0g
たんぱく質………1.3g
脂質………………0.3g
炭水化物…………40.8g
食物繊維…………3.4g
カリウム…………442mg
ビタミンA………133μg
葉酸………………218μg
ビタミンC………52mg

3群 くだもの（ブルーベリー・マンゴー）

みかん（温州みかん）

旬は秋から冬。ビタミンCが豊富で、黄色い色素のβ-カロテン、クリプトキサンチンともに非常に多い。薄皮には食物繊維のペクチンが多い。

1個（薄皮つき） 100g 正味重量* 80g 39kcal

1個（80g）あたり
- 塩分･････0g
- たんぱく質･････0.3g
- 脂質･････微量
- 炭水化物･････9.0g
- 食物繊維･････0.8g
- カリウム･････120mg
- 葉酸･････18μg
- ビタミンA･････67μg
- ビタミンC･････26mg

100gあたり
- エネルギー･････49kcal
- 塩分･････0g
- 1点重量･････160g
- 廃棄率･････20%
- 廃棄部位／果皮

1個（薄皮なし） 100g 正味重量* 75g 37kcal

1個（75g）あたり
- 塩分･････0g
- たんぱく質･････0.3g
- 脂質･････微量
- 炭水化物･････8.6g
- 食物繊維･････0.3g
- カリウム･････113mg
- 葉酸･････17μg
- ビタミンA･････69μg
- ビタミンC･････25mg

100gあたり
- エネルギー･････49kcal
- 塩分･････0g
- 1点重量･････160g
- 廃棄率･････25%
- 廃棄部位／果皮、じょうのう膜（薄皮）

メロン

1個（アールスメロン） 1000g 正味重量* 500g 200kcal
*果皮、種子を除いた重量

旬は夏から初秋。糖質やカリウムが多く、食物繊維は少ない。栽培法や果肉の色によって栄養面はかなり異なる。β-カロテンは温室ものより露地もののほうが多く、露地ものでも100gあたり、緑肉種140μg、赤肉種3600μgと差がある。

100gあたり
- エネルギー･････40kcal
- 塩分･････0g
- 1点重量･････200g
- 廃棄率･････50%
- 廃棄部位（アールス系）／果皮、種子

1個（500g）あたり
- 塩分･････0g
- たんぱく質･････3.5g
- 脂質･････0.5g
- 炭水化物･････46.5g
- 食物繊維･････2.5g
- カリウム･････1700mg
- 葉酸･････160μg
- ビタミンC･････90mg

桃

1個 250g　正味重量* 215g　82kcal
*果皮、核（種）を除いた重量

旬は初夏から夏。甘味を強く感じるが、糖質は少なめ。食物繊維は水溶性・不溶性と両方のペクチンを含むのが特徴。白肉種と黄肉種があり、白肉種はフラボノイド、黄肉種はβ-カロテンが豊富。酸味は控えめながらもクエン酸、リンゴ酸を含む。

100gあたり
エネルギー……38kcal
塩分……………0g
1点重量……210g
廃棄率………15%
廃棄部位／果皮、核（種）

1個（215g）あたり
塩分……………0g
たんぱく質……0.9g
脂質……………0.2g
炭水化物………17.2g
食物繊維………2.8g
カリウム………387mg
葉酸……………11μg
ビタミンC………17mg

ゆず

1個 100g

旬は初夏から冬。初夏には緑色（青ゆず）、秋以降には黄色に熟したもの（黄ゆず）が出回る。さわやかな芳香が魅力。果肉より果皮のほうが栄養価が高く、ビタミンCは4倍も含み、全食品中でもトップクラス。果皮に特有の香りは精油成分リモネン。

果皮 1個分　40g 20kcal

1個分（40g）あたり
塩分……………0g
たんぱく質……0.4g
脂質……………0g
炭水化物………3.2g
食物繊維………2.8g
カリウム………56mg
葉酸……………8μg
ビタミンC………64mg
100gあたり
エネルギー……50kcal
塩分……………0g
1点重量……160g
廃棄率…………0%

果汁 1個分　25g 8kcal

1個分（25g）あたり
塩分……………0g
たんぱく質……0.1g
脂質……………0g
炭水化物………1.7g
食物繊維………0.1g
カリウム………53mg
葉酸……………3μg
ビタミンC………10mg
100gあたり
エネルギー……30kcal
塩分……………0g
1点重量……270g
廃棄率…………0%

3群　くだもの（桃・ゆず）

3群 くだもの（りんご・レモン）

りんご（皮むき）

1個 **250**g　正味重量* **210**g　**111**kcal

＊果皮、果しん部を除いた重量

旬は夏から冬。クエン酸やリンゴ酸が豊富。水溶性食物繊維のペクチンも多く、赤い果皮にはアントシアニンを多く含む。

100gあたり
- エネルギー……53kcal
- 塩分……0g

1点重量…150g
廃棄率…15%

廃棄部位／果皮、果しん部

1個（210g）あたり
- 塩分……………………0g
- たんぱく質………0.2g
- 脂質………………微量
- 炭水化物…………25.6g
- 食物繊維…………2.9g
- カリウム…………252mg
- 葉酸………………4μg
- ビタミンC………8mg

レモン

1個 **100**g　正味重量* **95**g　**41**kcal

＊種子、へたを除いた重量

● 絞り汁1個分　30g／7kcal／塩分 0g

ビタミンCが多いくだものの代表格。レモンの酸味のもとはクエン酸。苦味成分はヘスペリジン。有効成分の半分以上は果皮の部分にある。

100gあたり
- エネルギー……43kcal
- 塩分……0g

1点重量…190g
廃棄率…3%

廃棄部位／種子、へた

1個（95g）あたり
- 塩分……………………0g
- たんぱく質………0.9g
- 脂質………………0.2g
- 炭水化物…………4.8g
- 食物繊維…………4.7g
- カリウム…………124mg
- 葉酸………………29μg
- ビタミンC………95mg

3群 ドライフルーツ（あんず・いちご・いちじく・柿・マンゴー・ぶどう・ブルーベリー・プルーン）

ドライ あんず
1個 8g（種なし） 24kcal

1個(8g)あたり
- 塩分……0g
- たんぱく質…0.5g
- 脂質……0g
- 炭水化物…4.8g
- 食物繊維…0.8g
- カリウム…104mg
- 鉄……0.2mg
- 銅……0.03mg
- ビタミンA…33µg
- 葉酸……1µg

100gあたり
- エネルギー…296kcal
- 塩分……0g
- 1点重量…27g
- 廃棄率……0%

ドライ いちご
5個 20g 66kcal

5個(20g)あたり
- 塩分……0.14g
- たんぱく質…0.1g
- 脂質……0g
- 炭水化物…16.0g
- 食物繊維…0.6g
- カリウム…3mg
- 鉄……0.1mg
- 銅……0.01mg
- ビタミンA…0µg
- 葉酸……1µg

100gあたり
- エネルギー…329kcal
- 塩分……0.7g
- 1点重量…24g
- 廃棄率……0%

ドライ いちじく
1個 25g 68kcal

1個(25g)あたり
- 塩分……0.05g
- たんぱく質…0.5g
- 脂質……0.2g
- 炭水化物…15.5g
- 食物繊維…2.7g
- カリウム…210mg
- 鉄……0.4mg
- 銅……0.08mg
- ビタミンA…1µg
- 葉酸……3µg

100gあたり
- エネルギー…272kcal
- 塩分……0.2g
- 1点重量…29g
- 廃棄率……0%

ドライ 柿（干し）
1個 20g 正味重量* 18g 49kcal
*種子、へたを除いた重量

1個(18g)あたり
- 塩分……0g
- たんぱく質…0.2g
- 脂質……0.1g
- 炭水化物…10.6g
- 食物繊維…2.5g
- カリウム…121mg
- 鉄……0.1mg
- 銅……0.01mg
- ビタミンA…22µg
- 葉酸……6µg

100gあたり
- エネルギー…274kcal
- 塩分……0g
- 1点重量…29g
- 廃棄率……8%
- 廃棄部位／種子、へた

ドライ マンゴー
1切れ 10g 34kcal

1切れ(10g)あたり
- 塩分……0g
- たんぱく質…0.2g
- 脂質……0g
- 炭水化物…7.7g
- 食物繊維…0.6g
- カリウム…110mg
- 鉄……0.1mg
- 銅……0.02mg
- ビタミンA…50µg
- 葉酸……26µg

100gあたり
- エネルギー…339kcal
- 塩分……0g
- 1点重量…24g
- 廃棄率……0%

ドライ ぶどう（レーズン）
大さじ1 12g 39kcal

大さじ1(12g)あたり
- 塩分……0g
- たんぱく質…0.2g
- 脂質……0g
- 炭水化物…9.1g
- 食物繊維…0.5g
- カリウム…89mg
- 鉄……0.3mg
- 銅……0.05mg
- ビタミンA…0µg
- 葉酸……1µg

100gあたり
- エネルギー…324kcal
- 塩分……0g
- 1点重量…25g
- 廃棄率……0%

ドライ ブルーベリー
大さじ1 9g 25kcal

●10粒 1.2g／3kcal／塩分 0g

大さじ1(9g)あたり
- 塩分……0g
- たんぱく質…0.1g
- 脂質……0.1g
- 炭水化物…5.1g
- 食物繊維…1.6g
- カリウム…36mg
- 鉄……0.1mg
- 銅……0.02mg
- ビタミンA…1µg
- 葉酸……1µg

100gあたり
- エネルギー…280kcal
- 塩分……0g
- 1点重量…29g
- 廃棄率……0%

ドライ プルーン
1粒（種なし） 7g 15kcal

1個(7g)あたり
- 塩分……0g
- たんぱく質…0.1g
- 脂質……0g
- 炭水化物…2.9g
- 食物繊維…0.5g
- カリウム…51mg
- 鉄……0.1mg
- 銅……0.02mg
- ビタミンA…7µg
- 葉酸……0µg

100gあたり
- エネルギー…211kcal
- 塩分……0g
- 1点重量…40g
- 廃棄率……0%
- 核（種）つきの廃棄率…20%

胚芽精米 米

1合 150g 515kcal

● 1カップ 170g / 583kcal / 塩分 0g

胚芽部分を残して精米した米。胚芽保有率80％以上のもの。胚芽の重量は玄米全体のわずか2％だが、この部分にビタミン、ミネラルなどの微量栄養素を完全に備えている。とりわけ、ビタミンB群が豊富。

100gあたり
エネルギー……343kcal
塩分……0g
1点重量……23g

1合（150g）あたり
塩分	0g
たんぱく質	9.8g
脂質	2.9g
炭水化物	108.3g
食物繊維	2.0g
カリウム	225mg
マグネシウム	77mg
鉄	1.4mg
亜鉛	2.4mg
ビタミンE	1.4mg
ビタミンB₁	0.35mg
ビタミンB₂	0.05mg
ナイアシン	6.3mg
ビタミンB₆	0.33mg

胚芽精米 ごはん

茶わん1杯 150g 239kcal

● 1カップ 120g / 191kcal / 塩分 0g

胚芽精米を洗米し、1.5倍の水を加えてIH炊飯器で炊飯したもの。

100gあたり
エネルギー……159kcal
塩分……0g
1点重量……50g

1杯（150g）あたり
塩分	0g
たんぱく質	4.1g
脂質	0.9g
炭水化物	51.8g
食物繊維	1.2g
カリウム	77mg
マグネシウム	36mg
鉄	0.3mg
亜鉛	1.1mg
ビタミンE	0.6mg
ビタミンB₁	0.12mg
ビタミンB₂	0.02mg
ナイアシン	2.0mg
ビタミンB₆	0.14mg

精白米 米

1合 150g 513kcal

- 1カップ　　　　　　170g／581kcal／塩分 0g
- 1合　（無洗米）160g／547kcal／塩分 0g
- 1カップ（無洗米）180g／616kcal／塩分 0g

うるち米。十分つき米。精白歩留り90.4～91.0％。米の主成分は炭水化物。米のでんぷんの成分は、アミロースが20～30％、残りがアミロペクチンである。良質なたんぱく質も多く含み、亜鉛を多めに含む。

1合（150g）あたり
- 塩分　　　　　　0g
- たんぱく質　　　8.0g
- 脂質　　　　　　1.2g
- 炭水化物　　　113.4g
- 食物繊維　　　　0.8g
- カリウム　　　134mg
- マグネシウム　　35mg
- 鉄　　　　　　1.2mg
- 亜鉛　　　　　2.1mg
- ビタミンE　　　0.2mg
- ビタミンB$_1$　0.12mg
- ビタミンB$_2$　0.03mg
- ナイアシン　　　3.9mg
- ビタミンB$_6$　0.18mg

100gあたり
- エネルギー　342kcal
- 塩分　　　　　　0g

1点重量……23g

精白米 ごはん

茶わん1杯 150g 234kcal

- 1カップ　　　　　　120g／187kcal／塩分 0g

精白米を洗米し、1.4倍の水を加えてIH炊飯器で炊飯したもの。

1杯（150g）あたり
- 塩分　　　　　　0g
- たんぱく質　　　3.0g
- 脂質　　　　　　0.3g
- 炭水化物　　　51.9g
- 食物繊維　　　2.3g*
- カリウム　　　44mg
- マグネシウム　11mg
- 鉄　　　　　　0.2mg
- 亜鉛　　　　　0.9mg
- ビタミンE　　　微量
- ビタミンB$_1$　0.03mg
- ビタミンB$_2$　0.02mg
- ナイアシン　　　1.2mg
- ビタミンB$_6$　0.03mg

100gあたり
- エネルギー　156kcal
- 塩分　　　　　　0g

1点重量……50g

4群　穀類（精白米［米・ごはん］）

*「精白米・ごはん」の食物繊維量は新しい分析法による数値。従来の分析法の場合は150g当たり0.5g。「精白米・ごはん」以外の、米及びごはん（p.132～p.137）の食物繊維量は従来法の数値。

4群 穀類（もち米［米・ごはん］）

もち米 米
1合 155g 532kcal

● 1カップ 175g ／ 600kcal ／ 塩分 0g

十分つき米。精白歩留り90.4〜91.0％。もち米のでんぷんは、ほとんどアミロペクチンでアミロースは含まない。そのため、ねばり気が強い。色はうるち米に比べて白く不透明。

100gあたり
エネルギー……343kcal
塩分……………0g
1点重量……23g

1合（155g）あたり
塩分 …………………0g
たんぱく質 …………9.0g
脂質 …………………1.6g
炭水化物 …………120.0g
食物繊維 ……………0.8g
カリウム …………150mg
マグネシウム ………51mg
鉄 …………………0.3mg
亜鉛 ………………2.3mg
ビタミンE …………0.3mg
ビタミンB₁ ………0.19mg
ビタミンB₂ ………0.03mg
ナイアシン …………4.8mg
ビタミンB₆ ………0.19mg

もち米 ごはん
茶わん1杯 150g 282kcal

● 1カップ 160g ／ 301kcal ／ 塩分 0g

もち米を洗米し、0.8倍の水を加えてIH炊飯器で炊飯したもの。

100gあたり
エネルギー……188kcal
塩分……………0g
1点重量……45g

1杯（150g）あたり
塩分 …………………0g
たんぱく質 …………4.7g
脂質 …………………0.6g
炭水化物 …………62.3g
食物繊維 ……………0.6g
カリウム ……………42mg
マグネシウム …………8mg
鉄 …………………0.2mg
亜鉛 ………………1.2mg
ビタミンE …………微量
ビタミンB₁ ………0.05mg
ビタミンB₂ ………0.02mg
ナイアシン …………1.5mg
ビタミンB₆ ………0.03mg

玄米 米
1合 150g 519kcal

● 1カップ　170g ／ 588kcal ／ 塩分 0g

もみ殻を除いただけの未搗精の米。ミネラル、ビタミンが豊富。玄米を精白米と比較すると、鉄分は2.5倍以上、ビタミンEは9倍、ビタミンB1は5倍、B2は2倍、食物繊維は約6倍。

1合 (150g) あたり
- 塩分　　　　　　0g
- たんぱく質　　　9.0g
- 脂質　　　　　　3.8g
- 炭水化物　　　107.0g
- 食物繊維　　　　4.5g
- カリウム　　　345mg
- マグネシウム　165mg
- 鉄　　　　　　3.2mg
- 亜鉛　　　　　2.7mg
- ビタミンE　　　1.8mg
- ビタミンB1　　0.62mg
- ビタミンB2　　0.06mg
- ナイアシン　　12.0mg
- ビタミンB6　　0.68mg

100gあたり
- エネルギー　346kcal
- 塩分　　　　　　0g
- 1点重量　　　23g

玄米 ごはん
茶わん1杯 150g 228kcal

● 1カップ　120g ／ 182kcal ／ 塩分 0g

玄米を洗米し、1.8倍の水を加えてIH炊飯器で炊飯したもの。

1杯 (150g) あたり
- 塩分　　　　　　0g
- たんぱく質　　　3.6g
- 脂質　　　　　　1.4g
- 炭水化物　　　48.0g
- 食物繊維　　　　2.1g
- カリウム　　　143mg
- マグネシウム　74mg
- 鉄　　　　　　0.9mg
- 亜鉛　　　　　1.2mg
- ビタミンE　　　0.8mg
- ビタミンB1　　0.24mg
- ビタミンB2　　0.03mg
- ナイアシン　　5.4mg
- ビタミンB6　　0.32mg

100gあたり
- エネルギー　152kcal
- 塩分　　　　　　0g
- 1点重量　　　55g

4群　穀類（玄米 [米・ごはん]）

4群 穀類（かゆ・おもゆ・赤飯）

精白米 全がゆ
丼1杯 200g 130kcal

●1カップ 210g ／ 137kcal ／ 塩分 0g

精白米の7倍量（重量比）で加水し、炊飯器で炊いたもの。精白米を20g／100g相当量含む。

1杯（200g）あたり
- 塩分 ……………… 0g
- たんぱく質 ……… 1.8g
- 脂質 ……………… 0.2g
- 炭水化物 ………… 29.4g
- 食物繊維 ………… 0.2g
- カリウム ………… 24mg
- マグネシウム …… 6mg
- 亜鉛 ……………… 0.6mg
- ビタミンB₁ ……… 0.02mg
- ビタミンB₂ ……… 微量

100gあたり
- エネルギー …… 65kcal
- 塩分 ……………… 0g

1点重量 …… 120g

精白米 五分がゆ
丼1杯 200g 66kcal

●1カップ 200g ／ 66kcal ／ 塩分 0g

精白米の10倍量（重量比）で加水し、炊飯器で炊いたもの。精白米を10g／100g相当量含む。

1杯（200g）あたり
- 塩分 ……………… 0g
- たんぱく質 ……… 0.8g
- 脂質 ……………… 0.2g
- 炭水化物 ………… 14.8g
- 食物繊維 ………… 0.2g
- カリウム ………… 12mg
- マグネシウム …… 2mg
- 亜鉛 ……………… 0.2mg
- ビタミンB₁ ……… 微量
- ビタミンB₂ ……… 微量

100gあたり
- エネルギー …… 33kcal
- 塩分 ……………… 0g

1点重量 …… 240g

精白米 おもゆ
丼1杯 200g 38kcal

●1カップ 200g ／ 38kcal ／ 塩分 0g

精白米の12倍量（重量比）で加水し、炊飯器で炊いたもの。精白米を6g／100g相当量含む。

1杯（200g）あたり
- 塩分 ……………… 0g
- たんぱく質 ……… 0.4g
- 脂質 ……………… 0g
- 炭水化物 ………… 8.6g
- 食物繊維 ………… 微量
- カリウム ………… 8mg
- マグネシウム …… 2mg
- 亜鉛 ……………… 0.2mg
- ビタミンB₁ ……… 微量
- ビタミンB₂ ……… 微量

100gあたり
- エネルギー …… 19kcal
- 塩分 ……………… 0g

1点重量 …… 420g

赤飯
茶わん1杯 150g 279kcal

もち米100に対してささげ10使用して調理したもの。

1杯（150g）あたり
- 塩分 ……………… 0g
- たんぱく質 ……… 5.4g
- 脂質 ……………… 0.8g
- 炭水化物 ………… 61.7g
- 食物繊維 ………… 2.4g
- カリウム ………… 107mg
- マグネシウム …… 17mg
- 亜鉛 ……………… 1.4mg
- ビタミンB₁ ……… 0.08mg
- ビタミンB₂ ……… 0.02mg

100gあたり
- エネルギー …… 186kcal
- 塩分 ……………… 0g

1点重量 …… 45g

おにぎり

1個 100g 170kcal

- 1個 150g / 255kcal / 塩分 0.8g
- 1個 200g / 340kcal / 塩分 1.0g

精白米ごはん100gに対して0.5gの塩でにぎったもの。具なしの塩むすび。

1個（100g）あたり
- 塩分 ………… 0.5g
- たんぱく質 …… 2.4g
- 脂質 …………… 0.3g
- 炭水化物 ……… 39.3g
- 食物繊維 ……… 0.4g
- カリウム ……… 31mg
- マグネシウム …… 7mg
- 亜鉛 …………… 0.6mg
- ビタミンB₁ …… 0.02mg
- ビタミンB₂ …… 0.01mg

100gあたり
- エネルギー … 170kcal
- 塩分 …………… 0.5g

1点重量 …… 45g

焼きおにぎり

1個 50g 83kcal

精白米ごはんのおにぎりに濃い口しょうゆを塗って焼いたもの。

1個（50g）あたり
- 塩分 …………… 0.5g
- たんぱく質 …… 1.4g
- 脂質 …………… 0.2g
- 炭水化物 ……… 18.5g
- 食物繊維 ……… 0.2g
- カリウム ……… 28mg
- マグネシウム …… 6mg
- 亜鉛 …………… 0.4mg
- ビタミンB₁ …… 0.02mg
- ビタミンB₂ …… 0.01mg

100gあたり
- エネルギー … 166kcal
- 塩分 …………… 1.0g

1点重量 …… 50g

もち（角もち）

1個 50g 112kcal

- 1個（丸もち） 40g / 89kcal / 塩分 0g

もち米を蒸して、杵や臼でついたもの。

1個（50g）あたり
- 塩分 …………… 0g
- たんぱく質 …… 1.8g
- 脂質 …………… 0.3g
- 炭水化物 ……… 25.4g
- 食物繊維 ……… 0.3g
- カリウム ……… 16mg
- マグネシウム …… 3mg
- 亜鉛 …………… 0.5mg
- ビタミンB₁ …… 0.02mg
- ビタミンB₂ …… 0.01mg

100gあたり
- エネルギー … 223kcal
- 塩分 …………… 0g

1点重量 …… 35g

米ぬか

1カップ 55g 206kcal

- 大さじ1 4g / 15kcal / 塩分 0g

玄米を精米して出た副産物の外皮や胚芽。

1カップ（55g）あたり
- 塩分 …………… 0g
- たんぱく質 …… 6.0g
- 脂質 …………… 9.6g
- 炭水化物 ……… 18.1g
- 食物繊維 ……… 11.3g
- カリウム ……… 825mg
- マグネシウム …… 468mg
- 亜鉛 …………… 3.2mg
- ビタミンB₁ …… 1.72mg
- ビタミンB₂ …… 0.12mg

100gあたり
- エネルギー … 374kcal
- 塩分 …………… 0g

1点重量 …… 21g

4群 穀類（おにぎり・焼きおにぎり・もち・米ぬか）

4群 穀類（うどん［生・干し］）

うどん 生
1玉 150g 374kcal

1玉（生・150g）あたり
- 塩分 …………… 3.8g
- たんぱく質 ……… 7.8g
- 脂質 …………… 0.8g
- 炭水化物 ……… 81.3g
- 食物繊維 ……… 5.4g
- カリウム ……… 135mg

100gあたり
- エネルギー … 249kcal
- 塩分 …………… 2.5g
- **1点重量 …… 30g**

ゆでると **1.8倍**

うどん 生（ゆで）
1玉分 270g 257kcal

100gあたり
- エネルギー … 95kcal
- 塩分 …………… 0.3g
- **1点重量 …… 85g**

1玉分（ゆで・270g）あたり
- 塩分 …………… 0.8g
- たんぱく質 ……… 6.2g
- 脂質 …………… 0.8g
- 炭水化物 ……… 52.7g
- 食物繊維 ……… 3.5g
- カリウム ……… 24mg

1袋（ゆで） 200g 190kcal

1袋（ゆで・200g）あたり
- 塩分 …………… 0.6g
- たんぱく質 ……… 4.6g
- 脂質 …………… 0.6g
- 炭水化物 ……… 39.0g
- 食物繊維 ……… 2.6g
- カリウム ……… 18mg

小麦粉の中力粉で作られる。塩を加えることでこしが出る。ゆでても意外と塩分を含んでいる。

うどん 干し（乾）
1束 100g 333kcal

1束（乾・100g）あたり
- 塩分 …………… 4.3g
- たんぱく質 ……… 8.0g
- 脂質 …………… 1.0g
- 炭水化物 ……… 69.9g
- 食物繊維 ……… 2.4g
- カリウム ……… 130mg

100gあたり
- エネルギー … 333kcal
- 塩分 …………… 4.3g
- **1点重量 …… 24g**

ゆでると **2.4倍**

うどん 干し（ゆで）
1束分 240g 281kcal

小麦粉を主原料とした直径1.7mm以上の乾めん。塩を加えることでこしが出る。ゆでても意外と塩分を含んでいる。

100gあたり
- エネルギー … 117kcal
- 塩分 …………… 0.5g
- **1点重量 …… 70g**

1束分（ゆで・240g）あたり
- 塩分 …………… 1.2g
- たんぱく質 ……… 7.0g
- 脂質 …………… 1.0g
- 炭水化物 ……… 58.1g
- 食物繊維 ……… 1.7g
- カリウム ……… 34mg

そば 生

1玉 120g 325kcal

1玉（生・120g）あたり
- 塩分 …………………… 0g
- たんぱく質 ………… 9.8g
- 脂質 ………………… 2.0g
- 炭水化物 …………… 61.6g
- 食物繊維 …………… 7.2g
- カリウム …………… 192mg

100gあたり
- エネルギー … 271kcal
- 塩分 …………………… 0g

1点重量 …… 30g

ゆでると **1.9倍**

そば 生（ゆで）

1玉分 230g 299kcal

100gあたり
- エネルギー … 130kcal
- 塩分 …………………… 0g

1点重量 …… 60g

1玉分（ゆで・230g）あたり
- 塩分 …………………… 0g
- たんぱく質 ………… 9.0g
- 脂質 ………………… 2.1g
- 炭水化物 …………… 56.4g
- 食物繊維 …………… 6.7g
- カリウム …………… 78mg

1袋（ゆで）160g 208kcal

1袋（ゆで・160g）あたり
- 塩分 …………………… 0g
- たんぱく質 ………… 6.2g
- 脂質 ………………… 1.4g
- 炭水化物 …………… 39.2g
- 食物繊維 …………… 4.6g
- カリウム …………… 54mg

そば粉を主原料とし、小麦粉等などで作られるめん。

そば 干し（乾）

1束 100g 344kcal

ゆでると **2.6倍**

100gあたり
- エネルギー … 344kcal
- 塩分 ………………… 2.2g

1点重量 …… 23g

1束（乾・100g）あたり
- 塩分 ………………… 2.2g
- たんぱく質 ………… 11.7g
- 脂質 ………………… 2.1g
- 炭水化物 …………… 65.9g
- 食物繊維 …………… 3.7g
- カリウム …………… 260mg

そば 干し（ゆで）

1束分 260g 294kcal

そば粉を40％以上使った干しめん。

100gあたり
- エネルギー … 113kcal
- 塩分 ………………… 0.1g

1点重量 …… 70g

1束分（ゆで・260g）あたり
- 塩分 ………………… 0.3g
- たんぱく質 ………… 10.1g
- 脂質 ………………… 1.6g
- 炭水化物 …………… 55.9g
- 食物繊維 …………… 3.9g
- カリウム …………… 34mg

4群 穀類（そば［生・干し］）

そうめん(ひやむぎ)(乾)

1束 50g 167kcal

1束(乾・50g)あたり
- 塩分 ……………… 1.9g
- たんぱく質 ……… 4.4g
- 脂質 ……………… 0.5g
- 炭水化物 ………… 35.5g
- 食物繊維 ………… 1.3g
- カリウム ………… 60mg

100gあたり
- エネルギー …… 333kcal
- 塩分 ……………… 3.8g

1点重量 …… 24g

ゆでると **2.7倍**

そうめん(ひやむぎ)(ゆで)

1束分 135g 154kcal

1束分(ゆで・135g)あたり
- 塩分 ……………… 0.3g
- たんぱく質 ……… 4.5g
- 脂質 ……………… 0.4g
- 炭水化物 ………… 31.5g
- 食物繊維 ………… 1.2g
- カリウム ………… 7mg

100gあたり
- エネルギー …… 114kcal
- 塩分 ……………… 0.2g

1点重量 …… 70g

めんの太さが1.3mm未満のものをそうめん、1.3mm以上1.7mm未満が冷や麦。小麦粉に水と塩を加えてよく練り、ひも状にのばして乾燥させたもの。

パスタ類・スパゲティ、マカロニなど(乾)

100g 347kcal

1束(乾・100g)あたり
- 塩分 ……………… 0g
- たんぱく質 ……… 12.0g
- 脂質 ……………… 1.5g
- 炭水化物 ………… 66.9g
- 食物繊維 ………… 5.4g
- カリウム ………… 200mg

100gあたり
- エネルギー …… 347kcal
- 塩分 ……………… 0g

1点重量 …… 23g

1.5%食塩水でゆでると **2.2倍**

パスタ類(ゆで)

220g 330kcal

1束分(ゆで・220g)あたり
- 塩分 ……………… 2.6g
- たんぱく質 ……… 11.7g
- 脂質 ……………… 1.5g
- 炭水化物 ………… 62.7g
- 食物繊維 ………… 6.6g
- カリウム ………… 31mg

100gあたり
- エネルギー …… 150kcal
- 塩分 ……………… 1.2g

1点重量 …… 55g

デュラムセモリナという小麦粉を使った加工品の総称。形が多彩で300種以上とされる。たんぱく質が多く、中でもグルテンが多いので、コシが強い。

中華めん（生）

1玉 110g 274kcal

1玉（生・110g）あたり
- 塩分 …………… 1.1g
- たんぱく質 ……… 9.4g
- 脂質 …………… 1.1g
- 炭水化物 ……… 52.4g
- 食物繊維 ……… 5.9g
- カリウム ……… 385mg

100gあたり
- エネルギー …… 249kcal
- 塩分 …………… 1.0g

1点重量 …… 30g

ゆでると **1.9倍**

中華めん（ゆで）

1玉分 210g 279kcal

1玉分（ゆで・210g）あたり
- 塩分 …………… 0.4g
- たんぱく質 …… 10.1g
- 脂質 …………… 1.1g
- 炭水化物 ……… 52.9g
- 食物繊維 ……… 5.9g
- カリウム ……… 126mg

100gあたり
- エネルギー …… 133kcal
- 塩分 …………… 0.2g

1点重量 …… 60g

小麦粉（準強力粉や強力粉）に塩と水とかん水を混ぜて練り合わせ、細長くしためんのこと。

蒸し中華めん

1袋 150g 243kcal

1袋（蒸し・150g）あたり
- 塩分 …………… 0.5g
- たんぱく質 ……… 7.1g
- 脂質 …………… 2.3g
- 炭水化物 ……… 45.9g
- 食物繊維 ……… 4.7g
- カリウム ……… 120mg

100gあたり
- エネルギー …… 162kcal
- 塩分 …………… 0.3g

1点重量 …… 50g

中華めんを蒸気で蒸して加熱したもの。焼きそば用のめんとして販売されている。

インスタントラーメン

1袋 100g* 439kcal

＊添付調味料含む。

1袋（100g）あたり
- 塩分 …………… 5.6g
- たんぱく質 …… 10.1g
- 脂質 …………… 18.6g
- 炭水化物 ……… 54.9g
- 食物繊維 ……… 2.4g
- カリウム ……… 150mg

100gあたり
- エネルギー …… 439kcal
- 塩分 …………… 5.6g

1点重量 …… 18g

油で揚げたものと揚げていないもの（ノンフライ）とがある。掲載数値は油揚げめん。

4群 穀類（中華めん・蒸し中華めん・インスタントラーメン）

4群 穀類（はるさめ・ビーフン）

はるさめ（乾）

1袋（大） 100g 346kcal

1袋（乾・100g）あたり
塩分 …………………… 0g
たんぱく質 …………… 0g
脂質 ………………… 0.2g
炭水化物 …………… 85.4g
食物繊維 …………… 1.2g
カリウム …………… 14mg

100gあたり
エネルギー …… 346kcal
塩分 …………………… 0g

1点重量 …… 23g

ゆでてもどすと **4.1倍**

はるさめ（ゆで）

1袋分 410g 312kcal

豆類、米類、芋類などのでんぷんから作られた細いめん類の総称。主成分が炭水化物。掲載の栄養価は、じゃが芋やさつま芋のでんぷんが原料のもの。緑豆を原料にしたものもある。

1袋分（410g）あたり
塩分 …………………… 0g
たんぱく質 …………… 0g
脂質 ………………… 微量
炭水化物 …………… 73.4g
食物繊維 …………… 3.3g
カリウム …………… 8mg

100gあたり
エネルギー …… 76kcal
塩分 …………………… 0g

1点重量 …… 110g

ビーフン（乾）

1袋 80g 288kcal

ゆでてもどすと **3倍 240g**

うるち米を原料として作られた細いめんのこと。でんぷんを加えることもある。

100gあたり
エネルギー …… 360kcal
塩分 …………………… 0g

1点重量 …… 22g

1袋（乾・80g）あたり
塩分 …………………… 0g
たんぱく質 …………… 4.6g
脂質 ………………… 1.2g
炭水化物 …………… 64.2g
食物繊維 …………… 0.7g
カリウム …………… 26mg

食パン

100gあたり
エネルギー……248kcal
塩分……………1.2g
1点重量……30g

小麦を使った最もポピュラーなパン。塩分を含む。主成分は炭水化物（でんぷん）。ごはんと比べるとたんぱく質が多い。生地を入れた型に、ふたをして焼く角形と、ふたをしないで焼く山型とがある。

サンドイッチ用パン
1枚 16g 36kcal

100gあたり
エネルギー……226kcal
塩分……………1.1g
1点重量……35g

1枚（16g）あたり
塩分 …………0.2g
たんぱく質 ……1.1g
脂質 …………0.5g
炭水化物 ………6.4g
食物繊維 ………0.6g
カリウム ………12mg

食パン 12枚切り
1枚 30g 74kcal

1枚（30g）あたり　[耳の重量：10g]
塩分 …………0.4g　炭水化物 ……13.3g
たんぱく質 …2.2g　食物繊維 ……1.3g
脂質 …………1.1g　カリウム ……26mg

食パン 8枚切り
1枚 45g 112kcal

1枚（45g）あたり　[耳の重量：15g]
塩分 …………0.5g　炭水化物 ……19.9g
たんぱく質 …3.3g　食物繊維 ……1.9g
脂質 …………1.7g　カリウム ……39mg

食パン 6枚切り
1枚 60g 149kcal

1枚（60g）あたり　[耳の重量：20g]
塩分 …………0.7g　炭水化物 ……26.5g
たんぱく質 …4.4g　食物繊維 ……2.5g
脂質 …………2.2g　カリウム ……52mg

食パン 5枚切り
1枚 70g 174kcal

1枚（70g）あたり　[耳の重量：25g]
塩分 …………0.8g　炭水化物 ……30.9g
たんぱく質 …5.2g　食物繊維 ……2.9g
脂質 …………2.6g　カリウム ……60mg

食パン 4枚切り
1枚 90g 223kcal

1枚（90g）あたり　[耳の重量：30g]
塩分 …………1.1g　炭水化物 ……39.8g
たんぱく質 …6.7g　食物繊維 ……3.8g
脂質 …………3.3g　カリウム ……77mg

山形食パン
1枚 60g 148kcal

1枚（60g）あたり　[耳の重量：18g]
塩分 …………0.8g　炭水化物 ……26.8g
たんぱく質 …4.3g　食物繊維 ……1.1g
脂質 …………2.0g　カリウム ……46mg

4群　穀類（食パン・サンドイッチ用パン）

イングリッシュマフィン

1個 60g 134kcal

1個（60g）あたり
- 塩分 … 0.7g
- たんぱく質 … 4.4g
- 脂質 … 1.9g
- 炭水化物 … 24.4g
- 食物繊維 … 0.7g
- カリウム … 50mg

100gあたり
- エネルギー … 224kcal
- 塩分 … 1.2g

1点重量 … 35g

米粉パン *小麦粉不使用

1枚（15mm厚さ）20g 49kcal

1枚（20g）あたり
- 塩分 … 0.2g
- たんぱく質 … 0.6g
- 脂質 … 0.6g
- 炭水化物 … 10.2g
- 食物繊維 … 0.2g
- カリウム … 18mg

100gあたり
- エネルギー … 247kcal
- 塩分 … 0.9g

1点重量 … 30g

米粉入り食パン（6枚切り）

1枚 60g 148kcal

1個（60g）あたり
- 塩分 … 0.7g
- たんぱく質 … 6.1g
- 脂質 … 2.8g
- 炭水化物 … 24.5g
- 食物繊維 … 0.4g
- カリウム … 34mg

100gあたり
- エネルギー … 247kcal
- 塩分 … 1.1g

1点重量 … 30g

コッペパン

1個 100g 259kcal

1個（100g）あたり
- 塩分 … 1.3g
- たんぱく質 … 7.3g
- 脂質 … 3.6g
- 炭水化物 … 48.5g
- 食物繊維 … 2.0g
- カリウム … 95mg

100gあたり
- エネルギー … 259kcal
- 塩分 … 1.3g

1点重量 … 30g

クロワッサン

1個 40g 162kcal

1個（40g）あたり
- 塩分 … 0.5g
- たんぱく質 … 2.4g
- 脂質 … 7.7g
- 炭水化物 … 20.5g
- 食物繊維 … 0.8g
- カリウム … 44mg

100gあたり
- エネルギー … 406kcal
- 塩分 … 1.4g

1点重量 … 20g

全粒粉パン（6枚切り）

1枚 60g 151kcal

1個（60g）あたり
- 塩分 … 0.6g
- たんぱく質 … 4.3g
- 脂質 … 3.2g
- 炭水化物 … 23.9g
- 食物繊維 … 2.7g
- カリウム … 84mg

100gあたり
- エネルギー … 251kcal
- 塩分 … 1.0g

1点重量 … 30g

4群 穀類（パン類）[イングリッシュマフィン・米粉パン・米粉入り食パン・コッペパン・クロワッサン・全粒粉パン]

ナン

1枚 80g 206kcal

- 小 50g／129kcal／塩分 0.65g
- 大 100g／257kcal／塩分 1.3g

1枚（80g）あたり
- 塩分 ………… 1.0g
- たんぱく質 …… 7.4g
- 脂質 ………… 2.5g
- 炭水化物 …… 37.5g
- 食物繊維 …… 1.6g
- カリウム …… 78mg

100gあたり
- エネルギー … 257kcal
- 塩分 ………… 1.3g

1点重量 …… 30g

ぶどうパン（6枚切り）

1枚 65g 171kcal

1枚（65g）あたり
- 塩分 ………… 0.7g
- たんぱく質 …… 4.8g
- 脂質 ………… 2.1g
- 炭水化物 …… 32.4g
- 食物繊維 …… 1.4g
- カリウム …… 137mg

100gあたり
- エネルギー … 263kcal
- 塩分 ………… 1.0g

1点重量 …… 30g

フランスパン

1本 230g 665kcal

- 10cm=75g／217kcal／塩分1.2g

1本（230g）あたり
- 塩分 ………… 3.7g
- たんぱく質 …… 19.8g
- 脂質 ………… 2.5g
- 炭水化物 …… 133.9g
- 食物繊維 …… 6.2g
- カリウム …… 253mg

100gあたり
- エネルギー … 289kcal
- 塩分 ………… 1.6g

1点重量 …… 28g

ベーグル

1個 90g 243kcal

1個（90g）あたり
- 塩分 ………… 1.1g
- たんぱく質 …… 7.4g
- 脂質 ………… 1.7g
- 炭水化物 …… 48.2g
- 食物繊維 …… 2.3g
- カリウム …… 87mg

100gあたり
- エネルギー … 270kcal
- 塩分 ………… 1.2g

1点重量 …… 30g

ライ麦パン

1枚（12mm厚さ） 30g 76kcal

1枚（30g）あたり
- 塩分 ………… 0.4g
- たんぱく質 …… 2.0g
- 脂質 ………… 0.6g
- 炭水化物 …… 14.7g
- 食物繊維 …… 1.7g
- カリウム …… 57mg

100gあたり
- エネルギー … 252kcal
- 塩分 ………… 1.2g

1点重量 …… 30g

ロールパン

1個 30g 93kcal

1個（30g）あたり
- 塩分 ………… 0.4g
- たんぱく質 …… 2.6g
- 脂質 ………… 2.6g
- 炭水化物 …… 14.6g
- 食物繊維 …… 0.6g
- カリウム …… 33mg

100gあたり
- エネルギー … 309kcal
- 塩分 ………… 1.2g

1点重量 …… 26g

4群 穀類（パン類 【ナン・ぶどうパン・フランスパン・ベーグル・ライ麦パン・ロールパン】）

4群 穀類（乾パン・ギョーザの皮・コーンフレーク・ピザ台・シューマイの皮・ライスペーパー）

乾パン
4個 10g 39kcal

4個（10g）あたり
- 塩分 …………… 0.1g
- たんぱく質 …… 0.9g
- 脂質 …………… 0.4g
- 炭水化物 ……… 7.5g
- 食物繊維 ……… 0.3g
- カリウム ……… 16mg

100gあたり
- エネルギー …… 386kcal
- 塩分 …………… 1.2g

1点重量 …… 21g

ギョーザの皮
1枚 4g 11kcal

直径8〜9cm

1枚（4g）あたり
- 塩分 …………… 0g
- たんぱく質 …… 0.3g
- 脂質 …………… 0g
- 炭水化物 ……… 2.2g
- 食物繊維 ……… 0.1g
- カリウム ……… 3mg

●春巻きの皮　1枚
（20cm角）13g／37kcal／塩分 0.143g

100gあたり
- エネルギー …… 275kcal
- 塩分 …………… 0g

1点重量 …… 29g

シューマイの皮
1枚（8cm角）3g 8kcal

8cm角

1枚（3g）あたり
- 塩分 …………… 0g
- たんぱく質 …… 0.2g
- 脂質 …………… 0g
- 炭水化物 ……… 1.7g
- 食物繊維 ……… 0.1g
- カリウム ……… 2mg

100gあたり
- エネルギー …… 275kcal
- 塩分 …………… 0g

1点重量 …… 29g

コーンフレーク（プレーン）
1カップ 30g 114kcal

1カップ（30g）あたり
- 塩分 …………… 0.6g
- たんぱく質 …… 2.0g
- 脂質 …………… 0.4g
- 炭水化物 ……… 24.7g
- 食物繊維 ……… 0.7g
- カリウム ……… 29mg

100gあたり
- エネルギー …… 380kcal
- 塩分 …………… 2.1g

1点重量 …… 21g

ピザ台（ピザ生地）
1枚（直径約20cm）100g 265kcal

直径約20cm

1枚（100g）あたり
- 塩分 …………… 1.3g
- たんぱく質 …… 9.1g
- 脂質 …………… 2.7g
- 炭水化物 ……… 48.5g
- 食物繊維 ……… 2.3g
- カリウム ……… 91mg

100gあたり
- エネルギー …… 265kcal
- 塩分 …………… 1.3g

1点重量 …… 30g

ライスペーパー
1枚（直径22cm）10g 34kcal

直径22cm

1枚（10g）あたり
- 塩分 …………… 0.2g
- たんぱく質 …… 0g
- 脂質 …………… 0g
- 炭水化物 ……… 8.4g
- 食物繊維 ……… 0.1g
- カリウム ……… 2mg

●ライスペーパー
1枚（直径16cm）5g／17kcal／塩分 0.9g

100gあたり
- エネルギー …… 339kcal
- 塩分 …………… 1.7g

1点重量 …… 24g

パン粉（乾燥パン粉）

大さじ1　3g　11kcal

大さじ1（3g）あたり
- 塩分 ……………… 0g
- たんぱく質 ……… 0.4g
- 脂質 ……………… 0.2g
- 炭水化物 ………… 1.9g
- 食物繊維 ………… 0.1g
- カリウム ………… 5mg

100gあたり
- エネルギー …… 369kcal
- 塩分 ……………… 1.2g

1点重量 …… 22g

● 1カップ　40g／148kcal／塩分 0.48g

パン粉（生パン粉）

大さじ1　3g　8kcal

大さじ1（3g）あたり
- 塩分 ……………… 0g
- たんぱく質 ……… 0.3g
- 脂質 ……………… 0.1g
- 炭水化物 ………… 1.4g
- 食物繊維 ………… 0.1g
- カリウム ………… 3mg

100gあたり
- エネルギー …… 277kcal
- 塩分 ……………… 0.9g

1点重量 …… 29g

● 1カップ　40g／111kcal／塩分 0.36g

ふ（釜焼きふ・小町ふ）

1個　0.7g　2kcal

1個（0.7g）あたり
- 塩分 ……………… 0g
- たんぱく質 ……… 0.2g
- 脂質 ……………… 0g
- 炭水化物 ………… 0.4g
- 食物繊維 ………… 0g
- カリウム ………… 1mg

100gあたり
- エネルギー …… 357kcal
- 塩分 ……………… 0g

1点重量 …… 22g

● 小町ふ（1個）　0.7g／2kcal／塩分 0g

グルテンに強力粉とベーキングパウダーなどを合わせて天火で焼いたもの。たんぱく質が豊富。

ふ（板ふ）

1枚　16g　56kcal

1枚（16g）あたり
- 塩分 ……………… 0.1g
- たんぱく質 ……… 3.8g
- 脂質 ……………… 0.5g
- 炭水化物 ………… 8.9g
- 食物繊維 ………… 0.6g
- カリウム ………… 35mg

100gあたり
- エネルギー …… 351kcal
- 塩分 ……………… 0.5g

1点重量 …… 23g

グルテンに強力粉とベーキングパウダーなどを合わせてじか火で焼いたもの。たんぱく質が豊富。

4群　穀類（乾燥パン粉・生パン粉・ふ［釜焼きふ・小町ふ・板ふ］）

4群 穀類（小麦粉［薄力粉・強力粉］）

小麦粉（薄力粉）

大さじ1　9g　31kcal

大さじ1（9g）あたり
- 塩分 …………………… 0g
- たんぱく質 ………… 0.7g
- 脂質 ………………… 0.1g
- 炭水化物 …………… 6.6g
- 食物繊維 …………… 0.2g
- カリウム …………… 10mg

1カップ　110g　384kcal

1カップ（110g）あたり
- 塩分 …………………… 0g
- たんぱく質 ………… 8.5g
- 脂質 ………………… 1.4g
- 炭水化物 ………… 80.4g
- 食物繊維 …………… 2.8g
- カリウム ………… 121mg

小麦の胚乳を粉にしたもの。たんぱく質が少なく（6〜9%）、グルテンの力が弱い。

100gあたり
- エネルギー …… 349kcal
- 塩分 …………………… 0g

1点重量 …… 23g

小麦粉（強力粉）

大さじ1　9g　30kcal

大さじ1（9g）あたり
- 塩分 …………………… 0g
- たんぱく質 ………… 1.0g
- 脂質 ………………… 0.1g
- 炭水化物 …………… 6.0g
- 食物繊維 …………… 0.2g
- カリウム …………… 8mg

1カップ　110g　371kcal

1カップ（110g）あたり
- 塩分 …………………… 0g
- たんぱく質 ……… 12.1g
- 脂質 ………………… 1.4g
- 炭水化物 ………… 73.5g
- 食物繊維 …………… 3.0g
- カリウム ………… 98mg

小麦の胚乳を粉にしたもの。たんぱく質が多く（11〜13%）、グルテンの力が強い。

100gあたり
- エネルギー …… 337kcal
- 塩分 …………………… 0g

1点重量 …… 24g

小麦粉 (全粒粉)

大さじ1 **9**g **29**kcal

1カップ **100**g **320**kcal

100gあたり
エネルギー……320kcal
塩分……………0g
1点重量……25g

大さじ1 (9g)あたり
塩分………………0g
たんぱく質………1.1g
脂質………………0.2g
炭水化物…………5.0g
食物繊維…………1.0g
カリウム…………30mg

1カップ (100g)あたり
塩分………………0g
たんぱく質………11.7g
脂質………………2.4g
炭水化物…………55.6g
食物繊維…………11.2g
カリウム…………330mg

硬質の小麦全体を粉にしたもの。

天ぷら粉

大さじ1 **9**g **30**kcal

1カップ **110**g **371**kcal

100gあたり
エネルギー……337kcal
塩分……………0.5g
1点重量……24g

大さじ1 (9g)あたり
塩分………………0g
たんぱく質………0.7g
脂質………………0.1g
炭水化物…………6.3g
食物繊維…………0.2g
カリウム…………14mg

1カップ (110g)あたり
塩分………………0.6g
たんぱく質………9.0g
脂質………………1.2g
炭水化物…………77.1g
食物繊維…………2.8g
カリウム…………176mg

天ぷら用に、小麦粉に糖類、油脂、粉乳、乾燥卵粉、膨張剤、食塩、香料などを配合したもの。

ホットケーキミックス

1カップ **110**g **396**kcal

1カップ (110g)あたり
塩分………………1.1g
たんぱく質………7.8g
脂質………………4.0g
炭水化物…………79.6g
食物繊維…………2.0g
カリウム…………253mg

100gあたり
エネルギー……360kcal
塩分……………1.0g
1点重量……22g

ホットケーキ用に、小麦粉に糖類、油脂、粉乳、乾燥卵粉、膨張剤、食塩、香料などを配合したもの。

揚げ玉

大さじ1 **4**g **24**kcal

小さじ1 **2**g **12**kcal

100gあたり
エネルギー……588kcal
塩分……………0.2g
1点重量……14g

大さじ1 (4g)あたり
塩分………………0g
たんぱく質………0.2g
脂質………………1.9g
炭水化物…………1.4g
食物繊維…………0.1g
カリウム…………4mg

小さじ1 (2g)あたり
塩分………………0g
たんぱく質………0.1g
脂質………………1.0g
炭水化物…………0.7g
食物繊維…………0.1g
カリウム…………2mg

天ぷら粉39に対し水61を混合し、揚げたもの。

4群 穀類（小麦粉【全粒粉】・天ぷら粉・ホットケーキミックス・揚げ玉）

4群 穀類（かたくり粉・米粉・コーンスターチ・コーンフラワー）

かたくり粉

大さじ1　9g　30kcal

- 小さじ1　3g ／ 10kcal ／ 塩分 0g

本来はユリ科のカタクリの地下茎のでんぷんのことだが、市販のほとんどはじゃが芋でんぷん。

大さじ1 (9g) あたり
- 塩分 ……………… 0g
- たんぱく質 ……… 0g
- 脂質 ……………… 0g
- 炭水化物 ………… 7.3g
- 食物繊維 ………… 0g
- カリウム ………… 3mg

100gあたり
- エネルギー … 338kcal
- 塩分 ……………… 0g

1点重量 …… 24g

米粉

1カップ　100g　356kcal

- 大さじ1　9g ／ 32kcal ／ 塩分 0g

うるち米を上新粉よりさらに細かく粉砕したもの。製菓や製パンなどに利用される。

1カップ (100g) あたり
- 塩分 ……………… 0g
- たんぱく質 ……… 5.1g
- 脂質 ……………… 0.6g
- 炭水化物 ………… 82.2g
- 食物繊維 ………… 0.6g
- カリウム ………… 45mg

100gあたり
- エネルギー … 356kcal
- 塩分 ……………… 0g

1点重量 …… 22g

コーンスターチ

大さじ1　6g　22kcal

- 小さじ1　2g ／ 7kcal ／ 塩分 0g
- 1カップ　100g　363kcal ／ 塩分 0g

とうもろこしでんぷんのこと。

大さじ1 (6g) あたり
- 塩分 ……………… 0g
- たんぱく質 ……… 0g
- 脂質 ……………… 0g
- 炭水化物 ………… 5.2g
- 食物繊維 ………… 0g
- カリウム ………… 0mg

100gあたり
- エネルギー … 363kcal
- 塩分 ……………… 0g

1点重量 …… 22g

コーンフラワー

1カップ　90g　312kcal

- 大さじ1　6g ／ 21kcal ／ 塩分 0g
- 小さじ1　2g ／ 7kcal ／ 塩分 0g

とうもろこし（黄色種）の胚乳部を挽き割りした粉質部の微細粉。

1カップ (90g) あたり
- 塩分 ……………… 0g
- たんぱく質 ……… 5.1g
- 脂質 ……………… 2.3g
- 炭水化物 ………… 65.3g
- 食物繊維 ………… 1.5g
- カリウム ………… 180mg

100gあたり
- エネルギー … 347kcal
- 塩分 ……………… 0g

1点重量 …… 23g

上新粉

1カップ 130g 446kcal

● 大さじ1　9g／31kcal／塩分 0g

うるち米を粉にしたもの。

1カップ（130g）あたり
- 塩分 …………… 0g
- たんぱく質 …… 7.0g
- 脂質 …………… 1.0g
- 炭水化物 ……… 98.7g
- 食物繊維 ……… 0.8g
- カリウム ……… 116mg

100gあたり
- エネルギー …… 343kcal
- 塩分 …………… 0g

1点重量 …… 23g

白玉粉

1カップ 120g 416kcal

● 大さじ1　9g／31kcal／塩分 0g

もち米を粉にしたもの。

1カップ（120g）あたり
- 塩分 …………… 0g
- たんぱく質 …… 6.6g
- 脂質 …………… 1.0g
- 炭水化物 ……… 91.8g
- 食物繊維 ……… 0.6g
- カリウム ……… 4mg

100gあたり
- エネルギー …… 347kcal
- 塩分 …………… 0g

1点重量 …… 23g

そば粉

1カップ 120g 407kcal

● 大さじ1　9g／31kcal／塩分 0g

たんぱく質が12％を占め、鉄や亜鉛など多くのミネラルが非常に豊富。ビタミンB群や食物繊維も豊富。ルチンという成分も含む。

1カップ（120g）あたり
- 塩分 …………… 0g
- たんぱく質 …… 12.2g
- 脂質 …………… 3.5g
- 炭水化物 ……… 76.7g
- 食物繊維 ……… 5.2g
- カリウム ……… 492mg
- マグネシウム … 228mg
- 鉄 ……………… 3.4mg
- 亜鉛 …………… 2.9mg
- 銅 ……………… 0.65mg
- ビタミンB_1 … 0.55mg
- ビタミンB_2 … 0.13mg

100gあたり
- エネルギー …… 339kcal
- 塩分 …………… 0g

1点重量 …… 24g

道明寺粉

1カップ 160g 558kcal

● 大さじ1　12g／42kcal／塩分 0g

精白もち米を水洗いし、水に浸してから蒸したものを乾燥させて粗砕したもの。

1カップ（160g）あたり
- 塩分 …………… 0g
- たんぱく質 …… 9.8g
- 脂質 …………… 0.8g
- 炭水化物 ……… 123.7g
- 食物繊維 ……… 1.1g
- カリウム ……… 72mg

100gあたり
- エネルギー …… 349kcal
- 塩分 …………… 0g

1点重量 …… 23g

4群 穀類（上新粉・白玉粉・そば粉・道明寺粉）

アマランサス

1カップ 180g 617kcal

● 大さじ1　12g ／ 41kcal ／ 塩分 0g

穀類の中ではたんぱく質、脂質、カルシウム、食物繊維が多い。

1カップ (180g)あたり
塩分 …………………… 0g
たんぱく質 …… 20.3g
脂質 …………………… 9.0g
炭水化物 …………… 104.0g
食物繊維 …………… 13.3g
カリウム …………… 1080mg
カルシウム ………… 288mg

100gあたり
エネルギー … 343kcal
塩分 …………………… 0g

1点重量 …… 23g

あわ

1カップ 160g 554kcal

● 大さじ1　12g ／ 42kcal ／ 塩分 0g

米よりたんぱく質や脂質、食物繊維が豊富。必須アミノ酸のひとつ、ロイシンを多く含む。

1カップ (160g)あたり
塩分 …………………… 0g
たんぱく質 …… 16.3g
脂質 …………………… 6.6g
炭水化物 …………… 101.3g
食物繊維 …………… 5.3g
カリウム …………… 480mg

100gあたり
エネルギー … 346kcal
塩分 …………………… 0g

1点重量 …… 23g

押し麦

1カップ 130g 428kcal

● 大さじ1　10g ／ 33kcal ／ 塩分 0g

大麦が原料。食物繊維が非常に多い。

1カップ (130g)あたり
塩分 …………………… 0g
たんぱく質 …… 7.7g
脂質 …………………… 1.6g
炭水化物 …………… 85.5g
食物繊維 …………… 15.9g
カリウム …………… 273mg
鉄 ……………………… 1.4mg
銅 ……………………… 0.29mg

100gあたり
エネルギー … 329kcal
塩分 …………………… 0g

1点重量 …… 24g

オートミール

1カップ 80g 280kcal

● 大さじ1　6g ／ 21kcal ／ 塩分 0g

えん麦が原料。たんぱく質や脂質や食物繊維が多い。アミノ酸組成が米に似ていて栄養価が高い。

1カップ (80g)あたり
塩分 …………………… 0g
たんぱく質 …… 9.8g
脂質 …………………… 4.1g
炭水化物 …………… 45.9g
食物繊維 …………… 7.5g
カリウム …………… 208mg

100gあたり
エネルギー … 350kcal
塩分 …………………… 0g

1点重量 …… 23g

きび

1カップ 160g 565kcal

● 大さじ1　12g／42kcal／塩分 0g

もち種とうるち種があり、もち種はきび団子やきびもちの原料になる。ビタミンB群が多い。

1カップ (160g)あたり
- 塩分 ……………… 0g
- たんぱく質 ……… 16.0g
- 脂質 ……………… 4.6g
- 炭水化物 ……… 113.4g
- 食物繊維 ………… 2.6g
- カリウム ……… 320mg
- ビタミンB$_1$ …… 0.54mg
- ビタミンB$_2$ …… 0.14mg

100gあたり
- エネルギー … 353kcal
- 塩分 ……………… 0g

1点重量 …… 23g

五穀

1カップ 160g 554kcal

● 大さじ1　12g／42kcal／塩分 0g

米（赤米や黒米など）、大麦、あわ、ひえ、きびの5種類の穀類を含むもの。

1カップ (160g)あたり
- 塩分 ……………… 0g
- たんぱく質 ……… 13.6g
- 脂質 ……………… 4.6g
- 炭水化物 ……… 107.8g
- 食物繊維 ………… 8.8g
- カリウム ……… 394mg

100gあたり
- エネルギー … 346kcal
- 塩分 ……………… 0g

1点重量 …… 23g

ひえ

1カップ 160g 578kcal

● 大さじ1　12g／43kcal／塩分 0g

米よりたんぱく質や脂質、食物繊維が豊富。必須アミノ酸のひとつ、ロイシンを多く含む。

1カップ (160g)あたり
- 塩分 ……………… 0g
- たんぱく質 ……… 13.4g
- 脂質 ……………… 4.8g
- 炭水化物 ……… 113.3g
- 食物繊維 ………… 6.9g
- カリウム ……… 384mg

100gあたり
- エネルギー … 361kcal
- 塩分 ……………… 0g

1点重量 …… 22g

ライ麦粉

1カップ 90g 292kcal

● 大さじ1　6g／19kcal／塩分 0g
● 小さじ1　2g／6kcal／塩分 0g

ライ麦を歩留り70％程度で、細かく粉にしたもの。

1カップ (90g)あたり
- 塩分 ……………… 0g
- たんぱく質 ………… 7.0g
- 脂質 ……………… 1.1g
- 炭水化物 ……… 57.6g
- 食物繊維 ……… 11.6g
- カリウム ……… 126mg

100gあたり
- エネルギー … 324kcal
- 塩分 ……………… 0g

1点重量 …… 25g

4群 穀類（きび・五穀・ひえ・ライ麦粉）

4群 油脂（あまに油・えごま油・オリーブ油・ココナッツオイル・ごま油・サフラワー油）

あまに油

小さじ1 **4g**
36kcal

小さじ1（4gあたり）
- 塩分 …………… 0g
- たんぱく質 ……… 0g
- 脂質 …………… 4.0g
- 炭水化物 ……… 0g
- ビタミンE ……… 0g
- 脂肪酸
  - 飽和 ………… 0.32g
  - 一価不飽和 … 0.64g
  - 多価不飽和 … 2.85g
- コレステロール … 0mg
- n-3系多価不飽和 … 2.27g
- n-6系多価不飽和 … 0.58g

- 大さじ1 12g / 108kcal / 塩分 0g
- 100gあたり エネルギー … 897kcal
- 1点重量 …… 9g

えごま油

小さじ1 **4g**
36kcal

小さじ1（4gあたり）
- 塩分 …………… 0g
- たんぱく質 ……… 0g
- 脂質 …………… 4.0g
- 炭水化物 ……… 0g
- ビタミンE ……… 0.1mg
- 脂肪酸
  - 飽和 ………… 0.31g
  - 一価不飽和 … 0.68g
  - 多価不飽和 … 2.82g
- コレステロール … 0mg
- n-3系多価不飽和 … 2.33g
- n-6系多価不飽和 … 0.49g

- 大さじ1 12g / 108kcal / 塩分 0g
- 100gあたり エネルギー … 897kcal
- 1点重量 …… 9g

オリーブ油

小さじ1 **4g**
36kcal

小さじ1（4gあたり）
- 塩分 …………… 0g
- たんぱく質 ……… 0g
- 脂質 …………… 4.0g
- 炭水化物 ……… 0g
- ビタミンE ……… 0.3mg
- 脂肪酸
  - 飽和 ………… 0.53g
  - 一価不飽和 … 2.96g
  - 多価不飽和 … 0.29g
- コレステロール … 0mg
- n-3系多価不飽和 … 0.02g
- n-6系多価不飽和 … 0.27g

- 大さじ1 12g / 107kcal / 塩分 0g
- 100gあたり エネルギー … 894kcal
- 1点重量 …… 9g

ココナッツオイル（やし油）

小さじ1 **5g**
44kcal

小さじ1（5gあたり）
- 塩分 …………… 0g
- たんぱく質 ……… 0g
- 脂質 …………… 4.9g
- 炭水化物 ……… 0.1g
- ビタミンE ……… 0mg
- 脂肪酸
  - 飽和 ………… 4.20g
  - 一価不飽和 … 0.33g
  - 多価不飽和 … 0.08g
- コレステロール … 0mg
- n-3系多価不飽和 … 0g
- n-6系多価不飽和 … 0.08g

- 大さじ1 15g / 133kcal / 塩分 0g
- 100gあたり エネルギー … 889kcal
- 1点重量 …… 9g

ごま油

小さじ1 **4g**
36kcal

小さじ1（4gあたり）
- 塩分 …………… 0g
- たんぱく質 ……… 0g
- 脂質 …………… 3.9g
- 炭水化物 ……… 0.1g
- ビタミンE ……… 0mg
- 脂肪酸
  - 飽和 ………… 0.60g
  - 一価不飽和 … 1.50g
  - 多価不飽和 … 1.65g
- コレステロール … 0mg
- n-3系多価不飽和 … 0.01g
- n-6系多価不飽和 … 1.64g

- 大さじ1 12g / 107kcal / 塩分 0g
- 100gあたり エネルギー … 890kcal
- 1点重量 …… 9g

サフラワー油［ハイオレイック］（べにばな油）

小さじ1 **4g**
36kcal

小さじ1（4gあたり）
- 塩分 …………… 0g
- たんぱく質 ……… 0g
- 脂質 …………… 3.9g
- 炭水化物 ……… 0.1g
- ビタミンE ……… 1.1mg
- 脂肪酸
  - 飽和 ………… 0.29g
  - 一価不飽和 … 2.93g
  - 多価不飽和 … 0.54g
- コレステロール … 0mg
- n-3系多価不飽和 … 0.01g
- n-6系多価不飽和 … 0.54g

- 大さじ1 12g / 107kcal / 塩分 0g
- 100gあたり エネルギー … 892kcal
- 1点重量 …… 9g

サラダ油（調合油*）

小さじ1　4g
35kcal

*菜種油1：大豆油1

- 大さじ1　12g／106kcal／塩分 0g

小さじ1（4g）あたり
- 塩分 ……… 0g
- たんぱく質 ……… 0g
- 脂質 ……… 3.9g
- 炭水化物 ……… 0.1g
- ビタミンE ……… 0.5mg
- 脂肪酸
  - 飽和 ……… 0.44g
  - 一価不飽和 ……… 1.64g
  - 多価不飽和 ……… 1.64g
- コレステロール ……… 0mg
- n-3系多価不飽和 ……… 0.27g
- n-6系多価不飽和 ……… 1.37g

100gあたり
- エネルギー ……… 886kcal

1点重量 ……… 9g

大豆油

小さじ1　4g
35kcal

- 大さじ1　12g／106kcal／塩分 0g

小さじ1（4g）あたり
- 塩分 ……… 0g
- たんぱく質 ……… 0g
- 脂質 ……… 3.9g
- 炭水化物 ……… 0.1g
- ビタミンE ……… 0.4mg
- 脂肪酸
  - 飽和 ……… 0.59g
  - 一価不飽和 ……… 0.88g
  - 多価不飽和 ……… 2.23g
- コレステロール ……… 0mg
- n-3系多価不飽和 ……… 0.24g
- n-6系多価不飽和 ……… 1.99g

100gあたり
- エネルギー ……… 885kcal

1点重量 ……… 9g

バター（有塩）

小さじ1　4g
28kcal

- 大さじ1　12g／84kcal／塩分 0.2g

小さじ1（4g）あたり
- 塩分 ……… 0.1g
- たんぱく質 ……… 0g
- 脂質 ……… 3.0g
- 炭水化物 ……… 0.3g
- ビタミンA ……… 21μg
- ビタミンE ……… 0.1mg
- 脂肪酸
  - 飽和 ……… 2.02g
  - 一価不飽和 ……… 0.72g
  - 多価不飽和 ……… 0.09g
- コレステロール ……… 8mg
- n-3系多価不飽和 ……… 0.01g
- n-6系多価不飽和 ……… 0.07g

100gあたり
- エネルギー ……… 700kcal
- 塩分 ……… 1.9g

1点重量 ……… 11g

とうもろこし油

小さじ1　4g
35kcal

- 大さじ1　12g／106kcal／塩分 0g

小さじ1（4g）あたり
- 塩分 ……… 0g
- たんぱく質 ……… 0g
- 脂質 ……… 3.9g
- 炭水化物 ……… 0.1g
- ビタミンE ……… 0.7mg
- 脂肪酸
  - 飽和 ……… 0.52g
  - 一価不飽和 ……… 1.12g
  - 多価不飽和 ……… 2.06g
- コレステロール ……… 0mg
- n-3系多価不飽和 ……… 0.03g
- n-6系多価不飽和 ……… 2.03g

100gあたり
- エネルギー ……… 884kcal

1点重量 ……… 9g

菜種油（キャノーラ油）

小さじ1　4g
35kcal

- 大さじ1　12g／106kcal／塩分 0g

小さじ1（4g）あたり
- 塩分 ……… 0g
- たんぱく質 ……… 0g
- 脂質 ……… 3.9g
- 炭水化物 ……… 0.1g
- ビタミンE ……… 0.6mg
- 脂肪酸
  - 飽和 ……… 0.28g
  - 一価不飽和 ……… 2.40g
  - 多価不飽和 ……… 1.04g
- コレステロール ……… 0mg
- n-3系多価不飽和 ……… 0.30g
- n-6系多価不飽和 ……… 0.74g

100gあたり
- エネルギー ……… 887kcal

1点重量 ……… 9g

バター（無塩）

小さじ1　4g
29kcal

- 大さじ1　12g／86kcal／塩分 0g

小さじ1（4g）あたり
- 塩分 ……… 0g
- たんぱく質 ……… 0g
- 脂質 ……… 3.1g
- 炭水化物 ……… 0.2g
- ビタミンA ……… 32μg
- ビタミンE ……… 0.1mg
- 脂肪酸
  - 飽和 ……… 2.10g
  - 一価不飽和 ……… 0.74g
  - 多価不飽和 ……… 0.08g
- コレステロール ……… 9mg
- n-3系多価不飽和 ……… 0.01g
- n-6系多価不飽和 ……… 0.07g

100gあたり
- エネルギー ……… 720kcal

1点重量 ……… 11g

4群 油脂（サラダ油・大豆油・とうもろこし油・菜種油・バター【有塩・無塩】）

4群 油脂（ファットスプレッド・マーガリン・ショートニング・ラード・コーヒーフレッシュ・生クリーム）

ファットスプレッド

小さじ1　4g
23kcal

● 大さじ1　12g／69kcal／塩分 0.1g

小さじ1（4g）あたり
- 塩分 …………… 0g
- たんぱく質 …… 0g
- 脂質 …………… 2.6g
- 炭水化物 ……… 0g
- ビタミンE …… 0.6mg
- 脂肪酸
  - 飽和 ………… 0.82g
  - 一価不飽和 … 0.83g
  - 多価不飽和 … 0.80g
- コレステロール … 0g
- n-3系多価不飽和 … 0.07g
- n-6系多価不飽和 … 0.73g

100gあたり
- エネルギー … 579kcal
- 塩分 …………… 1.1g

1点重量 …… 14g

マーガリン

小さじ1　4g
29kcal

● 大さじ1　12g／86kcal／塩分 0.2g

小さじ1（4g）あたり
- 塩分 …………… 0.1g
- たんぱく質 …… 0g
- 脂質 …………… 3.2g
- 炭水化物 ……… 0.6g
- ビタミンE …… 0.6mg
- 脂肪酸
  - 飽和 ………… 0.92g
  - 一価不飽和 … 1.57g
  - 多価不飽和 … 0.52g
- コレステロール … 0mg
- n-3系多価不飽和 … 0.05g
- n-6系多価不飽和 … 0.47g

100gあたり
- エネルギー … 715kcal
- 塩分 …………… 1.3g

1点重量 …… 11g

ショートニング

小さじ1　4g
36kcal

● 大さじ1　12g／107kcal／塩分 0g

小さじ1（4g）あたり
- 塩分 …………… 0g
- たんぱく質 …… 0g
- 脂質 …………… 3.9g
- 炭水化物 ……… 0.1g
- ビタミンE …… 0.4mg
- 脂肪酸
  - 飽和 ………… 1.85g
  - 一価不飽和 … 1.42g
  - 多価不飽和 … 0.46g
- コレステロール … 0mg
- n-3系多価不飽和 … 0.04g
- n-6系多価不飽和 … 0.42g

100gあたり
- エネルギー … 889kcal
- 塩分 …………… 0g

1点重量 …… 9g

ラード

小さじ1　4g
35kcal

● 大さじ1　12g／106kcal／塩分 0g

小さじ1（4g）あたり
- 塩分 …………… 0g
- たんぱく質 …… 0g
- 脂質 …………… 3.9g
- 炭水化物 ……… 0.1g
- ビタミンE …… 0mg
- 脂肪酸
  - 飽和 ………… 1.57g
  - 一価不飽和 … 1.74g
  - 多価不飽和 … 0.39g
- コレステロール … 4mg
- n-3系多価不飽和 … 0.02g
- n-6系多価不飽和 … 0.37g

100gあたり
- エネルギー … 885kcal
- 塩分 …………… 0g

1点重量 …… 9g

コーヒーフレッシュ

1個（5mL）　5g
12kcal

1個（5g）あたり
- 塩分 …………… 0g
- たんぱく質 …… 0.2g
- 脂質 …………… 1.2g
- 炭水化物 ……… 0.1g
- カリウム ……… 2mg
- カルシウム …… 1mg
- ビタミンA …… 0μg
- ビタミンB₂ …… 0mg
- ビタミンB₁₂ … 0μg
- コレステロール … 0mg

100gあたり
- エネルギー … 244kcal
- 塩分 …………… 0.4g

1点重量 …… 35g

生クリーム

1パック（200mL）
200g　**808**kcal

● 大さじ1　15g／61kcal／塩分 0g

1パック（200g）あたり
- 塩分 …………… 0.2g
- たんぱく質 …… 3.2g
- 脂質 …………… 79.2g
- 炭水化物 ……… 20.2g
- カリウム ……… 152mg
- カルシウム …… 98mg
- ビタミンA …… 320μg
- ビタミンB₂ …… 0.26mg
- ビタミンB₁₂ … 0.4μg
- コレステロール … 128mg

100gあたり
- エネルギー … 404kcal
- 塩分 …………… 0.1g

1点重量 …… 20g

ごまドレッシング

大さじ1　15g　60kcal

- 小さじ1　5g／20kcal／塩分0.2g

大さじ1（15g）あたり
- 塩分 …………0.7g
- たんぱく質……0.3g
- 脂質 …………5.6g
- 炭水化物……1.9g
- ナトリウム‥270mg
- カリウム………14mg

100gあたり
- エネルギー399kcal
- 塩分 …………4.4g

1点重量……20g

サウザンアイランドドレッシング

大さじ1　15g　59kcal

- 小さじ1　5g／20kcal／塩分0.2g

大さじ1（15g）あたり
- 塩分 …………0.5g
- たんぱく質……0g
- 脂質 …………5.7g
- 炭水化物……1.8g
- ナトリウム‥180mg
- カリウム………5mg

100gあたり
- エネルギー392kcal
- 塩分 …………3.0g

1点重量……20g

中華風ドレッシング

大さじ1　15g　36kcal

- 小さじ1　5g／12kcal／塩分0.3g

大さじ1（15g）あたり
- 塩分 …………0.8g
- たんぱく質……0.4g
- 脂質 …………3.0g
- 炭水化物……1.8g
- ナトリウム‥315mg
- カリウム‥未測定

100gあたり
- エネルギー240kcal
- 塩分 …………5.3g

1点重量……33g

フレンチドレッシング

大さじ1　15g　56kcal

- 小さじ1　5g／19kcal／塩分0.3g

大さじ1（15g）あたり
- 塩分 …………1.0g
- たんぱく質……0g
- 脂質 …………5.7g
- 炭水化物……1.3g
- ナトリウム‥375mg
- カリウム………0mg

100gあたり
- エネルギー376kcal
- 塩分 …………6.4g

1点重量……21g

マヨネーズ

大さじ1　12g　80kcal

- 小さじ1　4g／27kcal／塩分0.1g

大さじ1（12g）あたり
- 塩分 …………0.2g
- たんぱく質……0.3g
- 脂質 …………8.7g
- 炭水化物……0.1g
- ナトリウム‥92mg
- カリウム………3mg

100gあたり
- エネルギー668kcal
- 塩分 …………2.0g

1点重量……12g

和風ドレッシング

大さじ1　18g　32kcal

- 小さじ1　6g／11kcal／塩分0.2g

大さじ1（18g）あたり
- 塩分 …………0.6g
- たんぱく質……0.3g
- 脂質 …………2.5g
- 炭水化物……1.7g
- ナトリウム‥252mg
- カリウム………14mg

100gあたり
- エネルギー179kcal
- 塩分 …………3.5g

1点重量……45g

4群　油脂（ごまドレッシング・サウザンアイランドドレッシング・フレンチドレッシング・マヨネーズ・和風ドレッシング・中華風ドレッシング）

4群 砂糖（上白糖・角砂糖・グラニュー糖・黒砂糖・三温糖）

砂糖 砂糖（上白糖）

大さじ1　9g　35kcal

大さじ1（9g）あたり
- たんぱく質……………0g
- 脂質……………………0g
- 炭水化物……………8.9g

小さじ1　3g　12kcal

小さじ1（3g）あたり
- たんぱく質……………0g
- 脂質……………………0g
- 炭水化物……………3.0g

1カップ　130g　508kcal

1カップ（130g）あたり
- たんぱく質……………0g
- 脂質……………………0g
- 炭水化物…………129.1g

100gあたり
- エネルギー……391kcal
- 塩分……………………0g

1点重量……20g

ざらめ糖をとり出したあとの液糖から作られる。結晶が細かく、やわらかい。

砂糖 角砂糖

1個　4g　16kcal

1個（4g）あたり
- たんぱく質……………0g
- 脂質……………………0g
- 炭水化物……………4.0g

100gあたり
- エネルギー……394kcal
- 塩分……………………0g

1点重量……20g

砂糖 グラニュー糖

大さじ1　12g　47kcal

大さじ1（12g）あたり
- たんぱく質……………0g
- 脂質……………………0g
- 炭水化物…………12.0g

100gあたり
- エネルギー……394kcal
- 塩分……………………0g

●小さじ1　4g／16kcal／塩分 0g　1点重量……20g

砂糖 黒砂糖

大さじ1　9g　32kcal

大さじ1（9g）あたり
- たんぱく質…………0.1g
- 脂質……………………0g
- 炭水化物……………8.0g

100gあたり
- エネルギー……352kcal
- 塩分…………………0.1g

●小さじ1　3g／11kcal／塩分 0g　1点重量……23g

砂糖 三温糖

大さじ1　9g　35kcal

大さじ1（9g）あたり
- たんぱく質……………0g
- 脂質……………………0g
- 炭水化物……………8.9g

100gあたり
- エネルギー……390kcal
- 塩分……………………0g

●小さじ1　3g／12kcal／塩分 0g　1点重量……21g

はちみつ
大さじ1 21g 69kcal

大さじ1 (21g)あたり
たんぱく質‥‥0g
脂質‥‥‥‥‥0g
炭水化物‥17.2g
100gあたり
エネルギー‥329kcal
塩分‥‥‥‥‥0g

●小さじ1 7g／23kcal／塩分 0g　1点重量‥24g

メープルシロップ
大さじ1 21g 56kcal

大さじ1 (21g)あたり
たんぱく質‥‥0g
脂質‥‥‥‥‥0g
炭水化物‥13.9g
100gあたり
エネルギー‥266kcal
塩分‥‥‥‥‥0g

●小さじ1 7g／19kcal／塩分 0g　1点重量‥30g

いちごジャム
大さじ1 21g 53kcal

大さじ1 (21g)あたり
たんぱく質‥0.1g
脂質‥‥‥‥‥0g
炭水化物‥13.1g
100gあたり
エネルギー‥250kcal
塩分‥‥‥‥‥0g

●小さじ1 7g／18kcal／塩分 0g　1点重量‥30g

みりん（本みりん）
大さじ1 18g 43kcal

大さじ1 (18g)あたり
たんぱく質‥‥0g
脂質‥‥‥‥‥0g
炭水化物‥7.8g

小さじ1 6g 14kcal

小さじ1 (6g)あたり
たんぱく質‥‥0g
脂質‥‥‥‥‥0g
炭水化物‥2.6g

ブルーベリージャム
大さじ1 21g 37kcal

大さじ1 (21g)あたり
たんぱく質‥0.1g
脂質‥‥‥‥‥0g
炭水化物‥8.7g
100gあたり
エネルギー‥174kcal
塩分‥‥‥‥‥0g

●小さじ1 7g／12kcal／塩分 0g　1点重量‥45g

マーマレード
大さじ1 21g 49kcal

大さじ1 (21g)あたり
たんぱく質‥‥0g
脂質‥‥‥‥‥0g
炭水化物‥12.6g
100gあたり
エネルギー‥233kcal
塩分‥‥‥‥‥0g

●小さじ1 7g／16kcal／塩分 0g　1点重量‥35g

りんごジャム
大さじ1 21g 43kcal

大さじ1 (21g)あたり
たんぱく質‥‥0g
脂質‥‥‥‥微量
炭水化物‥10.7g
100gあたり
エネルギー‥203kcal
塩分‥‥‥‥‥0g

●小さじ1 7g／14kcal／塩分 0g　1点重量‥40g

1カップ 230g 554kcal

1カップ (230g)あたり
たんぱく質‥0.5g
脂質‥‥‥‥‥0g
炭水化物‥99.6g
100gあたり
エネルギー‥241kcal
塩分‥‥‥‥‥0g
アルコール‥1.7g

1点重量‥35g

みりんを使って砂糖と同じ甘さにするには3倍重量（1.5倍容量）に。

4群　砂糖類（はちみつ・メープルシロップ・いちごジャム・ブルーベリージャム・マーマレード・りんごジャム・みりん）

アーモンド

5粒 6g 30kcal

5粒（6g）あたり
- 塩分……………………0g
- たんぱく質……………1.1g
- 脂質……………………3.2g
- 炭水化物………………0.3g
- 食物繊維………………0.7g
- カリウム………………44mg
- カルシウム……………16mg
- マグネシウム…………19mg
- 鉄………………………0.2mg
- 銅………………………0.07mg
- ビタミンE……………1.7mg
- ビタミンB₁……………0mg

100gあたり
- エネルギー…………608kcal
- 塩分……………………0g
- 1点重量…………………13g
- 廃棄率……………………0%

カシューナッツ

5粒 8g 47kcal

5粒（8g）あたり
- 塩分……………………0g
- たんぱく質……………1.5g
- 脂質……………………3.8g
- 炭水化物………………1.4g
- 食物繊維………………0.5g
- カリウム………………47mg
- カルシウム……………3mg
- マグネシウム…………19mg
- 鉄………………………0.4mg
- 銅………………………0.15mg
- ビタミンE……………0mg
- ビタミンB₁……………0.04mg

100gあたり
- エネルギー…………591kcal
- 塩分……………………0.6g
- 1点重量…………………14g
- 廃棄率……………………0%

ぎんなん

1個 4g 正味重量* 3g 5kcal

*殻・薄皮を除いた重量

1個（3g）あたり
- 塩分……………………0g
- たんぱく質……………0.1g
- 脂質……………………0g
- 炭水化物………………1.0g
- 食物繊維………………0g
- カリウム………………21mg
- カルシウム……………0mg
- マグネシウム…………1mg
- 鉄………………………0mg
- 銅………………………0.01mg
- ビタミンE……………0.1mg
- ビタミンB₁……………0.01mg

100gあたり
- エネルギー…………168kcal
- 塩分……………………0g
- 1点重量…………………50g
- 廃棄率……………………25%

廃棄部位／殻、薄皮

栗

1個 20g 正味重量* 14g 21kcal

*殻（鬼皮）、渋皮を除いた重量（包丁むきの場合）

1個（14g）あたり
- 塩分……………………0g
- たんぱく質……………0.3g
- 脂質……………………0.1g
- 炭水化物………………4.3g
- 食物繊維………………0.6g
- カリウム………………59mg
- カルシウム……………3mg
- マグネシウム…………6mg
- 鉄………………………0.1mg
- 銅………………………0.04mg
- ビタミンE……………0mg
- ビタミンB₁……………0.03mg

100gあたり
- エネルギー…………147kcal
- 塩分……………………0g
- 1点重量…………………55g
- 廃棄率……………………30%

廃棄部位／殻（鬼皮）、渋皮

栗（甘栗）

1個 6g 正味重量* 5g 10kcal

*殻（鬼皮）、渋皮を除いた重量

1個（5g）あたり
- 塩分……………………0g
- たんぱく質……………0.2g
- 脂質……………………0g
- 炭水化物………………2.0g
- 食物繊維………………0.4g
- カリウム………………28mg
- カルシウム……………2mg
- マグネシウム…………4mg
- 鉄………………………0.1mg
- 銅………………………0.03mg
- ビタミンE……………0mg
- ビタミンB₁……………0.01mg

100gあたり
- エネルギー…………207kcal
- 塩分……………………0g
- 1点重量…………………40g
- 廃棄率……………………20%

廃棄部位／殻（鬼皮）、渋皮

くるみ

1粒 6g 43kcal

1粒（6g）あたり
- 塩分……………………0g
- たんぱく質……………0.8g
- 脂質……………………4.2g
- 炭水化物………………0.2g
- 食物繊維………………0.5g
- カリウム………………32mg
- カルシウム……………5mg
- マグネシウム…………9mg
- 鉄………………………0.2mg
- 銅………………………0.07mg
- ビタミンE……………0.1mg
- ビタミンB₁……………0.02mg

100gあたり
- エネルギー…………713kcal
- 塩分……………………0g
- 1点重量…………………11g
- 廃棄率……………………0%

殻つきの廃棄率…55%

4群 種実（アーモンド・カシューナッツ・ぎんなん・栗・甘栗・くるみ）

ごま（いりごま）

大さじ1　6g　36kcal

- 小さじ1　2g／12kcal　塩分 0g
- 100gあたり　エネルギー…605kcal　塩分…0g
- 1点重量…13g
- 廃棄率…0%

大さじ1 (6g) あたり
- 塩分……………0g
- たんぱく質……1.2g
- 脂質……………3.1g
- 炭水化物………0.6g
- 食物繊維………0.8g
- カリウム………25mg
- カルシウム……72mg
- マグネシウム…22mg
- 鉄………………0.6mg
- 銅………………0.10mg
- ビタミンE……0mg
- ビタミンB₁…0.03mg

ごま（すりごま）

大さじ1　6g　36kcal

- 小さじ1　2g／12kcal　塩分 0g
- 100gあたり　エネルギー…605kcal　塩分…0g
- 1点重量…13g
- 廃棄率…0%

大さじ1 (6g) あたり
- 塩分……………0g
- たんぱく質……1.2g
- 脂質……………3.1g
- 炭水化物………0.6g
- 食物繊維………0.8g
- カリウム………25mg
- カルシウム……72mg
- マグネシウム…22mg
- 鉄………………0.6mg
- 銅………………0.10mg
- ビタミンE……0mg
- ビタミンB₁…0.03mg

ごま（練りごま）

大さじ1　18g　116kcal

- 小さじ1　6g／39kcal　塩分 0g
- 100gあたり　エネルギー…646kcal　塩分…0g
- 1点重量…12g
- 廃棄率…0%

大さじ1 (18g) あたり
- 塩分……………0g
- たんぱく質……3.3g
- 脂質……………10.3g
- 炭水化物………1.6g
- 食物繊維………2.0g
- カリウム………86mg
- カルシウム……106mg
- マグネシウム…61mg
- 鉄………………1.0mg
- 銅………………0.27mg
- ビタミンE……0mg
- ビタミンB₁…0.06mg

松の実

大さじ1　9g　65kcal

- 小さじ1　3g／22kcal　塩分 0g
- 100gあたり　エネルギー…724kcal　塩分…0g
- 1点重量…12g
- 廃棄率…0%

大さじ1 (9g) あたり
- 塩分……………0g
- たんぱく質……1.2g
- 脂質……………6.4g
- 炭水化物………0.5g
- 食物繊維………0.6g
- カリウム………56mg
- カルシウム……1mg
- マグネシウム…23mg
- 鉄………………0.6mg
- 銅………………0.12mg
- ビタミンE……1.1mg
- ビタミンB₁…0.05mg

ピーナッツ

10粒　10g　61kcal

- 100gあたり　エネルギー…613kcal　塩分…0g
- 1点重量…13g
- 廃棄率…30%
- 殻つきの廃棄率…30%

10粒 (10g) あたり
- 塩分……………0g
- たんぱく質……2.4g
- 脂質……………5.1g
- 炭水化物………1.0g
- 食物繊維………1.1g
- カリウム………76mg
- カルシウム……5mg
- マグネシウム…20mg
- 鉄………………0.2mg
- 銅………………0.07mg
- ビタミンE……1.0mg
- ビタミンB₁…0.02mg

ピーナッツバター

大さじ1　18g　108kcal

- 小さじ1　6g／36kcal　塩分 0.1g
- 100gあたり　エネルギー…599kcal　塩分…0.9g
- 1点重量…13g
- 廃棄率…0%

大さじ1 (18g) あたり
- 塩分……………0.2g
- たんぱく質……3.5g
- 脂質……………8.6g
- 炭水化物………3.3g
- 食物繊維………1.4g
- カリウム………117mg
- カルシウム……8mg
- マグネシウム…32mg
- 鉄………………0.3mg
- 銅………………0.12mg
- ビタミンE……0.9mg
- ビタミンB₁…0.02mg

4群　種実（ごま〔いりごま・すりごま・練りごま〕・松の実・ピーナッツ・ピーナッツバター）

4群 豆加工品（こしあん・さらしあん・つぶあん・ゆで小豆）

こしあん (加糖)

1カップ **240**g **612**kcal

- ●大さじ1　18g　46kcal／塩分 0g

1カップ (240g)あたり
- 塩分 ………………… 0g
- たんぱく質 ………… 11.8g
- 脂質 ………………… 0.2g
- 炭水化物 …………… 136.3g
- 食物繊維 …………… 9.4g
- カリウム …………… 84mg
- カルシウム ………… 101mg
- マグネシウム ……… 41mg
- 鉄 …………………… 3.8mg
- 亜鉛 ………………… 1.4mg
- ビタミンK ………… 10μg
- ビタミンB₁ ………… 0.02mg
- ビタミンB₂ ………… 0.07mg
- 葉酸 ………………… 2μg

100gあたり
- エネルギー … 255kcal
- 塩分 …………… 0g
- 1点重量 …… 30g

さらしあん (乾燥あん・無糖)

1カップ **170**g **570**kcal

- ●大さじ1　13g　44kcal／塩分 0g

1カップ (170g)あたり
- 塩分 ………………… 0g
- たんぱく質 ………… 34.3g
- 脂質 ………………… 0.7g
- 炭水化物 …………… 81.1g
- 食物繊維 …………… 45.6g
- カリウム …………… 289mg
- カルシウム ………… 99mg
- マグネシウム ……… 141mg
- 鉄 …………………… 12.2mg
- 亜鉛 ………………… 3.9mg
- ビタミンK ………… 9μg
- ビタミンB₁ ………… 0.02mg
- ビタミンB₂ ………… 0.05mg
- 葉酸 ………………… 3μg

100gあたり
- エネルギー … 335kcal
- 塩分 …………… 0g
- 1点重量 …… 24g

つぶあん (加糖)

1カップ **240**g **574**kcal

- ●大さじ1　18g　43kcal／塩分 0g

1カップ (240g)あたり
- 塩分 ………………… 0.2g
- たんぱく質 ………… 11.8g
- 脂質 ………………… 0.7g
- 炭水化物 …………… 123.8g
- 食物繊維 …………… 13.7g
- カリウム …………… 384mg
- カルシウム ………… 46mg
- マグネシウム ……… 55mg
- 鉄 …………………… 3.6mg
- 亜鉛 ………………… 1.7mg
- ビタミンK ………… 14μg
- ビタミンB₁ ………… 0.05mg
- ビタミンB₂ ………… 0.07mg
- 葉酸 ………………… 19μg

100gあたり
- エネルギー … 239kcal
- 塩分 …………… 0.1g
- 1点重量 …… 35g

缶詰め ゆで小豆 (加糖)

1カップ **230**g **465**kcal

- ●大さじ1　16g　32kcal／塩分 0g

1カップ (230g)あたり
- 塩分 ………………… 0.5g
- たんぱく質 ………… 8.3g
- 脂質 ………………… 0.5g
- 炭水化物 …………… 103.3g
- 食物繊維 …………… 7.8g
- カリウム …………… 368mg
- カルシウム ………… 30mg
- マグネシウム ……… 83mg
- 鉄 …………………… 3.0mg
- 亜鉛 ………………… 0.9mg
- ビタミンK ………… 9μg
- ビタミンB₁ ………… 0.05mg
- ビタミンB₂ ………… 0.09mg
- 葉酸 ………………… 30μg

100gあたり
- エネルギー … 202kcal
- 塩分 …………… 0.2g
- 1点重量 …… 40g

4群 くだもの缶詰めほか（あんず・さくらんぼ・梨・西洋梨・みかん・桃［黄桃・白桃］・パイナップル・ナタデココ）

缶詰め あんず
1個 15g 12kcal

100gあたり
- エネルギー……79kcal
- 塩分…………0g
- 1点重量……100g
- 廃棄率………0%

1個(15g)あたり
- 塩分………………0g
- たんぱく質…0.1g
- 脂質…………………0g
- 炭水化物……2.7g
- 食物繊維……0.1g
- カリウム………29mg
- 葉酸……………0μg
- ビタミンC…微量

缶詰め さくらんぼ
1個 7g 正味*6g 4kcal

*核（種）及び果柄を除いた重量

100gあたり
- エネルギー……70kcal
- 塩分…………0g
- 1点重量……110g
- 廃棄率………15%
- 廃棄部位／核（種）及び果柄

1個(6g)あたり
- 塩分………………0g
- たんぱく質……0g
- 脂質…………………0g
- 炭水化物……0.9g
- 食物繊維……0.1g
- カリウム…………6mg
- 葉酸……………1μg
- ビタミンC……0mg

缶詰め 梨（西洋梨）
1切れ（½個） 70g 55kcal

100gあたり
- エネルギー……79kcal
- 塩分…………0g
- 1点重量……100g
- 廃棄率………0%

1切れ(70g)あたり
- 塩分………………0g
- たんぱく質…0.1g
- 脂質……………0.1g
- 炭水化物……12.0g
- 食物繊維……0.7g
- カリウム………39mg
- 葉酸……………3μg
- ビタミンC…微量

缶詰め パイナップル
1缶 425g 323kcal *

*実と缶汁を合わせた栄養価
パイナップル 270g

● 1枚 35g／27kcal／塩分 0g

100gあたり
- エネルギー……76kcal
- 塩分…………0g
- 1点重量……110g
- 廃棄率………0%

1缶(425g)あたり*
- 塩分………………0g
- たんぱく質…1.3g
- 脂質……………0.4g
- 炭水化物……82.5g
- 食物繊維……2.1g
- カリウム………510mg
- 葉酸……………30μg
- ビタミンC……30mg

缶詰め みかん
5粒 25g 16kcal

● 液汁 100g／63kcal／塩分 0g

100gあたり
- エネルギー……63kcal
- 塩分…………0g
- 1点重量……130g
- 廃棄率………0%

5粒(25g)あたり
- 塩分………………0g
- たんぱく質…0.1g
- 脂質…………微量
- 炭水化物……3.7g
- 食物繊維……0.1g
- カリウム………19mg
- 葉酸……………3μg
- ビタミンC……4mg

缶詰め 桃（黄桃）
1切れ（½個） 50g 42kcal

● 液汁 100g／81kcal／塩分 0g

100gあたり
- エネルギー……83kcal
- 塩分…………0g
- 1点重量………95g
- 廃棄率………0%

1切れ(50g)あたり
- 塩分………………0g
- たんぱく質…0.2g
- 脂質……………0.1g
- 炭水化物……9.7g
- 食物繊維……0.7g
- カリウム………40mg
- 葉酸……………2μg
- ビタミンC……1mg

缶詰め 桃（白桃）
1切れ（½個） 50g 41kcal

● 液汁 100g／81kcal／塩分 0g

100gあたり
- エネルギー……82kcal
- 塩分…………0g
- 1点重量……100g
- 廃棄率………0%

1切れ(50g)あたり
- 塩分………………0g
- たんぱく質…0.2g
- 脂質……………0.1g
- 炭水化物……9.7g
- 食物繊維……0.7g
- カリウム………40mg
- 葉酸……………2μg
- ビタミンC……1mg

ナタデココ
10個 40g 32kcal

100gあたり
- エネルギー……80kcal
- 塩分…………0g
- 1点重量……100g
- 廃棄率………0%

10個(40g)あたり
- 塩分………………0g
- たんぱく質……0g
- 脂質…………微量
- 炭水化物……7.9g
- 食物繊維……0.2g
- カリウム…………0mg
- 葉酸……………0μg
- ビタミンC……0mg

4群 調味料（塩［精製塩・並塩・天然塩］）

塩　精製塩

大さじ1　18g　0kcal

大さじ1 〈18g〉あたり
- 塩分 …………17.9g
- たんぱく質………0g
- 脂質 ……………0g
- 炭水化物 ………0g
- ナトリウム …7020mg
- カリウム ………0mg

小さじ1　6g　0kcal

小さじ1 〈6g〉あたり
- 塩分 ……………6.0g
- たんぱく質………0g
- 脂質 ……………0g
- 炭水化物 ………0g
- ナトリウム …2340mg
- カリウム ………0mg

ミニスプーン　1.2g　0kcal

ミニスプーン〈1.2g〉あたり
- 塩分 ……………1.2g
- たんぱく質………0g
- 脂質 ……………0g
- 炭水化物 ………0g
- ナトリウム ……468mg
- カリウム ………0mg

100gあたり
- エネルギー ……0kcal
- 塩分 …………99.6g

● 1カップ　240g／0kcal／塩分 239.0g

1点重量 ………… −

塩　並塩・天然塩

大さじ1　15g　0kcal

大さじ1 〈15g〉あたり
- 塩分 …………14.6g
- たんぱく質………0g
- 脂質 ……………0g
- 炭水化物 ………0g
- ナトリウム …5700mg
- カリウム ………24mg

小さじ1　5g　0kcal

小さじ1 〈5g〉あたり
- 塩分 ……………4.9g
- たんぱく質………0g
- 脂質 ……………0g
- 炭水化物 ………0g
- ナトリウム …1900mg
- カリウム ………8mg

ミニスプーン　1g　0kcal

ミニスプーン〈1g〉あたり
- 塩分 ……………1.0g
- たんぱく質………0g
- 脂質 ……………0g
- 炭水化物 ………0g
- ナトリウム ……380mg
- カリウム ………2mg

100gあたり
- エネルギー ……0kcal
- 塩分 …………97.3g

● 1カップ　180g／0kcal／塩分 175.1g

1点重量 ………… −

しょうゆ 濃い口しょうゆ

大さじ1　18g　14kcal

大さじ1(18g)あたり
- 塩分 ……………… 2.6g
- たんぱく質 ……… 1.1g
- 脂質 ……………… 0g
- 炭水化物 ………… 1.5g
- ナトリウム …… 1026mg
- カリウム ………… 70mg

小さじ1　6g　5kcal

小さじ1(6g)あたり
- 塩分 ……………… 0.9g
- たんぱく質 ……… 0.4g
- 脂質 ……………… 0g
- 炭水化物 ………… 0.5g
- ナトリウム …… 342mg
- カリウム ………… 23mg

- ●ミニスプーン　1.2g／1kcal／塩分 0.2g
- ●1カップ　230g／175kcal／塩分 33.4g

100gあたり
- エネルギー …… 76kcal
- 塩分 …………… 14.5g
- 1点重量 … 100g

大豆や小麦が原料で、発酵・熟成過程で、独特の芳香とうま味が生まれる。

しょうゆ うす口しょうゆ

大さじ1　18g　11kcal

大さじ1(18g)あたり
- 塩分 ……………… 2.9g
- たんぱく質 ……… 0.9g
- 脂質 ……………… 0g
- 炭水化物 ………… 1.1g
- ナトリウム …… 1134mg
- カリウム ………… 58mg

小さじ1　6g　4kcal

小さじ1(6g)あたり
- 塩分 ……………… 1.0g
- たんぱく質 ……… 0.3g
- 脂質 ……………… 0g
- 炭水化物 ………… 0.4g
- ナトリウム …… 378mg
- カリウム ………… 19mg

- ●ミニスプーン　1.2g／1kcal／塩分 0.2g
- ●1カップ　230g／138kcal／塩分 36.8g

100gあたり
- エネルギー …… 60kcal
- 塩分 …………… 16.0g
- 1点重量 … 130g

濃い口しょうゆより色は薄いが、塩分が高い。

しょうゆ 減塩しょうゆ

大さじ1　18g　12kcal

大さじ1(18g)あたり
- 塩分 ……………… 1.5g
- たんぱく質 ……… 1.2g
- 脂質 ……………… 0g
- 炭水化物 ………… 1.8g
- ナトリウム …… 594mg
- カリウム ………… 47mg

小さじ1　6g　4kcal

小さじ1(6g)あたり
- 塩分 ……………… 0.5g
- たんぱく質 ……… 0.4g
- 脂質 ……………… 0g
- 炭水化物 ………… 0.6g
- ナトリウム …… 198mg
- カリウム ………… 16mg

- ●ミニスプーン　1.2g／1kcal／塩分 0.1g

100gあたり
- エネルギー …… 68kcal
- 塩分 …………… 8.3g
- 1点重量 … 120g

通常のしょうゆから食塩だけをとり除いたもの。食塩量が7.1～8.3g/100g、カリウム量が149～417mg／100gの範囲にあったもの。

4群　調味料（しょうゆ［濃い口・うす口・減塩］）

4群 調味料（みそ［淡色辛みそ・赤色辛みそ・麦みそ］）

みそ 淡色辛みそ

大さじ1　18g　33kcal

大さじ1（18g）あたり
- 塩分 ……… 2.2g
- たんぱく質 ……… 2.0g
- 脂質 ……… 1.1g
- 炭水化物 ……… 3.3g
- ナトリウム ……… 882mg
- カリウム ……… 68mg

小さじ1　6g　11kcal

小さじ1（6g）あたり
- 塩分 ……… 0.7g
- たんぱく質 ……… 0.7g
- 脂質 ……… 0.4g
- 炭水化物 ……… 1.1g
- ナトリウム ……… 294mg
- カリウム ……… 23mg

● 1カップ　230g／419cal／塩分 28.5g

100gあたり
- エネルギー … 182kcal
- 塩分 ……… 12.4g
- 1点重量 ……… 45g

米麹で作る辛口みその一種で、色が薄いもの。信州みそなど。

みそ 赤色辛みそ

大さじ1　18g　32kcal

大さじ1（18g）あたり
- 塩分 ……… 2.3g
- たんぱく質 ……… 2.0g
- 脂質 ……… 1.0g
- 炭水化物 ……… 3.4g
- ナトリウム ……… 918mg
- カリウム ……… 79mg

小さじ1　6g　11kcal

小さじ1（6g）あたり
- 塩分 ……… 0.8g
- たんぱく質 ……… 0.7g
- 脂質 ……… 0.3g
- 炭水化物 ……… 1.1g
- ナトリウム ……… 306mg
- カリウム ……… 26mg

● 1カップ　230g／409kcal／塩分 29.9g

100gあたり
- エネルギー … 178kcal
- 塩分 ……… 13.0g
- 1点重量 ……… 45g

米麹で作る辛口みその一種で、色が濃いもの。仙台みそ、越後みそ、津軽みそ、秋田みそなど。

みそ 麦みそ

大さじ1　18g　33kcal

大さじ1（18g）あたり
- 塩分 ……… 1.9g
- たんぱく質 ……… 1.5g
- 脂質 ……… 0.8g
- 炭水化物 ……… 4.6g
- ナトリウム ……… 756mg
- カリウム ……… 61mg

小さじ1　6g　11kcal

小さじ1（6g）あたり
- 塩分 ……… 0.6g
- たんぱく質 ……… 0.5g
- 脂質 ……… 0.3g
- 炭水化物 ……… 1.5g
- ナトリウム ……… 252mg
- カリウム ……… 20mg

● 1カップ　230g／423kcal／塩分 24.6g

100gあたり
- エネルギー … 184kcal
- 塩分 ……… 10.7g
- 1点重量 ……… 45g

麦麹で作るみその一種。主に九州、中国、四国地方で作られる。

4群 調味料（みそ［白みそ・赤みそ・減塩みそ］）

みそ　白みそ

大さじ1　18g　37kcal

大さじ1（18g）あたり
- 塩分　　　　1.1g
- たんぱく質　1.6g
- 脂質　　　　0.5g
- 炭水化物　　6.0g
- ナトリウム　432mg
- カリウム　　61mg

小さじ1　6g　12kcal

小さじ1（6g）あたり
- 塩分　　　　0.4g
- たんぱく質　0.5g
- 脂質　　　　0.2g
- 炭水化物　　2.0g
- ナトリウム　144mg
- カリウム　　20mg

● 1カップ　240g／494cal／塩分14.6g

100gあたり
- エネルギー…206kcal
- 塩分…………6.1g

1点重量……40g

米麹で作る甘みその一種で、塩分が低く、甘味が強い。西京白みそや讃岐白みそなど。

みそ　赤みそ・豆みそ

大さじ1　18g　37kcal

大さじ1（18g）あたり
- 塩分　　　　2.0g
- たんぱく質　2.7g
- 脂質　　　　1.8g
- 炭水化物　　1.9g
- ナトリウム　774mg
- カリウム　　167mg

小さじ1　6g　12kcal

小さじ1（6g）あたり
- 塩分　　　　0.7g
- たんぱく質　0.9g
- 脂質　　　　0.6g
- 炭水化物　　0.6g
- ナトリウム　258mg
- カリウム　　56mg

● 1カップ　240g／497kcal／塩分26.2g

100gあたり
- エネルギー…207kcal
- 塩分…………10.9g

1点重量……40g

豆麹で作る辛口みその一種。主に中京地方で作られる。八丁みそやたまりみそなど。

みそ　減塩みそ

大さじ1　18g　34kcal

大さじ1（18g）あたり
- 塩分　　　　1.9g
- たんぱく質　1.6g
- 脂質　　　　1.0g
- 炭水化物　　4.2g
- ナトリウム　756mg
- カリウム　　86mg

小さじ1　6g　11kcal

小さじ1（6g）あたり
- 塩分　　　　0.6g
- たんぱく質　0.5g
- 脂質　　　　0.3g
- 炭水化物　　1.4g
- ナトリウム　252mg
- カリウム　　29mg

100gあたり
- エネルギー…190kcal
- 塩分…………10.7g

1点重量……40g

市販の減塩みそで、食塩量が9.4〜9.9g／100gの範囲にあったもの。

4群 調味料（ウスターソース・中濃ソース・濃厚ソース・お好み焼きソース・トマトケチャップ・トマトピューレ）

ウスターソース
大さじ1　18g　21kcal

- 小さじ1　6g／7kcal／塩分 0.5g
- 1カップ　240g／281kcal／塩分 20.4g

大さじ1（18g）あたり
- 塩分 ……… 1.5g
- たんぱく質 … 0.1g
- 脂質 ……… 微量
- 炭水化物 …… 4.9g
- ナトリウム … 594mg
- カリウム …… 34mg

100gあたり
- エネルギー 117kcal
- 塩分 8.5g

1点重量 …… 65g

中濃ソース
大さじ1　21g　27kcal

- 小さじ1　7g／9kcal／塩分 0.4g

大さじ1（21g）あたり
- 塩分 ……… 1.2g
- たんぱく質 … 0.1g
- 脂質 ……… 微量
- 炭水化物 …… 6.3g
- ナトリウム … 483mg
- カリウム …… 44mg

100gあたり
- エネルギー 129kcal
- 塩分 5.8g

1点重量 …… 60g

濃厚ソース（豚カツソース）
大さじ1　18g　23kcal

- 小さじ1　6g／8kcal／塩分 0.3g
- 1カップ　250g／325kcal／塩分 14.0g

大さじ1（18g）あたり
- 塩分 ……… 1.0g
- たんぱく質 … 0.2g
- 脂質 ……… 微量
- 炭水化物 …… 5.4g
- ナトリウム … 396mg
- カリウム …… 38mg

100gあたり
- エネルギー 130kcal
- 塩分 5.6g

1点重量 …… 60g

お好み焼きソース
大さじ1　21g　30kcal

- 小さじ1　7g／10kcal／塩分 0.3g

大さじ1（21g）あたり
- 塩分 ……… 1.0g
- たんぱく質 … 0.3g
- 脂質 ……… 微量
- 炭水化物 …… 7.0g
- ナトリウム … 399mg
- カリウム …… 50mg

100gあたり
- エネルギー 144kcal
- 塩分 4.9g

1点重量 …… 55g

トマトケチャップ
大さじ1　18g　19kcal

- 小さじ1　6g／6kcal／塩分 0.2g
- 1カップ　240g／250kcal／塩分 7.4g

大さじ1（18g）あたり
- 塩分 ……… 0.6g
- たんぱく質 … 0.2g
- 脂質 ……… 0g
- 炭水化物 …… 4.3g
- ナトリウム … 216mg
- カリウム …… 68mg

100gあたり
- エネルギー 104kcal
- 塩分 3.1g

1点重量 …… 75g

トマトピューレ
大さじ1　18g　8kcal

- 1カップ　230g／101kcal／塩分 0g

大さじ1（18g）あたり
- 塩分 ……… 0g
- たんぱく質 … 0.3g
- 脂質 ……… 0g
- 炭水化物 …… 1.6g
- ナトリウム … 3mg
- カリウム …… 88mg

100gあたり
- エネルギー 44kcal
- 塩分 0g

1点重量 …… 180g

コチュジャン

大さじ1　21g　53kcal

● 小さじ1　7g／
18kcal／塩分 0.5g

韓国の代表的な発酵調味料で、とうがらしみそのこと。

大さじ1 (21g)あたり
- 塩分 ………… 1.5g
- たんぱく質 … 1.2g
- 脂質 ………… 0.4g
- 炭水化物 …… 10.9g
- ナトリウム … 591mg
- カリウム …… 未測定

100gあたり
- エネルギー … 250kcal
- 塩分 ………… 7.1g

1点重量 … 32g

豆板醬 (とうばんじゃん)

大さじ1　21g　10kcal

● 小さじ1　7g／
3kcal／塩分 1.2g

中国の代表的な発酵調味料で、そら豆ととうがらしが原料のとうがらしみそ。

大さじ1 (21g)あたり
- 塩分 ………… 3.7g
- たんぱく質 … 0.4g
- 脂質 ………… 0.4g
- 炭水化物 …… 0.9g
- ナトリウム … 1470mg
- カリウム …… 42mg

100gあたり
- エネルギー … 49kcal
- 塩分 ………… 17.8g

1点重量 … 160g

甜麺醬 (てんめんじゃん)

大さじ1　21g　52kcal

● 小さじ1　7g／
17kcal／塩分 0.5g

中国の発酵調味料で、小麦粉が原料の甘いみそ。

大さじ1 (21g)あたり
- 塩分 ………… 1.5g
- たんぱく質 … 1.8g
- 脂質 ………… 1.6g
- 炭水化物 …… 7.4g
- ナトリウム … 609mg
- カリウム …… 74mg

100gあたり
- エネルギー … 249kcal
- 塩分 ………… 7.3g

1点重量 … 30g

ナムプラー

大さじ1　18g　8kcal

● 小さじ1　6g／
3kcal／塩分 1.4g

小魚と塩を発酵させて作るタイの魚しょうゆ。日本のしょっつるやベトナムのニョクマムなどと同類。

大さじ1 (18g)あたり
- 塩分 ………… 4.1g
- たんぱく質 … 1.1g
- 脂質 ………… 0g
- 炭水化物 …… 1.0g
- ナトリウム … 1620mg
- カリウム …… 41mg

100gあたり
- エネルギー … 47kcal
- 塩分 ………… 22.9g

1点重量 … 170g

オイスターソース(かき油)

大さじ1　18g　19kcal

● 小さじ1　6g／
6kcal／塩分 0.7g

カキを主原料とした中国の調味料。うまみとこくがある。

大さじ1 (18g)あたり
- 塩分 ………… 2.1g
- たんぱく質 … 1.1g
- 脂質 ………… 0g
- 炭水化物 …… 3.6g
- ナトリウム … 810mg
- カリウム …… 47mg

100gあたり
- エネルギー … 105kcal
- 塩分 ………… 11.4g

1点重量 … 75g

料理酒

大さじ1　15g　13kcal

● 小さじ1　5g／
4kcal／塩分 0.1g

大さじ1 (15g)あたり
- 塩分 ………… 0.3g
- たんぱく質 … 0g
- 脂質 ………… 微量
- 炭水化物 …… 0.5g
- ナトリウム … 131mg
- カリウム …… 1mg

100gあたり
- エネルギー … 88kcal
- 塩分 ………… 2.2g

1点重量 … 90g

4群　調味料（コチュジャン・豆板醬・甜麺醬・ナムプラー・オイスターソース・料理酒）

4群 調味料（めんつゆ［ストレート・3倍希釈用］・ノンオイル和風ドレッシング・ポン酢しょうゆ・ごまだれ・焼き肉のたれ）

めんつゆ（ストレート）

大さじ1　18g　8kcal

- 小さじ1　6g／3kcal／塩分0.2g
- 1カップ　230g／101kcal／塩分7.6g

大さじ1（18g）あたり
- 塩分　　　　0.6g
- たんぱく質　0.4g
- 脂質　　　　0g
- 炭水化物　　1.6g
- ナトリウム　234mg
- カリウム　　18mg

100gあたり
- エネルギー　44kcal
- 塩分　　　　3.3g

1点重量　180g

めんつゆ（3倍希釈用タイプ）

大さじ1　21g　21kcal

- 小さじ1　7g／7kcal／塩分0.7g
- 1カップ　240g／235kcal／塩分23.8g

大さじ1（21g）あたり
- 塩分　　　　2.1g
- たんぱく質　0.9g
- 脂質　　　　0g
- 炭水化物　　4.3g
- ナトリウム　819mg
- カリウム　　46mg

100gあたり
- エネルギー　98kcal
- 塩分　　　　9.9g

1点重量　80g

ノンオイル和風ドレッシング

大さじ1　15g　12kcal

- 小さじ1　5g／4kcal／塩分0.4g

大さじ1（15g）あたり
- 塩分　　　　1.1g
- たんぱく質　0.5g
- 脂質　　　　0g
- 炭水化物　　2.6g
- ナトリウム　435mg
- カリウム　　20mg

100gあたり
- エネルギー　83kcal
- 塩分　　　　7.4g

1点重量　95g

ポン酢しょうゆ

大さじ1　18g　11kcal

- 小さじ1　6g／4kcal／塩分0.5g

大さじ1（18g）あたり
- 塩分　　　　1.4g
- たんぱく質　0.6g
- 脂質　　　　0g
- 炭水化物　　1.8g
- ナトリウム　558mg
- カリウム　　32mg

100gあたり
- エネルギー　59kcal
- 塩分　　　　7.8g

1点重量　130g

ごまだれ

大さじ1　18g　51kcal

- 小さじ1　6g／17kcal／塩分0.3g

大さじ1（18g）あたり
- 塩分　　　　0.8g
- たんぱく質　1.2g
- 脂質　　　　2.6g
- 炭水化物　　4.9g
- ナトリウム　306mg
- カリウム　　38mg

100gあたり
- エネルギー　282kcal
- 塩分　　　　4.3g

1点重量　28g

焼き肉のたれ

大さじ1　18g　30kcal

- 小さじ1　6g／10kcal／塩分0.5g

大さじ1（18g）あたり
- 塩分　　　　1.5g
- たんぱく質　0.6g
- 脂質　　　　0.4g
- 炭水化物　　5.8g
- ナトリウム　594mg
- カリウム　　41mg

100gあたり
- エネルギー　164kcal
- 塩分　　　　8.3g

1点重量　50g

酢

小さじ1　5g　1kcal

- 大さじ1　15g／4kcal／塩分 0g
- 1カップ　200g／50kcal／塩分 0g

小さじ1(5g)あたり
- 塩分…………0g
- たんぱく質……0g
- 脂質…………0g
- 炭水化物……0.1g
- ナトリウム……0mg
- カリウム………0mg

100gあたり
- エネルギー…25kcal
- 塩分…………0g
- 1点重量……320g

黒酢

小さじ1　5g　3kcal

- 大さじ1　15g／8kcal／塩分 0g
- 1カップ　220g／119kcal／塩分 0g

小さじ1(5g)あたり
- 塩分…………0g
- たんぱく質……0.1g
- 脂質…………0g
- 炭水化物……0.5g
- ナトリウム……1mg
- カリウム………2mg

100gあたり
- エネルギー…54kcal
- 塩分…………0g
- 1点重量……148g

バルサミコ酢

小さじ1　6g　6kcal

- 大さじ1　18g／18kcal／塩分 0g
- 1カップ　240g／238kcal／塩分 0.2g

小さじ1(6g)あたり
- 塩分…………0g
- たんぱく質……0g
- 脂質…………0g
- 炭水化物……1.2g
- ナトリウム……2mg
- カリウム………8mg

100gあたり
- エネルギー…99kcal
- 塩分…………0.1g
- 1点重量……81g

すし酢

小さじ1　6g　9kcal

- 大さじ1　18g／27kcal／塩分 1.2g
- 1カップ　240g／360kcal／塩分 15.6g

小さじ1(6g)あたり
- 塩分…………0.4g
- たんぱく質……0g
- 脂質…………0g
- 炭水化物……2.1g
- ナトリウム……150mg
- カリウム………1mg

100gあたり
- エネルギー…150kcal
- 塩分…………6.5g
- 1点重量……53g

カレー粉

小さじ1　2g　7kcal

- 大さじ1　6g／20kcal／塩分 0g

小さじ1(2g)あたり
- 塩分…………0g
- たんぱく質……0.2g
- 脂質…………0.2g
- 炭水化物……0.6g
- ナトリウム……1mg
- カリウム………34mg

100gあたり
- エネルギー…338kcal
- 塩分…………0.1g
- 1点重量……24g

粒入りマスタード

小さじ1　5g　11kcal

- 大さじ1　15g／34kcal／塩分 0.6g

シロカラシの種子をあらびきしたものと調味料とで作られる。

小さじ1(5g)あたり
- 塩分…………0.2g
- たんぱく質……0.3g
- 脂質…………0.8g
- 炭水化物……0.7g
- ナトリウム……80mg
- カリウム………10mg

100gあたり
- エネルギー…229kcal
- 塩分…………4.1g
- 1点重量……35g

4群　調味料（酢・黒酢・バルサミコ酢・すし酢・カレー粉・粒入りマスタード）

4群 調味料

（カツオだし・こんぶだし・カツオこんぶだし・しいたけだし・煮干しだし・鶏がらだし・中華だし・洋風だし）

カツオだし
1カップ 200g 4kcal

1カップ(200g)あたり
- 塩分 ……… 0.2g
- たんぱく質 … 0.4g
- 脂質 ……… 0g
- 炭水化物 … 0.4g
- ナトリウム … 42mg
- カリウム … 58mg

100gあたり
- エネルギー … 2kcal
- 塩分 ……… 0.1g
- 1点重量 … 4000g

こんぶだし
1カップ 200g 10kcal

1カップ(200g)あたり
- 塩分 ……… 0.4g
- たんぱく質 … 0.4g
- 脂質 ……… 0g
- 炭水化物 … 2.2g
- ナトリウム … 146mg
- カリウム … 320mg

100gあたり
- エネルギー … 5kcal
- 塩分 ……… 0.2g
- 1点重量 … 1600g

カツオこんぶだし
1カップ 200g 4kcal

1カップ(200g)あたり
- 塩分 ……… 0.2g
- たんぱく質 … 0.4g
- 脂質 ……… 0g
- 炭水化物 … 0.8g
- ナトリウム … 68mg
- カリウム … 126mg

100gあたり
- エネルギー … 2kcal
- 塩分 ……… 0.1g
- 1点重量 … 4000g

しいたけだし
1カップ 200g 8kcal

1カップ(200g)あたり
- 塩分 ……… 0g
- たんぱく質 … 0.2g
- 脂質 ……… 0g
- 炭水化物 … 1.8g
- ナトリウム … 6mg
- カリウム … 58mg

100gあたり
- エネルギー … 4kcal
- 塩分 ……… 0g
- 1点重量 … 2000g

煮干しだし
1カップ 200g 2kcal

1カップ(200g)あたり
- 塩分 ……… 0.2g
- たんぱく質 … 0.2g
- 脂質 ……… 0.2g
- 炭水化物 … 0g
- ナトリウム … 76mg
- カリウム … 50mg

100gあたり
- エネルギー … 1kcal
- 塩分 ……… 0.1g
- 1点重量 … 8000g

鶏がらだし
1カップ 200g 14kcal

1カップ(200g)あたり
- 塩分 ……… 0.2g
- たんぱく質 … 1.0g
- 脂質 ……… 0.8g
- 炭水化物 … 0.6g
- ナトリウム … 80mg
- カリウム … 120mg

100gあたり
- エネルギー … 7kcal
- 塩分 ……… 0.1g
- 1点重量 … 1100g

中華だし
1カップ 200g 6kcal

1カップ(200g)あたり
- 塩分 ……… 0.2g
- たんぱく質 … 1.4g
- 脂質 ……… 0g
- 炭水化物 … 0.2g
- ナトリウム … 40mg
- カリウム … 180mg

100gあたり
- エネルギー … 3kcal
- 塩分 ……… 0.1g
- 1点重量 … 2700g

洋風だし
1カップ 200g 12kcal

1カップ(200g)あたり
- 塩分 ……… 1.0g
- たんぱく質 … 1.2g
- 脂質 ……… 0g
- 炭水化物 … 2.0g
- ナトリウム … 360mg
- カリウム … 220mg

100gあたり
- エネルギー … 6kcal
- 塩分 ……… 0.5g
- 1点重量 … 1300g

和風だしのもと (顆粒)

小さじ1　3g　7kcal

小さじ1 (3g)あたり
- 塩分 ………… 1.2g
- たんぱく質 …0.8g
- 脂質 …………… 0g
- 炭水化物 …… 0.9g
- ナトリウム ..480mg
- カリウム …… 5mg

100gあたり
- エネルギー223kcal
- 塩分 ………… 40.6g

1点重量 …… 35g

スープのもと (固形)

(大) 1個　5.3g　12kcal
(小) 1個　4g　8kcal

大1個(5.3g)あたり
- 塩分 ………… 2.5g
- たんぱく質 …0.4g
- 脂質 ………… 0.2g
- 炭水化物 …… 2.2g
- ナトリウム ..984mg
- カリウム …未測定

小1個(4g)あたり
- 塩分 ………… 2.3g
- たんぱく質 …0.3g
- 脂質 ………… 0.2g
- 炭水化物 …… 1.1g
- ナトリウム ..906mg
- カリウム …未測定

100gあたり
- エネルギー226kcal
- 塩分 ………… 47.2g

1点重量 …… 35g

100gあたり
- エネルギー200kcal
- 塩分 ………… 57.5g

1点重量 …… 40g

スープのもと (顆粒)

小さじ1　3g　7kcal

小さじ1 (3g)あたり
- 塩分 ………… 1.3g
- たんぱく質 …0.2g
- 脂質 ………… 0.1g
- 炭水化物 …… 1.2g
- ナトリウム ..510mg
- カリウム …… 6mg

● 大さじ1　9g／21kcal／塩分3.9g

100gあたり
- エネルギー233kcal
- 塩分 ………… 43.2g

1点重量 …… 35g

中華だしのもと (顆粒)

小さじ1　3g　6kcal

小さじ1 (3g)あたり
- 塩分 ………… 1.4g
- たんぱく質 …0.3g
- 脂質 …………… 0g
- 炭水化物 …… 1.2g
- ナトリウム ..570mg
- カリウム …… 27mg

100gあたり
- エネルギー210kcal
- 塩分 ………… 47.5g

1点重量 …… 40g

鶏がらだしのもと (顆粒)

小さじ1　3g　7kcal

小さじ1 (3g)あたり
- 塩分 ………… 1.3g
- たんぱく質 …0.2g
- 脂質 …………… 0g
- 炭水化物 …… 1.4g
- ナトリウム ..504mg
- カリウム …未測定

100gあたり
- エネルギー219kcal
- 塩分 ………… 42.7g

1点重量 …… 36g

からし (練り)

小さじ1　5g　16kcal

小さじ1 (5g)あたり
- 塩分 ………… 0.4g
- たんぱく質 …0.3g
- 脂質 ………… 0.7g
- 炭水化物 …… 2.0g
- ナトリウム ..145mg
- カリウム …… 10mg

100gあたり
- エネルギー314kcal
- 塩分 ………… 7.4g

1点重量 …… 25g

わさび (練り)

小さじ1　5g　13kcal

小さじ1 (5g)あたり
- 塩分 ………… 0.3g
- たんぱく質 …0.1g
- 脂質 ………… 0.5g
- 炭水化物 …… 2.1g
- ナトリウム ..120mg
- カリウム …… 14mg

100gあたり
- エネルギー265kcal
- 塩分 ………… 6.1g

1点重量 …… 30g

4群　調味料 〔和風だしのもと・スープのもと〔固形・顆粒〕・中華だしのもと・鶏がらだしのもと・からし・わさび〕

4群 嗜好飲料（ウイスキー・ウーロンハイ・本格焼酎・酎ハイ・日本酒・梅酒・紹興酒・ビール）

ウイスキー

シングル1杯 (29g) 30mL 68kcal

シングル1杯(29g)あたり
- たんぱく質……0g
- 脂質……0g
- 炭水化物……0g
- アルコール……9.7g
- プリン体……0mg

100gあたり
- エネルギー……234kcal
- 塩分……0g

1点重量……35g

ウーロンハイ

中ジョッキ (393g) 400mL 311kcal

＊焼酎(甲類)153g(160mL)＋ウーロン茶240g(240mL)

中ジョッキ 1杯(393g)あたり
- たんぱく質……0g
- 脂質……0g
- 炭水化物……0.2g
- アルコール……44.4g
- プリン体……0mg

100gあたり
- エネルギー……79kcal
- 塩分……0g

1点重量……101g

梅酒

シングル1杯 (31g) 30mL 48kcal

シングル1杯(31g)あたり
- たんぱく質……0g
- 脂質……微量
- 炭水化物……6.4g
- アルコール……3.2g
- プリン体……未測定

100gあたり
- エネルギー……155kcal
- 塩分……0g

1点重量……50g

紹興酒

シングル1杯 (30g) 30mL 38kcal

シングル1杯(30g)あたり
- たんぱく質……0.5g
- 脂質……微量
- 炭水化物……1.5g
- アルコール……4.2g
- プリン体……未測定

100gあたり
- エネルギー……126kcal
- 塩分……0g

1点重量……65g

本格焼酎 (乙類)

1杯 (194g) 200mL 279kcal

1杯(194g)あたり
- たんぱく質……0g
- 脂質……0g
- 炭水化物……0g
- アルコール……39.8g
- プリン体……0mg

100gあたり
- エネルギー……144kcal
- 塩分……未測定

1点重量……55g

酎ハイ

1缶 (350g) 350mL 179kcal

＊アルコール 7.1%

1缶(350g)あたり
- たんぱく質……0g
- 脂質……微量
- 炭水化物……9.1g
- アルコール……19.6g
- プリン体……0mg

100gあたり
- エネルギー……51kcal
- 塩分……0g

1点重量……160g

酒 (日本酒)

1合 (180g) 180mL 184kcal

- 1カップ(200mL) 200g / 204kcal
- 大さじ1(15mL) 15g / 15kcal
- 小さじ1(5mL) 5g / 5kcal

1合(180g)あたり
- たんぱく質……0.5g
- 脂質……0g
- 炭水化物……6.7g
- アルコール……22.1g
- プリン体……2.2～2.7mg

100gあたり
- エネルギー……102kcal
- 塩分……0g

1点重量……80g

ビール

中ジョッキ (504g) 500mL 197kcal

- 大ジョッキ(800mL) 806g / 314kcal / アルコール 29.8g
- 小ジョッキ(300mL) 302g / 118kcal / アルコール 11.2g
- 缶ビール(350mL) 353g / 138kcal / アルコール 13.1g

中ジョッキ(504g)あたり
- たんぱく質……1.0g
- 脂質……0g
- 炭水化物……15.6g
- アルコール……18.6g
- プリン体……16.5～49.0mg

100gあたり
- エネルギー……39kcal
- 塩分……0g

1点重量……210g

嗜好飲料(黒ビール・発泡酒・赤ワイン・白ワイン・カフェオレ・ココア・ロイヤルミルクティーほか)

黒ビール
中ジョッキ(505g) 500mL 227kcal
- 大ジョッキ(800mL) 808g / 364kcal / アルコール 33.9g
- 小ジョッキ(300mL) 303g / 136kcal / アルコール 12.7g
- 缶ビール(350mL) 354g / 159kcal / アルコール 14.9g

100gあたり
エネルギー…45kcal
塩分…………0g
1点重量…180g

中ジョッキ(505g)あたり
たんぱく質…1.5g
脂質……………0g
炭水化物…17.7g
アルコール…21.2g
プリン体…未測定

発泡酒
1缶(353g) 350mL 155kcal
- 中ジョッキ(500mL) 505g / 222kcal / アルコール 21.2g

100gあたり
エネルギー…44kcal
塩分…………0g
1点重量…180g

1缶(353g)あたり
たんぱく質…0.4g
脂質……………0g
炭水化物…12.7g
アルコール…14.8g
プリン体…3.9〜13.7mg

赤ワイン
グラス1杯(100g) 100mL 68kcal
- ボトル1本(750mL) 747g / 508kcal / アルコール 69.5g

100gあたり
エネルギー…68kcal
塩分…………0g
1点重量…120g

グラス1杯(100g)あたり
たんぱく質…0.2g
脂質…………微量
炭水化物…0.2g
アルコール…9.3g
プリン体…未測定

白ワイン
グラス1杯(100g) 100mL 75kcal
- ボトル1本(750mL) 749g / 562kcal / アルコール 68.2g

100gあたり
エネルギー…75kcal
塩分…………0g
1点重量…110g

グラス1杯(100g)あたり
たんぱく質…0.1g
脂質…………微量
炭水化物…2.2g
アルコール…9.1g
プリン体…1.6mg

カフェオレ
1杯 150g 98kcal
*砂糖なし

100gあたり
エネルギー…66kcal
塩分…………0.1g
1点重量…121g

1杯(150g)あたり
塩分…………0.2g
たんぱく質…4.6g
脂質…………5.2g
炭水化物…8.4g

ココア
1杯 130g 119kcal
*砂糖(7g)入り

100gあたり
エネルギー…91kcal
塩分…………0.1g
1点重量…88g

1杯(130g)あたり
塩分…………0.1g
たんぱく質…4.2g
脂質…………5.2g
炭水化物…13.4g

ロイヤルミルクティー
1杯 160g 50kcal
*砂糖なし

100gあたり
エネルギー…31kcal
塩分…………0.1g
1点重…260g

1杯(160g)あたり
塩分…………0.1g
たんぱく質…2.4g
脂質…………2.8g
炭水化物…3.6g

飲み物1杯分
飲み物	分量	重量	エネルギー
ウーロン茶	(150mL)	150g	0kcal
玄米茶	(100mL)	100g	0kcal
紅茶	(150mL)	150g	2kcal
コーヒー	(150mL)	150g	6kcal
緑茶	(100mL)	100g	2kcal
ほうじ茶	(100mL)	100g	0kcal
麦茶	(150mL)	150g	2kcal
こぶ茶		4g	7kcal
インスタントコーヒー		2g	6kcal
ココア(純ココア)		5g	19kcal
抹茶		2g	5kcal

標準計量カップ・スプーンによる重量表

食品名	小さじ(5mL)	大さじ(15mL)	1カップ(200mL)	その他
第1群				
牛乳（普通牛乳）	5g	15g	210g	
スキムミルク	2g	6g	90g	
加糖練乳	6g	18g	—	
ヨーグルト	5g	15g	210g	
とろけるチーズ	—	8g	100g	
カッテージチーズ・クリームチーズ	5g	15g	—	
マスカルポーネチーズ・リコッタチーズ	—	16g	—	
粉チーズ	2g	6g	90g	
第2群				
シラス干し	2g	6g	—	
ちりめんじゃこ	1.5g	4g	—	
サクラエビ	—	2g	—	
干しエビ	—	6g	—	
削りガツオ	—	—	10g	
でんぶ	2g	6g	—	
イクラ	—	18g	—	
タラコ・明太子	—	15g	—	
あずき・えんどう豆・ひよこ豆・緑豆・レンズ豆（乾）	—	—	170g	
いんげん豆・ささげ（乾）	—	—	160g	
大豆（乾）・黒大豆（乾）	—	—	150g	
べにばないんげん豆（乾）	—	—	135g	
あずき・いんげん豆・えんどう豆（ゆで）	—	—	150g	
ひよこ豆（ゆで）	—	—	140g	
大豆（ゆで）・黒大豆（ゆで）	—	—	135g	
ささげ・べにばないんげん豆・レンズ豆（ゆで）	—	—	130g	
緑豆（ゆで）	—	—	120g	
大豆水煮缶詰め・蒸し大豆	—	—	140g	
おから	—	—	70g	
きな粉	—	5g	—	
豆乳	—	—	200g	
第3群				
コーン缶詰め（クリームタイプ）	—	16g	220g	
コーン缶詰め（ホールタイプ）	—	12g	150g	
トマト水煮缶詰め	—	—	200g	
冷凍コーン	—	10g	130g	
冷凍グリーンピース	—	10g	—	
青のり	0.4g	1.2g	—	
粉かんてん	2g	6g	—	
干しぶどう	—	12g	—	
干しブルーベリー	—	9g	—	
第4群				
米（胚芽精米・精白米・玄米）	—	—	170g	150g(1合)
米（無洗米）	—	—	180g	160g(1合)
米（もち米）	—	—	175g	155g(1合)
ごはん（胚芽精米・精白米・玄米）	—	—	120g	
ごはん（もち米）	—	—	160g	
全がゆ	—	—	210g	
五分がゆ・おもゆ	—	—	200g	
米ぬか	—	4g	55g	
コーンフレーク	—	—	30g	
パン粉・生パン粉	1g	3g	40g	
小麦粉（薄力粉・強力粉）	3g	9g	110g	
小麦粉（全粒粉）・米粉	3g	9g	100g	
小麦粉（天ぷら粉・ホットケーキミックス）	3g	9g	110g	
かたくり粉・上新粉	3g	9g	130g	

食品名	小さじ (5mL)	大さじ (15mL)	1カップ (200mL)	その他	食品名	小さじ (5mL)	大さじ (15mL)	1カップ (200mL)	その他
コーンスターチ	2g	6g	100g		こしあん（加糖）・つぶあん（加糖）	—	18g	240g	
コーンフラワー	2g	6g	90g		さらしあん（乾燥あん・無糖）	—	13g	170g	
白玉粉・そば粉	3g	9g	120g		ゆで小豆（加糖）	—	16g	230g	ミニスプーン
道明寺粉	4g	12g	160g		食塩・精製塩	6g	18g	240g	1.2g（ミニスプーン）
アマランサス	4g	12g	180g		並塩・天然塩	5g	15g	180g	1.0g（ミニスプーン）
あわ・きび・五穀・ひえ	4g	12g	160g		しょうゆ（濃い口・うす口・減塩）	6g	18g	230g	1.2g
押し麦	—	10g	130g		みそ（淡色辛みそ・赤色辛みそ・減塩）	6g	18g	230g	
オートミール	—	6g	80g		みそ（白みそ・甘みそ・赤みそ・豆みそ）	6g	18g	240g	
ライ麦粉	2g	6g	90g		みそ（麦みそ）	6g	18g	250g	
油	4g	12g	180g		ウスターソース	6g	18g	240g	
バター・マーガリン	4g	12g	180g		中濃ソース	7g	21g	250g	
ファットスプレッド	4g	12g	—		濃厚ソース（豚カツソース）	6g	18g	250g	
ショートニング	4g	12g	160g		お好み焼きソース	7g	21g	—	
ラード	4g	12g	170g		トマトケチャップ	6g	18g	240g	
生クリーム	5g	15g	200g		トマトピューレ	6g	18g	230g	
ドレッシング（ごま・サウザン・フレンチ・ノンオイル和風・中華）	5g	15g	—		コチュジャン・豆板醤・甜麺醤	7g	21g	—	
和風ドレッシング	6g	18g	—		オイスターソース・ナムプラー	6g	18g	—	
マヨネーズ	4g	12g	190g		料理酒	5g	15g	200g	
砂糖（上白糖）	3g	9g	130g		めんつゆ（ストレート）	6g	18g	230g	
グラニュー糖	4g	12g	180g		めんつゆ（3倍希釈用タイプ）	7g	21g	240g	
黒砂糖・三温糖	3g	9g	110g		ポン酢しょうゆ・ごまだれ・焼き肉のたれ	6g	18g	—	
はちみつ・メープルシロップ	7g	21g	280g		酢	5g	15g	200g	
ジャム・マーマレード	7g	21g	250g		黒酢	5g	15g	220g	
みりん	6g	18g	230g		バルサミコ酢・すし酢	6g	18g	240g	
いりごま・すりごま	2g	6g	—		カレー粉	2g	6g	—	
練りごま・ピーナッツバター	6g	18g	—		粒入りマスタード・からし（練り）・わさび（練り）	5g	15g	—	
松の実	3g	9g	—		だし（液体）	5g	15g	200g	
					だし・スープのもと（顆粒）	3g	9g	—	

*本書では、材料の計量は標準計量カップ・スプーンを用いました。ミニスプーン1＝1mL、1合＝180mL。191ページ参照。「—」はデータなし。

索引 INDEX

食品名	掲載ページ	群別	食品成分表掲載名 ※一部省略
あ アーモンド	160	4群	アーモンド-いり
合いびき肉(牛肉+豚肉)	46	2群	計算値
青じそ(しそ)	76	3群	しそ・葉-生
青のり	110	3群	あおのり・素干し
アカガイ	30	2群	あかがい・生
赤パプリカ(ピーマン)	89	3群	ピーマン/赤ピーマン・果実-生
赤ピーマン(赤パプリカ)	89	3群	ピーマン/赤ピーマン・果実-生
赤みそ・豆みそ	167	4群	みそ/豆みそ
赤ワイン(ワイン)	175	4群	醸造酒/ぶどう酒・赤
揚げ玉(天かす)	149	4群	こむぎ/小麦粉・プレミックス粉・天ぷら用・バッター・揚げ
アサリ	30	2群	あさり・乾
アサリ水煮缶詰め	41	2群	あさり・缶詰-水煮
アジ	14	2群	あじ/まあじ・皮つき-生
アジの開き	38	2群	あじ/まあじ・開き干し-生
あずき(乾)	56	2群	あずき・全粒-乾
あずき(こしあん[加糖])	162	4群	あずき/あん・こし練りあん(並あん)
あずき(さらしあん[乾燥あん・無糖])	162	4群	あずき/あん・さらしあん(乾燥あん)
あずき(つぶあん[加糖])	162	4群	あずき/あん・つぶし練りあん
あずき(ゆで)	56	2群	あずき・全粒-ゆで
あずき(ゆで小豆缶詰め[加糖])	162	4群	あずき/ゆで小豆缶詰
アスパラガス(グリーンアスパラガス)	70	3群	アスパラガス・若茎-生
厚揚げ(生揚げ)	63	2群	だいず/生揚げ
アトランティックサーモン(サーモン)	21	2群	さけ・ます/たいせいようさけ・皮なし-生
アナゴ	14	2群	あなご・生
油・あまに油	154	4群	あまに油
油・えごま油	154	4群	えごま油
油・オリーブ油	154	4群	オリーブ油
油・キャノーラ油(菜種油)	155	4群	なたね油
油・ココナッツオイル(やし油)	154	4群	やし油
油・ごま油	154	4群	ごま油
油・サフラワー油(べにばな油)	154	4群	サフラワー油-ハイオレック
油・サラダ油(調合油)	155	4群	調合油
油・大豆油	155	4群	大豆油
油・調合油(サラダ油)	155	4群	調合油
油・とうもろこし油	155	4群	とうもろこし油
油・菜種油(キャノーラ油)	155	4群	なたね油
油・べにばな油(サフラワー油)	154	4群	サフラワー油-ハイオレック
油・やし油(ココナッツオイル)	154	4群	やし油
油揚げ	63	2群	だいず/油揚げ-生
アボカド	117	3群	アボカド-生
アマエビ(エビ)	34	2群	えび/あまえび・生
甘栗(栗)	160	4群	くり/中国ぐり・甘ぐり
あまに油	154	4群	あまに油
アマランサス	152	4群	アマランサス・玄穀
アユ	15	2群	あゆ・養殖-生
あらげきくらげ(乾燥)	105	3群	きくらげ/あらげきくらげ-乾
あらげきくらげ(ゆで)	105	3群	きくらげ/あらげきくらげ-ゆで
アルコール類・赤ワイン(ワイン)	175	4群	醸造酒/ぶどう酒・赤
アルコール類・ウイスキー	174	4群	蒸留酒/ウイスキー
アルコール類・ウーロンハイ	174	4群	計算値
アルコール類・梅酒	174	4群	混成酒/梅酒
アルコール類・黒ビール	175	4群	醸造酒/ビール・黒
アルコール類・酒(日本酒)	174	4群	醸造酒/清酒・純米酒
アルコール類・紹興酒	174	4群	醸造酒/紹興酒
アルコール類・焼酎(本格焼酎・乙類)	174	4群	蒸留酒/しょうちゅう・単式蒸留しょうちゅう
アルコール類・白ワイン(ワイン)	175	4群	醸造酒/ぶどう酒・白
アルコール類・酎ハイ	174	4群	混成酒/缶チューハイ・レモン風味
アルコール類・日本酒(酒)	174	4群	醸造酒/清酒・純米酒
アルコール類・発泡酒	175	4群	醸造酒/発泡酒
アルコール類・ビール	174	4群	醸造酒/ビール・淡色
アルコール類・ワイン(赤ワイン)	175	4群	醸造酒/ぶどう酒・赤
アルコール類・ワイン(白ワイン)	175	4群	醸造酒/ぶどう酒・白
あわ	152	4群	あわ・精白粒
あんず(干しあんず)	131	3群	あんず-乾
あんず・缶詰め	163	4群	あんず-缶詰
アンチョビ	41	2群	いわし・缶詰・アンチョビ

INDEX

食品名	掲載ページ	群別	食品成分表掲載名※ ※一部省略
い			
イカ(スルメイカ)	34	2群	いか/するめいか-生
イカ(ホタルイカ)	37	2群	いか/ほたるいか-ゆで
イクラ	42	2群	さけ/ます/しろさけ・イクラ
板ふ(ふ)	147	4群	こむぎ/ふ・焼きふ-板ふ
いちご	117	3群	いちご-生
いちご(ドライいちご)	131	3群	いちご-乾
いちごジャム	159	4群	いちご・ジャム・高糖度
いちじく	118	3群	いちじく-生
いちじく(ドライいちじく)	131	3群	いちじく-乾
糸こんにゃく(しらたき)	116	1群	こんにゃく・しらたき
糸引き納豆(納豆)	64	2群	だいず/納豆・糸引き納豆
糸三つ葉(三つ葉)	92	3群	みつば/糸みつば・葉-生
いよかん	118	3群	いよかん・砂じょう-生
いりごま(ごま)	161	4群	ごま-いり
イワシ	15	2群	いわし/まいわし-生
イワシ(シラス干し)	39	2群	いわし/しらす干し-微乾燥品
イワシ(ちりめんじゃこ)	39	2群	いわし/しらす干し-半乾燥品
いんげん豆(乾)	56	2群	いんげんまめ/全粒-乾
いんげん豆(ゆで)	56	2群	いんげんまめ/全粒-ゆで
イングリッシュマフィン	144	4群	こむぎ/パン・イングリッシュマフィン
インスタントコーヒー	175	4群	コーヒー・インスタントコーヒー
インスタントラーメン	141	4群	こむぎ/即席中華めん-油揚げ(調味料含む)
う			
ウイスキー	174	4群	蒸留酒/ウイスキー
ウインナーソーセージ	51	2群	ぶた・ソーセージ・ウインナーソーセージ
ウーロン茶	175	4群	ウーロン茶-浸出液
ウーロンハイ	174	4群	計算値
うす口しょうゆ(しょうゆ)	165	4群	しょうゆ/うすくちしょうゆ
ウスターソース	168	4群	ウスターソース
うずら卵	13	1群	うずら卵/全卵-生
うずら卵(水煮)	13	1群	うずら卵/水煮缶詰
うどん 生	138	4群	こむぎ/うどん-生
うどん 生(ゆで)	138	4群	こむぎ/うどん-ゆで
うどん 干し(乾)	138	4群	こむぎ/うどん・干しうどん-乾
うどん 干し(ゆで)	138	4群	こむぎ/うどん・干しうどん-ゆで
うどん(ゆで)	138	4群	こむぎ/うどん-ゆで

食品名	掲載ページ	群別	食品成分表掲載名※ ※一部省略
ウナギの蒲焼き	40	2群	うなぎ・かば焼
梅(梅干し)	102	3群	うめ/梅干し-塩漬
梅酒	174	4群	混成酒/梅酒
梅干し(梅)	102	3群	うめ/梅干し-塩漬
温州みかん(みかん[薄皮つき])	128	3群	うんしゅうみかん/じょうのう・普通-生
温州みかん(みかん[薄皮なし])	128	3群	うんしゅうみかん/砂じょう・普通-生
え			
えごま油	154	4群	えごま油
枝豆	66	3群	えだまめ-生
枝豆・冷凍	101	3群	えだまめ-冷凍
えのきたけ	104	3群	えのきたけ 生
エビ(アマエビ)	34	2群	えび/あまえび-生
エビ(サクラエビ)(乾)	39	2群	えび/さくらえび・煮干
エビ(バナメイエビ)	35	2群	えび/バナメイえび・養殖-生
エビ(ブラックタイガー)	35	2群	えび/ブラックタイガー・養殖-生
エビ(干しエビ)	39	2群	えび/加工品・干しえび
エビ(むきエビ)	36	2群	えび/しばえび-生
エメンタールチーズ(とろけるチーズ)	10	1群	チーズ/ナチュラルチーズ・エメンタール
エリンギ	104	3群	ひらたけ/エリンギ-生
えんどう豆(乾)	57	2群	えんどう/全粒・青えんどう-乾
えんどう豆(ゆで)	57	2群	えんどう/全粒・青えんどう-ゆで
お			
オイスターソース(かき油)	169	4群	調味ソース/オイスターソース
横隔膜(はらみ)	47	2群	うし/副生物・横隔膜-生
黄桃・缶詰め	163	4群	もも・缶詰・黄肉種・果肉
オートミール	152	4群	えんばく・オートミール
おから	65	2群	だいず/おから-生
オクラ	66	3群	オクラ・果実-生
お好み焼きソース	168	4群	ウスターソース/お好み焼きソース
押し麦	152	4群	おおむぎ・押麦-乾
おにぎり	137	4群	こめ/うるち米製品・おにぎり
おもゆ(精白米)	136	4群	こめ/水稲めし・精白米
オリーブ・スタッフドオリーブ	102	3群	オリーブ・塩漬・スタッフドオリーブ
オリーブ油	154	4群	オリーブ油
オレンジ(バレンシアオレンジ)	119	3群	オレンジ/バレンシア・米国産・砂じょう-生
か			
かいわれ大根	67	3群	だいこん/かいわれ大根・芽ばえ-生
カキ	31	2群	かき・養殖-生

INDEX

食品名	掲載ページ	群別	食品成分表掲載名 ※一部省略
柿	119	3群	かき・甘がき-生
柿(干し柿)	131	3群	かき・干しがき
かき油(オイスターソース)	169	4群	調味ソース/オイスターソース
角かんてん(かんてん・棒かんてん)	110	3群	てんぐさ・角寒天
角砂糖(砂糖)	158	4群	砂糖/加工糖・角砂糖
角もち(もち)	137	4群	こめ/もち米製品・もち
カジキ(メカジキ)	16	2群	かじき/めかじき-生
カシューナッツ	160	4群	カシューナッツ・フライ・味付け
カズノコ	42	2群	にしん/かずのこ・塩蔵・水戻し
かたくり粉	150	4群	でん粉/じゃがいもでん粉
カツオ(春獲り)	16	2群	かつお/春獲り-生
カツオこんぶだし	172	4群	だし/かつお・昆布だし
カツオだし	172	4群	だし/かつおだし
カツオ節(削りガツオ)	40	2群	かつお/加工品・削り節
カッテージチーズ	10	1群	チーズ/ナチュラルチーズ・カテージ
カットわかめ(わかめ)	113	3群	わかめ/カットわかめ-乾
加糖練乳	7	1群	練乳/加糖練乳
加糖ヨーグルト(ヨーグルト)	8	1群	ヨーグルト・脱脂加糖
カニ(ゆでズワイガニ)	36	2群	かに/ずわいがに-ゆで
カニ風味かまぼこ	43	2群	かに風味かまぼこ
かぶ	67	3群	かぶ・根・皮なし-生
かぶ・ぬかみそ漬け	103	3群	かぶ・漬物・ぬかみそ漬・根・皮つき
カフェオレ	175	4群	計算値
かぼちゃ(西洋かぼちゃ)	68	3群	かぼちゃ/西洋かぼちゃ・果実-生
かぼちゃ・冷凍	101	3群	かぼちゃ/西洋かぼちゃ・果実-冷凍
カマス	17	2群	かます-生
かまぼこ(蒸し)	43	2群	蒸しかまぼこ
釜焼きふ(ふ)	147	4群	こむぎ/ふ・焼きふ・釜焼きふ
カマンベールチーズ	10	1群	チーズ/ナチュラルチーズ・カマンベール
かゆ・おもゆ(精白米)	136	4群	こめ/水稲おもゆ・精白米
かゆ・五分がゆ(精白米)	136	4群	こめ/水稲五分がゆ・精白米
かゆ・全がゆ(精白米)	136	4群	こめ/水稲全がゆ・精白米
からし(練り)	173	4群	からし・練り
カラフトシシャモ(シシャモ)	38	2群	ししゃも/からふとししゃも・生干し-生
カリフラワー	68	3群	カリフラワー・花序-生

食品名	掲載ページ	群別	食品成分表掲載名 ※一部省略
顆粒スープのもと	173	4群	だし/固形ブイヨン
顆粒中華だし	173	4群	だし/顆粒中華だし
顆粒鶏がらだし	173	4群	市販品のデータ
顆粒和風だし	173	4群	だし/顆粒和風だし
ガルバンゾ(ひよこ豆)(乾)	58	2群	ひよこまめ/全粒-乾
ガルバンゾ(ひよこ豆)(ゆで)	58	2群	ひよこまめ/全粒-ゆで
カレイ	17	2群	かれい/まがれい-生
カレイ(子持ちガレイ)	18	2群	かれい/子持ちがれい-生
カレー粉	171	4群	カレー粉
乾燥パン粉(パン粉)	147	4群	こむぎ/パン粉-乾燥
かんてん(粉かんてん)	110	3群	てんぐさ/粉寒天
かんてん(棒かんてん・角かんてん)	110	3群	てんぐさ/角寒天
カンパチ	18	2群	かんぱち/背側-生
乾パン	146	4群	こむぎ/パン・乾パン
かんぴょう(乾燥)	98	3群	かんぴょう-乾
かんぴょう(ゆで)	98	3群	かんぴょう-ゆで
がんもどき	65	2群	だいず/がんもどき
キウイフルーツ	120	3群	キウイフルーツ・緑肉種-生
きくらげ(乾燥)	105	3群	きくらげ/きくらげ-乾
きくらげ(ゆで)	105	3群	きくらげ/きくらげ-ゆで
キス	19	2群	きす-生
きな粉	65	2群	だいず/きな粉・黄大豆・全粒大豆
絹ごし豆腐(豆腐)	62	2群	だいず/絹ごし豆腐
黄大豆(乾)	60	2群	だいず/全粒・黄大豆・国産-乾
黄大豆(ゆで)	60	2群	だいず/全粒・黄大豆・国産-ゆで
黄大豆(水煮缶詰め)	61	2群	だいず/水煮缶詰・黄大豆
黄大豆(蒸し大豆・ドライパック)	61	2群	だいず/蒸し大豆・黄大豆
キハダマグロ	28	2群	まぐろ/きはだ-生
黄パプリカ(ピーマン)	89	3群	ピーマン/黄ピーマン・果実-生
黄ピーマン(黄パプリカ)	89	3群	ピーマン/黄ピーマン・果実-生
きび	153	4群	きび・精白粒
キムチ	102	3群	はくさい・漬物・キムチ
キャノーラ油(菜種油)	155	4群	なたね油
キャベツ	69	3群	キャベツ・結球葉-生
牛(タン)	47	2群	うし・副生物・舌-生

INDEX

食品名	掲載ページ	群別	食品成分表掲載名※ ※一部省略
牛(はらみ)	47	2群	うし・副生物・横隔膜-生
牛(レバー)	47	2群	うし・副生物・肝臓-生
牛肉(薄切り・肩ロース)	45	2群	乳牛・かたロース・脂身つき-生
牛肉(薄切り・もも)	45	2群	乳牛・もも・脂身つき-生
牛肉(角切り・肩)	44	2群	乳牛・かた・脂身つき-生
牛肉(角切り・肩ロース)	44	2群	乳牛・かたロース・脂身つき-生
牛肉(こま切れ・切り落とし・肩ロース)	46	2群	乳牛・かたロース・脂身つき-生
牛肉(こま切れ・切り落とし・もも)	46	2群	乳牛・もも・脂身つき-生
牛肉(しゃぶしゃぶ用・肩ロース)	45	2群	乳牛・かたロース・脂身つき-生
牛肉(しゃぶしゃぶ用・もも)	45	2群	乳牛・もも・脂身つき-生
牛肉(ステーキ・サーロイン)	44	2群	乳牛・サーロイン・脂身つき-生
牛肉(ステーキ・ヒレ)	44	2群	乳牛・ヒレ・赤肉-生
牛肉(ステーキ・もも)	44	2群	乳牛・もも・脂身つき-生
牛肉(ひき肉)	46	2群	うし・ひき肉-生
牛肉(焼き肉用・カルビ・バラ)	47	2群	乳牛・ばら・脂身つき-生
牛肉+豚肉(合いびき肉)	46	2群	計算値
牛乳(低脂肪牛乳)	7	1群	加工乳・低脂肪
牛乳(濃厚牛乳)	6	1群	加工乳・濃厚
牛乳(普通牛乳)	6	1群	普通牛乳
きゅうり	69	3群	きゅうり・果実-生
きゅうり・ぬかみそ漬け	103	3群	きゅうり・漬物・ぬかみそ漬
京菜(水菜)	92	3群	みずな・葉-生
強力粉(小麦粉)	148	4群	こむぎ/小麦粉・強力粉・1等
ギョーザの皮	146	4群	こむぎ/ぎょうざの皮-生
魚肉ソーセージ	43	2群	魚肉ソーセージ
切り干し大根(乾)	98	3群	だいこん/切干しだいこん・乾
切り干し大根(ゆで)	98	3群	だいこん/切干しだいこん・ゆで
キングサーモン(マスノスケ)	21	2群	さけ・ます/ますのすけ-生
ギンダラ	19	2群	ぎんだら-生
ぎんなん	160	4群	ぎんなん-生
キンメダイ	20	2群	きんめだい-生
く 空心菜(ようさい)	70	3群	ようさい・茎葉-生
九条ねぎ(ねぎ・葉ねぎ)	87	3群	ねぎ/葉ねぎ・葉-生
グラニュー糖(砂糖)	158	4群	砂糖/ざらめ糖・グラニュー糖
栗	160	4群	くり/日本ぐり-生

食品名	掲載ページ	群別	食品成分表掲載名※ ※一部省略
栗(甘栗)	160	4群	くり/中国ぐり・甘ぐり
クリームチーズ	10	1群	チーズ/ナチュラルチーズ・クリーム
グリーンアスパラガス	70	3群	アスパラガス・若茎-生
グリーンピース	71	3群	えんどう/グリンピース-生
グリーンピース・冷凍	101	3群	えんどう/グリンピース-冷凍
くるみ	160	4群	くるみ-いり
グレープフルーツ	120	3群	グレープフルーツ・白肉種・砂じょう-生
クレソン	71	3群	クレソン・茎葉-生
黒砂糖(砂糖)	158	4群	砂糖/黒砂糖
黒酢	171	4群	食酢/黒酢
黒豆(乾)	61	2群	だいず/全粒・黒大豆・国産-乾
黒大豆(ゆで)	61	2群	だいず/全粒・黒大豆・国産-ゆで
黒ビール	175	4群	醸造酒/ビール・黒
クロマグロ(赤身)	27	2群	まぐろ/くろまぐろ・天然・赤身-生
クロマグロ(トロ)	27	2群	まぐろ/くろまぐろ・天然・脂身-生
クロワッサン	144	4群	こむぎ/パン・クロワッサン・レギュラータイプ
け 削りガツオ(カツオ節)	40	2群	かつお/加工品・削り節
減塩しょうゆ(しょうゆ)	165	4群	しょうゆ/こいくちしょうゆ-減塩
減塩みそ	167	4群	みそ/減塩みそ
玄米(ごはん)	135	4群	こめ/水稲めし・玄米
玄米(米)	135	4群	こめ/水稲穀粒・玄米
玄米茶	175	4群	玄米茶・浸出液
こ 濃い口しょうゆ(しょうゆ)	165	4群	しょうゆ/こいくちしょうゆ
紅茶	175	4群	紅茶・浸出液
高野豆腐(凍り豆腐)(乾)	64	2群	だいず/凍り豆腐-乾
高野豆腐(凍り豆腐)(水煮)	64	2群	だいず/凍り豆腐-水煮
凍り豆腐(高野豆腐)(乾)	64	2群	だいず/凍り豆腐-乾
凍り豆腐(高野豆腐)(水煮)	64	2群	だいず/凍り豆腐-水煮
ゴーダチーズ	10	1群	チーズ/ナチュラルチーズ・ゴーダ
コーヒー	175	4群	コーヒー・浸出液
コーヒーフレッシュ	156	4群	クリーム/コーヒーホワイトナー・液状・植物性脂肪
ゴーヤー(にがうり)	84	3群	にがうり・果実-生
コーン缶詰め(クリームタイプ)	99	3群	とうもろこし/スイートコーン・缶詰・クリームスタイル

INDEX

食品名	掲載ページ	群別	食品成分表掲載名※ ※一部省略
コーン缶詰め（ホールタイプ）	99	3群	とうもろこし/スイートコーン・缶詰・ホールカーネルスタイル
コーンスターチ（とうもろこしでん粉）	150	4群	でん粉/とうもろこしでん粉
コーンフラワー	150	4群	とうもろこし/コーンフラワー・黄色種
コーンフレーク（プレーン）	146	4群	とうもろこし/コーンフレーク
コーン・冷凍	101	3群	とうもろこし/スイートコーン・カーネル・冷凍
ココア	175	4群	計算値
ココア（純ココア）	175	4群	ココア・ピュアココア
ココナッツオイル（やし油）	154	4群	やし油
五穀	153	4群	計算値
こしあん（加糖）	162	4群	あずき/あん・こし練りあん（並あん）
コチュジャン	169	4群	市販品のデータ
コッペパン	144	4群	こむぎ/パン・コッペパン
粉かんてん（かんてん）	110	3群	てんぐさ・粉寒天
粉チーズ（パルメザンチーズ）	11	1群	チーズ/ナチュラルチーズ・パルメザン
小ねぎ（ねぎ・万能ねぎ）	86	3群	ねぎ/こねぎ・葉-生
ごはん（玄米）	135	4群	こめ/水稲めし・玄米
ごはん（精白米）	133	4群	こめ/水稲めし・精白米・うるち米
ごはん（胚芽精米）	132	4群	こめ/水稲めし・はいが精米
ごはん（もち米）	134	4群	こめ/水稲めし・精白米・もち米
五分がゆ（精白米）	136	4群	こめ/水稲五分がゆ・精白米
こぶ茶	175	4群	昆布茶
ごぼう	72	3群	ごぼう・根-生
ごま（いりごま）	161	4群	ごま-いり
ごま（すりごま）	161	4群	ごま-いり
ごま（練りごま）	161	4群	ごま-ねり
ごま油	154	4群	ごま油
ごまだれ	170	4群	調味ソース/ごまだれ
ごまドレッシング	157	4群	ドレッシング/ごまドレッシング
小町ふ（ふ）	147	4群	こむぎ/焼きふ・釜焼きふ
小松菜	72	3群	こまつな・葉-生
小麦粉（強力粉）	148	4群	こむぎ/小麦粉・強力粉・1等
小麦粉（全粒粉）	149	4群	こむぎ/小麦粉・強力粉・全粒粉
小麦粉（薄力粉）	148	4群	こむぎ/小麦粉・薄力粉・1等
米（玄米）	135	4群	こめ/水稲穀粒・玄米

食品名	掲載ページ	群別	食品成分表掲載名※ ※一部省略
米（精白米）	133	4群	こめ/水稲穀粒・精白米・うるち米
米（胚芽精米）	132	4群	こめ/水稲穀粒・はいが精米
米（もち米）	134	4群	こめ/水稲穀粒・精白米・もち米
米粉	150	4群	こめ/うるち米製品・上新粉
米粉入り食パン	144	4群	こめ/うるち米製品・米粉パン・食パン
米粉パン	144	4群	こめ/うるち米製品・米粉パン・小麦グルテン不使用のもの
米ぬか	137	4群	こめ/その他・米ぬか
子持ちガレイ（カレイ）	18	2群	かれい/子持ちがれい-生
コリアンダー（シャンツァイ・パクチー）	76	3群	コリアンダー・葉-生
こんにゃく	116	4群	こんにゃく/板こんにゃく・精粉こんにゃく
こんぶ	111	3群	こんぶ/まこんぶ-素干し-乾
こんぶだし	172	4群	だし/昆布だし-煮出し
さ ザーサイ	102	3群	ザーサイ・漬物
サーモン（アトランティックサーモン）	21	2群	さけ/ます/たいせいようさけ・皮なし-生
サウザンアイランドドレッシング	157	4群	ドレッシング/サウザンアイランドドレッシング
サクラエビ（乾）	39	2群	えび/さくらえび・煮干し
桜でんぶ	40	2群	たら/まだら・でんぶ
さくらんぼ（アメリカ産）	121	3群	さくらんぼ・米国産-生
さくらんぼ（国産）	121	3群	さくらんぼ・国産-生
さくらんぼ・缶詰め	163	4群	さくらんぼ・米国産-缶詰
サケ（イクラ）	42	2群	さけ/ます/しろさけ・イクラ
サケ・キングサーモン（マスノスケ）	21	2群	さけ/ます/ますのすけ-生
サケ・サーモン（アトランティックサーモン）	21	2群	さけ/ます/たいせいようさけ・皮なし-生
サケ（塩ザケ）	38	2群	さけ/ます/しろさけ・塩ざけ
サケ（シロサケ）	20	2群	さけ/ます/しろさけ-生
サケ（スモークサーモン）	40	2群	さけ/ます/べにざけ・くん製
酒（日本酒）	174	4群	醸造酒/清酒・純米酒
サケ水煮缶詰め	41	2群	さけ/ます/しろさけ・水煮缶詰
ささげ（乾）	57	2群	ささげ/全粒-乾
ささげ（ゆで）	57	2群	ささげ/全粒-ゆで
ささ身（鶏肉）	54	2群	若どり・ささみ-生
さつま揚げ	43	2群	さつま揚げ
さつま芋	114	3群	さつまいも・塊根・皮なし-生
里芋	114	3群	さといも・球茎-生

INDEX

食品名	掲載ページ	群別	食品成分表掲載名※ ※一部省略
砂糖(角砂糖)	158	4群	砂糖/加工糖・角砂糖
砂糖(グラニュー糖)	158	4群	砂糖/ざらめ糖・グラニュー糖
砂糖(黒砂糖)	158	4群	砂糖/黒砂糖
砂糖(三温糖)	158	4群	砂糖/車糖・三温糖
砂糖(上白糖)	158	4群	砂糖/車糖・上白糖
サニーレタス	73	3群	レタス/サニーレタス・葉-生
サバ	22	2群	さば/まさば-生
サバ(塩サバ)	38	2群	さば/加工品・塩さば
サバ水煮缶詰め	41	2群	さば/缶詰・水煮
サフラワー油(べにばな油)	154	4群	サフラワー油・ハイオレック
さやいんげん	73	3群	いんげんまめ/さやいんげん・若ざや-生
さやえんどう	74	3群	えんどう/さやえんどう・若ざや-生
さらしあん(乾燥あん・無糖)	162	4群	あずき/あん・さらしあん(乾燥あん)
サラダ油(調合油)	155	4群	調合油
サラダ菜	74	3群	レタス/サラダな・葉-生
サワラ	22	2群	さわら-生
三温糖(砂糖)	158	4群	砂糖/車糖・三温糖
サンチュ	75	3群	レタス/サンチュ・葉-生
サンドイッチ用パン	143	4群	こむぎ/パン・角形食パン・耳を除いたもの
サンマ	23	2群	さんま・皮つき-生

し

食品名	掲載ページ	群別	食品成分表掲載名※ ※一部省略
しいたけ(生しいたけ)	106	3群	しいたけ/生しいたけ・菌床栽培-生
しいたけ(干ししいたけ[香信])(乾燥)	106	3群	しいたけ/乾しいたけ-乾
しいたけ(干ししいたけ[香信])(ゆで)	106	3群	しいたけ/乾しいたけ-ゆで
しいたけ(干ししいたけ[冬菇])(乾燥)	107	3群	しいたけ/乾しいたけ-乾
しいたけ(干ししいたけ[冬菇])(ゆで)	107	3群	しいたけ/乾しいたけ-ゆで
しいたけだし	172	4群	だし/しいたけだし
シェーブル(やぎチーズ)	11	1群	チーズ/ナチュラルチーズ・やぎ
塩(精製塩)	164	4群	食塩/精製塩・家庭用
塩(並塩・天然塩)	164	4群	食塩/並塩
塩ザケ	38	2群	さけ/さけ・しろさけ・塩ざけ
塩サバ	38	2群	さば/加工品・塩さば
ししとうがらし	75	3群	ししとう・果実-生
シジミ	31	2群	しじみ-生
シシャモ(カラフトシシャモ)	38	2群	ししゃも/からふとししゃも・生干し-生
しそ(青じそ)	76	3群	しそ・葉-生

食品名	掲載ページ	群別	食品成分表掲載名※ ※一部省略
しば漬け	102	3群	なす/漬物・しば漬
しめじ(ぶなしめじ)	107	3群	しめじ/ぶなしめじ-生
じゃが芋(新じゃが)	115	3群	じゃがいも・塊根・皮なし-生
じゃが芋(男爵)	115	3群	じゃがいも・塊根・皮なし-生
じゃが芋(メークイン)	115	3群	じゃがいも・塊根・皮なし-生
ジャム(いちごジャム)	159	4群	いちご・ジャム・高糖度
ジャム(ブルーベリージャム)	159	4群	ブルーベリー・ジャム
ジャム(マーマレード)	159	4群	オレンジ・バレンシア・マーマレード・高糖度
ジャム(りんごジャム)	159	4群	りんご・ジャム
シャンツァイ(パクチー・コリアンダー)	76	3群	コリアンダー・葉-生
シューマイの皮	146	4群	こむぎ/しゅうまいの皮-生
春菊	76	3群	しゅんぎく・葉-生
しょうが	77	3群	しょうが・根茎・皮なし-生
しょうが甘酢漬け	102	3群	しょうが・漬物・甘酢漬
紹興酒	174	4群	醸造酒・紹興酒
上新粉	151	4群	こめ/うるち米製品・上新粉
焼酎(本格焼酎・乙類)	174	4群	蒸留酒/しょうちゅう・単式蒸留しょうちゅう
上白糖(砂糖)	158	4群	砂糖/車糖・上白糖
しょうゆ(うす口しょうゆ)	165	4群	しょうゆ/うすくちしょうゆ
しょうゆ(減塩しょうゆ)	165	4群	しょうゆ/こいくちしょうゆ-減塩
しょうゆ(濃い口しょうゆ)	165	4群	しょうゆ/こいくちしょうゆ
ショートニング	156	4群	ショートニング・家庭用
食パン(4枚切り)	143	4群	こむぎ/パン・角形食パン・食パン
食パン(5枚切り)	143	4群	こむぎ/パン・角形食パン・食パン
食パン(6枚切り)	143	4群	こむぎ/パン・角形食パン・食パン
食パン(8枚切り)	143	4群	こむぎ/パン・角形食パン・食パン
食パン(12枚切り)	143	4群	こむぎ/パン・角形食パン・食パン
食パン(サンドイッチ用パン)	143	4群	こむぎ/パン・角形食パン・耳を除いたもの
シラス干し	39	2群	いわし/しらす干し・微乾燥品
しらたき(糸こんにゃく)	116	3群	こんにゃく/しらたき
白玉粉	151	4群	こめ/もち米製品・白玉粉
シロサケ(サケ)	20	2群	さけ/さけ・しろさけ-生
白みそ	167	4群	みそ/米みそ・甘みそ
白ワイン(ワイン)	175	4群	醸造酒・ぶどう酒・白

す

食品名	掲載ページ	群別	食品成分表掲載名※ ※一部省略
酢	171	4群	食酢/穀物酢

183

食品名	掲載ページ	群別	食品成分表掲載名 ※一部省略
すいか	122	3群	すいか・赤肉種-生
スープのもと(顆粒)	173	4群	だし/固形ブイヨン
スープのもと(固形)	173	4群	市販品のデータ
スキムミルク(脱脂粉乳)	7	1群	脱脂粉乳
すし酢	171	4群	調味ソース/すし酢-ちらし・稲荷用
スズキ	23	2群	すずき-生
スタッフドオリーブ(オリーブ)	102	3群	オリーブ・塩漬・スタッフドオリーブ
ズッキーニ	77	3群	ズッキーニ・果実-生
砂肝(鶏)	55	2群	にわとり/すなぎも-生
スナップえんどう	74	3群	えんどう/スナップえんどう・若ざや-生
スパゲティ・マカロニ(乾)→パスタ類(乾)	140	4群	こむぎ/マカロニ・スパゲッティ-乾
スパゲティ・マカロニ(ゆで)→パスタ類(ゆで)	140	4群	こむぎ/マカロニ・スパゲッティ-ゆで
スモークサーモン	40	2群	さけ・ます/べにざけ・くん製
すもも	122	3群	すもも/にほんすもも-生
すりごま(ごま)	161	4群	ごま-いり
スルメイカ	34	2群	いか/するめいか-生
ズワイガニ(ゆで)	36	2群	かに/ずわいがに-ゆで
せ 精製塩(塩)	164	4群	食塩/精製塩-家庭用
精白米(おもゆ)	136	4群	こめ/水稲おもゆ・精白米
精白米(ごはん)	133	4群	こめ/水稲めし・精白米・うるち米
精白米(五分がゆ)	136	4群	こめ/水稲五分がゆ・精白米
精白米(米)	133	4群	こめ/水稲穀粒・精白米・うるち米
精白米(全がゆ)	136	4群	こめ/水稲全がゆ・精白米
西洋かぼちゃ(かぼちゃ)	68	3群	かぼちゃ/西洋かぼちゃ・果実-生
西洋梨(梨)	123	3群	なし/西洋なし-生
西洋梨・缶詰め	163	4群	なし/西洋なし-缶詰
赤色辛みそ(みそ)	166	4群	みそ/米みそ・赤色辛みそ
赤飯	136	4群	こめ/もち米製品・赤飯
セロリ	78	3群	セロリ・葉柄-生
全がゆ(精白米)	136	4群	こめ/水稲全がゆ・精白米
全卵(卵)	12	1群	鶏卵/全卵-生
全粒粉(小麦粉)	149	4群	こむぎ/小麦粉・強力粉・全粒粉
全粒粉パン	144	4群	こむぎ/パン・全粒粉パン
そ そうめん(ひやむぎ)(乾)(ゆで)	140	4群	こむぎ/そうめん・ひやむぎ-乾、ゆで
そば 生	139	4群	そば-生
そば 生(ゆで)	139	4群	そば-ゆで
そば 干し(乾)	139	4群	そば/干しそば-乾
そば 干し(ゆで)	139	4群	そば/干しそば-ゆで
そば(ゆで)	139	4群	そば-ゆで
そば粉	151	4群	そば・そば粉・全層粉
そら豆	78	3群	そらまめ・未熟豆-生
た タアサイ(ターツァイ)	79	3群	タアサイ・葉-生
ターツァイ(タアサイ)	79	3群	タアサイ・葉-生
タイ	24	2群	たい/まだい・養殖・皮つき-生
大根	79	3群	だいこん・根・皮なし-生
大豆・黄大豆(乾)	60	3群	だいず/全粒・黄大豆-国産
大豆・黄大豆(ゆで)	60	3群	だいず/全粒・黄大豆-国産-ゆで
大豆・水煮缶詰め	61	3群	だいず/水煮缶詰・黄大豆
大豆・蒸し大豆(ドライパック)	61	3群	だいず/蒸し大豆・黄大豆
大豆油	155	4群	大豆油
大豆水煮缶詰め	61	3群	だいず/水煮缶詰・黄大豆
大豆もやし(もやし)	93	3群	もやし/だいずもやし-生
高菜漬け	102	3群	たかな・たかな漬
たくあん漬け	102	3群	だいこん/漬物・たくあん漬・塩押しだいこん漬
竹の子	80	3群	たけのこ・若茎-生
竹の子(水煮)	100	3群	たけのこ・水煮缶詰
タコ(ゆでダコ)	37	2群	たこ/まだこ-ゆで
だし・カツオこんぶだし	172	4群	だし/かつお・昆布だし
だし・カツオだし	172	4群	だし/かつおだし
だし・こんぶだし	172	4群	だし/昆布だし・煮出し
だし・しいたけだし	172	4群	だし/しいたけだし
だし・中華だし	172	4群	だし/中華だし
だし・鶏がらだし	172	4群	だし/鶏がらだし
だし・煮干しだし	172	4群	だし/煮干しだし
だし・洋風だし	172	4群	だし/洋風だし
だしのもと・スープのもと(顆粒)	173	4群	だし/固形ブイヨン
だしのもと・スープのもと(固形)	173	4群	市販品のデータ
だしのもと・中華だしのもと(顆粒)	173	4群	だし/顆粒中華だし
だしのもと・鶏がらだしのもと(顆粒)	173	4群	市販品のデータ
だしのもと・和風だしのもと(顆粒)	173	4群	だし/顆粒和風だし

	食品名	掲載ページ	群別	食品成分表掲載名※ ※一部省略
	タチウオ	24	2群	たちうお・生
	脱脂粉乳(スキムミルク)	7	1群	脱脂粉乳
	卵(全卵)	12	1群	鶏卵・全卵・生
	卵(卵黄)	12	1群	鶏卵・卵黄・生
	卵(卵白)	13	1群	鶏卵・卵白・生
	玉ねぎ	80	3群	たまねぎ・りん茎・生
	タラ	25	2群	たら・まだら・生
	タラコ	42	2群	たら・すけとうだら・たらこ・生
	タン(牛)	47	2群	うし・舌・生
	淡色辛みそ(みそ)	166	4群	みそ/米みそ・淡色辛みそ
ち	チーズ(カッテージチーズ)	10	1群	チーズ/ナチュラルチーズ・カテージ
	チーズ(カマンベールチーズ)	10	1群	チーズ/ナチュラルチーズ・カマンベール
	チーズ(クリームチーズ)	10	1群	チーズ/ナチュラルチーズ・クリーム
	チーズ(ゴーダチーズ)	10	1群	チーズ/ナチュラルチーズ・ゴーダ
	チーズ(粉チーズ・パルメザンチーズ)	11	1群	チーズ/ナチュラルチーズ・パルメザン
	チーズ(シェーブル・やぎチーズ)	11	1群	チーズ/ナチュラルチーズ・やぎ
	チーズ(チェダーチーズ)	10	1群	チーズ/ナチュラルチーズ・チェダー
	チーズ(とろけるチーズ)	10	1群	チーズ/ナチュラルチーズ・エメンタール
	チーズ(ブルーチーズ)	11	1群	チーズ/ナチュラルチーズ・ブルー
	チーズ(プロセスチーズ)	9	1群	チーズ/プロセスチーズ
	チーズ(マスカルポーネチーズ)	11	1群	チーズ/ナチュラルチーズ・マスカルポーネ
	チーズ(モッツァレラチーズ)	11	1群	チーズ/ナチュラルチーズ・モッツァレラ
	チーズ(リコッタチーズ)	11	1群	チーズ/ナチュラルチーズ・リコッタ
	チェダーチーズ	10	1群	チーズ/ナチュラルチーズ・チェダー
	ちくわ	43	2群	焼き竹輪
	中華だし	172	4群	だし/中華だし
	中華だしのもと(顆粒)	173	4群	だし/顆粒中華だし
	中華風ドレッシング	157	4群	市販品のデータ
	中華めん(インスタントラーメン)	141	4群	こむぎ/即席中華めん・油揚げ(調味料含む)
	中華めん(生)	141	4群	こむぎ/中華めん・生
	中華めん(蒸し中華めん)	141	4群	こむぎ/中華めん・蒸し中華めん
	中華めん(ゆで)	141	4群	こむぎ/中華めん・ゆで
	中濃ソース	168	4群	ウスターソース/中濃ソース
	酎ハイ	174	4群	混成酒/缶チューハイ・レモン風味
	調合油(サラダ油)	155	4群	調合油
	調製豆乳(豆乳)	65	2群	だいず/豆乳・調製豆乳
	ちりめんじゃこ	39	2群	いわし/しらす干し・半乾燥品
	青梗菜(チンゲンサイ)	81	3群	チンゲンサイ・葉・生
つ	ツナ油漬け缶詰め	41	2群	まぐろ/缶詰・油漬・フレーク・ライト
	ツナ水煮缶詰め	41	2群	まぐろ/缶詰・水煮・フレーク・ライト
	つぶあん(加糖)	162	4群	あずき/あん・つぶし練りあん
	粒入りマスタード	171	4群	からし・粒入りマスタード
て	低脂肪牛乳(牛乳)	7	1群	加工乳・低脂肪
	手羽先(鶏肉)	54	1群	若どり・手羽さき・皮つき・生
	手羽中(鶏肉)	54	1群	若どり・手羽・皮つき・生
	手羽元(鶏肉)	54	1群	若どり・手羽もと・皮つき・生
	天かす(揚げ玉)	149	4群	こむぎ/小麦粉・プレミックス粉・天ぷら用・バッター・揚げ
	天然塩(塩・並塩)	164	4群	食塩/並塩
	天ぷら粉	149	4群	こむぎ/小麦粉・プレミックス粉・天ぷら用
	でんぶ(桜でんぶ)	40	2群	たら/加工品・桜でんぶ
	甜麺醤	169	4群	調味ソース/テンメンジャン
と	豆乳	65	2群	だいず/豆乳
	豆乳(調製豆乳)	65	2群	だいず/豆乳・調製豆乳
	豆板醤	169	4群	辛味調味料/トウバンジャン
	豆腐(絹ごし豆腐)	62	2群	だいず/絹ごし豆腐
	豆腐(もめん豆腐)	62	2群	だいず/木綿豆腐
	トウミョウ	81	3群	えんどう/トウミョウ・芽ばえ・生
	道明寺粉	151	4群	こめ/もち米製品・道明寺粉
	とうもろこし	82	3群	とうもろこし/スイートコーン・未熟種子・生
	とうもろこし(コーン缶詰め・クリームタイプ)	99	3群	とうもろこし/スイートコーン・缶詰・クリームスタイル
	とうもろこし(コーン缶詰め・ホールタイプ)	99	3群	とうもろこし/スイートコーン・缶詰・ホールカーネルスタイル
	とうもろこし油	155	4群	とうもろこし油
	とうもろこしでん粉(コーンスターチ)	150	4群	でん粉/とうもろこしでん粉
	とうもろこし・冷凍	101	3群	とうもろこし/スイートコーン・カーネル・冷凍
	トマト	82	3群	トマト/赤色トマト・果実・生
	トマト(水煮缶詰め)	100	3群	トマト/加工品・ホール・食塩無添加
	トマト(ミニトマト)	83	3群	トマト/赤色ミニトマト・果実・生

INDEX

食品名	掲載ページ	群別	食品成分表掲載名 ※一部省略
トマトケチャップ	168	4群	トマト加工品/トマトケチャップ
トマトピューレ	168	4群	トマト加工品/トマトピューレー
ドライあんず	131	3群	あんず-乾
ドライいちご	131	3群	いちご-乾
ドライいちじく	131	3群	いちじく-乾
ドライブルーベリー	131	3群	ブルーベリー-乾
ドライプルーン	131	3群	すもも/プルーン-乾
ドライマンゴー	131	3群	マンゴー-ドライマンゴー
トリガイ	32	2群	とりがい・斧足-生
鶏(砂肝)	55	2群	にわとり・すなぎも-生
鶏(レバー)	55	2群	にわとり・肝臓・生
鶏がらだし	172	4群	だし/鶏がらだし
鶏がらだしのもと(顆粒)	173	4群	市販品のデータ
鶏皮(胸)	52	2群	にわとり・副品目・皮・むね-生
鶏皮(もも)	53	2群	にわとり・副品目・皮・もも-生
鶏肉(ささ身)	54	2群	若どり・ささみ-生
鶏肉(手羽先)	54	2群	若どり・手羽さき・皮つき-生
鶏肉(手羽中)	54	2群	若どり・手羽・皮つき-生
鶏肉(手羽元)	54	2群	若どり・手羽もと・皮つき-生
鶏肉(鶏胸肉・皮つき)	52	2群	若どり・むね・皮つき-生
鶏肉(鶏胸肉・皮なし)	52	2群	若どり・むね・皮なし-生
鶏肉(鶏もも肉・皮つき)	53	2群	若どり・もも・皮つき-生
鶏肉(鶏もも肉・皮なし)	53	2群	若どり・もも・皮なし-生
鶏肉(ひき肉)	55	2群	にわとり・ひき肉-生
ドレッシング(ごまドレッシング)	157	4群	ドレッシング/ごまドレッシング
ドレッシング(サウザンアイランドドレッシング)	157	4群	ドレッシング/サウザンアイランドドレッシング
ドレッシング(中華風ドレッシング)	157	4群	市販品のデータ
ドレッシング(ノンオイル和風ドレッシング)	170	4群	ドレッシング/和風ドレッシングタイプ調味料
ドレッシング(フレンチドレッシング)	157	4群	ドレッシング/フレンチドレッシング-乳化液状
ドレッシング(和風ドレッシング)	157	4群	ドレッシング/和風ドレッシング
トロ(マグロ)	27	2群	まぐろ/くろまぐろ・脂身-生
とろけるチーズ	10	1群	チーズ/ナチュラルチーズ・エメンタール
豚カツソース(濃厚ソース)	168	4群	ウスターソース/濃厚ソース

食品名	掲載ページ	群別	食品成分表掲載名 ※一部省略
な 長芋	115	3群	やまのいも/ながいも・塊根-生
梨(西洋梨)	123	3群	なし/西洋なし-生
梨(日本梨)	123	3群	なし/日本なし-生
梨・缶詰め(西洋梨)	163	4群	なし/西洋なし-缶詰
なす	83	3群	なす・果実-生
ナタデココ	163	4群	ココナッツ・ナタデココ
菜種油(キャノーラ油)	155	4群	なたね油
納豆(糸引き納豆)	64	2群	だいず/納豆・糸引き納豆
納豆(ひきわり納豆)	64	2群	だいず/納豆・挽きわり納豆
菜の花	84	3群	なばな/和種なばな・花らい・茎-生
生揚げ(厚揚げ)	63	2群	だいず/生揚げ
生うどん	138	4群	こむぎ/うどん-生
生クリーム	156	4群	クリーム/クリーム・乳脂肪
生しいたけ(しいたけ)	106	3群	しいたけ/生しいたけ・菌床栽培-生
生そば	139	4群	そば-生
生中華めん	141	4群	こむぎ/中華めん-生
生ハム	51	2群	ぶた・ハム・生ハム・長期熟成
生パン粉(パン粉)	147	4群	こむぎ/パン粉-生
並塩(塩・天然塩)	164	4群	食塩/並塩
ナムプラー	169	4群	調味ソース/ナンプラー
なめこ	108	3群	なめこ・カットなめこ-生
奈良漬け	103	3群	しろうり・漬物・奈良漬
ナン	145	4群	こむぎ/パン・ナン
に にがうり(ゴーヤー)	84	3群	にがうり・果実-生
ニジマス	25	2群	さけ・ます/にじます・淡水養殖・皮つき-生
煮干しだし	172	4群	だし/煮干しだし
日本酒(酒)	174	4群	醸造酒/清酒・純米酒
日本梨(梨)	123	3群	なし/日本なし-生
にら	85	3群	にら・葉-生
にんじん	85	3群	にんじん・根・皮なし-生
にんじん・冷凍	101	3群	にんじん・根・冷凍
にんにく	86	3群	にんにく・りん茎-生
ぬ ぬかみそ漬け・かぶ	103	3群	かぶ・漬物・ぬかみそ漬・根・皮つき
ぬかみそ漬け・きゅうり	103	3群	きゅうり・漬物・ぬかみそ漬
ね ねぎ(小ねぎ・万能ねぎ)	86	3群	ねぎ/こねぎ・葉-生

食品名	掲載ページ	群別	食品成分表掲載名 ※一部省略
ねぎ(根深ねぎ)	87	3群	ねぎ/根深ねぎ・葉・軟白-生
ねぎ(葉ねぎ・九条ねぎ)	87	3群	ねぎ/葉ねぎ・葉-生
根深ねぎ(ねぎ)	87	3群	ねぎ/根深ねぎ・葉・軟白-生
根三つ葉(三つ葉)	92	3群	みつば/根みつば・葉-生
練りがらし	173	4群	からし・練り
練りごま(ごま)	161	4群	ごま・ねり
練りわさび	173	4群	わさび・練り
濃厚牛乳(牛乳)	6	1群	加工乳・濃厚
濃厚ソース(豚カツソース)	168	4群	ウスターソース/濃厚ソース
野沢菜・塩漬け	103	3群	のざわな・漬物・塩漬
のり(焼きのり)	111	3群	あまのり/焼きのり
ノンオイル和風ドレッシング	170	4群	ドレッシング/和風ドレッシングタイプ調味料
胚芽精米(ごはん)	132	4群	こめ/水稲めし・はいが精米
胚芽精米(米)	132	4群	こめ/水稲穀粒・はいが精米
パイナップル	124	4群	パインアップル-生
パイナップル・缶詰め	163	4群	パインアップル・缶詰
白菜	88	3群	はくさい・結球葉-生
パクチー(シャンツァイ・コリアンダー)	76	3群	コリアンダー・葉-生
白桃・缶詰め	163	4群	もも・缶詰・白肉種・果肉
薄力粉(小麦粉)	148	4群	こむぎ/小麦粉・薄力粉・1等
バジル	88	3群	バジル・葉-生
はす(れんこん)	97	3群	れんこん・根茎-生
パスタ類(乾)→スパゲティ・マカロニ(乾)	140	4群	こむぎ/マカロニ・スパゲッティ-乾
パスタ類(ゆで)→スパゲティ・マカロニ(ゆで)	140	4群	こむぎ/マカロニ・スパゲッティ-ゆで
パセリ	88	3群	パセリ・葉-生
バター(無塩)	155	4群	バター/食塩不使用バター
バター(有塩)	155	4群	バター/有塩バター
はちみつ	159	4群	はちみつ
はっさく	124	4群	はっさく・砂じょう-生
発泡酒	175	4群	醸造酒/発泡酒
バナナ	125	4群	バナナ-生
バナメイエビ	35	2群	えび/バナメイえび・養殖-生
葉ねぎ(ねぎ・九条ねぎ)	87	3群	ねぎ/葉ねぎ・葉-生
パパイヤ	125	3群	パパイア・完熟-生
パプリカ・赤(赤ピーマン)	89	3群	ピーマン/赤ピーマン・果実-生
パプリカ・黄(黄ピーマン)	89	3群	ピーマン/黄ピーマン・果実-生
ハマグリ	32	2群	はまぐり-生
ハム(ロースハム)	51	2群	ぶた・ハム・ロースハム
はらみ(牛[横隔膜])	47	2群	うし・副生物・横隔膜-生
バルサミコ酢	171	4群	食酢/果実酢・バルサミコ酢
はるさめ(乾)(ゆで)	142	4群	でんぷん製品/普通はるさめ-乾, ゆで
パルメザンチーズ(粉チーズ)	11	1群	チーズ/ナチュラルチーズ・パルメザン
バレンシアオレンジ(オレンジ)	119	3群	オレンジ/バレンシア・米国産・砂じょう-生
パン・イングリッシュマフィン	144	4群	こむぎ/パン・イングリッシュマフィン
パン・乾パン	146	4群	こむぎ/パン・乾パン
パン・クロワッサン	144	4群	こむぎ/パン・クロワッサン・レギュラータイプ
パン・コッペパン	144	4群	こむぎ/パン・コッペパン
パン・米粉パン	144	4群	こめ/米粉パン・小麦グルテン不使用のもの
パン・米粉入り食パン	144	4群	こめ/うるち米製品・米粉パン・食パン
パン・サンドイッチ用パン	143	4群	こむぎ/パン・角形食パン・耳を除いたもの
パン・食パン(4枚切り)	143	4群	こむぎ/パン・角形食パン・食パン
パン・食パン(5枚切り)	143	4群	こむぎ/パン・角形食パン・食パン
パン・食パン(6枚切り)	143	4群	こむぎ/パン・角形食パン・食パン
パン・食パン(8枚切り)	143	4群	こむぎ/パン・角形食パン・食パン
パン・食パン(12枚切り)	143	4群	こむぎ/パン・角形食パン・食パン
パン・全粒粉パン	144	4群	こむぎ/パン・全粒粉パン
パン・ナン	145	4群	こむぎ/パン・ナン
パン・ぶどうパン	145	4群	こむぎ/パン・ぶどうパン
パン・フランスパン	145	4群	こむぎ/パン・フランスパン
パン・ベーグル	145	4群	こむぎ/パン・ベーグル
パン・山形食パン	143	4群	こむぎ/パン・山形食パン・食パン
パン・ライ麦パン	145	4群	こむぎ/パン・ライ麦パン
パン・ロールパン	145	4群	こむぎ/パン・ロールパン
パン粉(乾燥パン粉)	147	4群	こむぎ/パン粉-乾燥
パン粉(生パン粉)	147	4群	こむぎ/パン粉-生
万能ねぎ(ねぎ・小ねぎ)	86	3群	ねぎ/こねぎ・葉-生
はんぺん	43	2群	はんぺん
ピータン	13	1群	卵/あひる卵・ピータン
ピーナッツ	161	4群	らっかせい・大粒種-いり

INDEX

食品名	掲載ページ	群別	食品成分表掲載名※ ※一部省略
ピーナッツバター	161	4群	らっかせい・ピーナッツバター
ビーフン(乾)	142	4群	こめ/うるち米製品・ビーフン
ピーマン(青ピーマン)	90	3群	ピーマン/青ピーマン・果実-生
ピーマン(赤パプリカ・赤ピーマン)	89	3群	ピーマン/赤ピーマン・果実-生
ピーマン(黄パプリカ・黄ピーマン)	89	3群	ピーマン/黄ピーマン・果実-生
ビール	174	4群	醸造酒/ビール・淡色
ひえ	153	4群	ひえ・精白粒
ひき肉(合いびき肉)	46	2群	計算値
ひき肉(牛肉)	46	2群	うし・ひき肉-生
ひき肉(鶏肉)	55	2群	にわとり・ひき肉-生
ひき肉(豚肉)	51	2群	ぶた・ひき肉-生
ひきわり納豆(納豆)	64	2群	だいず/納豆・挽きわり納豆
ピクルス(スイート型)	103	3群	きゅうり/漬物・ピクルス・スイート型
ピザ生地(ピザ台)	146	4群	こむぎ/ピザ生地
ピザ台(ピザ生地)	146	4群	こむぎ/ピザ生地
ひじき(芽ひじき、ステンレス釜)(乾)	112	3群	ひじき・ほしひじき・ステンレス釜-乾
ひじき(芽ひじき、ステンレス釜)(ゆで)	112	3群	ひじき・ほしひじき・ステンレス釜-ゆで
ひやむぎ(そうめん)(乾)	140	4群	こむぎ/そうめん・ひやむぎ-乾
ひやむぎ(そうめん)(ゆで)	140	4群	こむぎ/そうめん・ひやむぎ-ゆで
ひよこ豆(ガルバンゾ)(乾)	58	2群	ひよこまめ/全粒-乾
ひよこ豆(ガルバンゾ)(ゆで)	58	2群	ひよこまめ/全粒-ゆで
ヒラメ	26	2群	ひらめ・養殖・皮なし-生
びわ	126	3群	びわ-生
ビンナガマグロ	28	2群	まぐろ/びんなが・生
ふ(板ふ)	147	4群	こむぎ/ふ・焼きふ・板ふ
ふ(釜焼きふ)	147	4群	こむぎ/ふ・焼きふ・釜焼きふ
ふ(小町ふ)	147	4群	こむぎ/ふ・焼きふ・釜焼きふ
ファットスプレッド	156	4群	マーガリン/ファットスプレッド
ふき	90	3群	ふき・葉柄-生
福神漬け	103	3群	だいこん/漬物・福神漬
豚肉(薄切り・バラ)	49	2群	ぶた(大型種)・ばら・脂身つき-生
豚肉(薄切り・もも)	49	2群	ぶた(大型種)・もも・脂身つき-生
豚肉(薄切り・ロース)	49	2群	ぶた(大型種)・ロース・脂身つき-生
豚肉(角切り・肩ロース)	48	2群	ぶた(大型種)・かたロース・脂身つき-生
豚肉(角切り・バラ)	48	2群	ぶた(大型種)・ばら・脂身つき-生

食品名	掲載ページ	群別	食品成分表掲載名※ ※一部省略
豚肉(こま切れ・肩ロース)	50	2群	ぶた(大型種)・かたロース・脂身つき-生
豚肉(しゃぶしゃぶ用・ロース)	50	2群	ぶた(大型種)・ロース・脂身つき-生
豚肉(しょうが焼き用・肩ロース)	49	2群	ぶた(大型種)・かたロース・脂身つき-生
豚肉(しょうが焼き用・ロース)	49	2群	ぶた(大型種)・ロース・脂身つき-生
豚肉(豚カツ用・ヒレ)	48	2群	ぶた(大型種)・ヒレ・赤肉-生
豚肉(豚カツ用・ロース)	48	2群	ぶた(大型種)・ロース・脂身つき-生
豚肉(ひき肉)	51	2群	ぶた・ひき肉-生
豚肉+牛肉(合いびき肉)	46	2群	計算値
普通牛乳(牛乳)	6	1群	普通牛乳
ぶどう	126	3群	ぶどう-生
ぶどう(干しぶどう・レーズン)	131	3群	ぶどう・干しぶどう
ぶどうパン	145	4群	こむぎ/パン・ぶどうパン
ぶなしめじ(しめじ)	107	3群	しめじ/ぶなしめじ-生
ブラックタイガー(エビ)	35	2群	えび/ブラックタイガー・養殖-生
ブラックマッペもやし(もやし)	94	3群	もやし/ブラックマッペもやし-生
フランスパン	145	4群	こむぎ/パン・フランスパン
ブリ	26	2群	ぶり・成魚-生
ブルーチーズ	11	1群	チーズ/ナチュラルチーズ・ブルー
ブルーベリー	127	3群	ブルーベリー-生
ブルーベリー(ドライブルーベリー)	131	3群	ブルーベリー-乾
ブルーベリージャム	159	4群	ブルーベリー・ジャム
プルーン(干しプルーン)	131	3群	すもも/プルーン-乾
プレーンヨーグルト(ヨーグルト)	8	1群	ヨーグルト・全脂無糖
フレンチドレッシング	157	4群	ドレッシング/フレンチドレッシング・乳化液状
プロセスチーズ	9	1群	チーズ/プロセスチーズ
ブロッコリー	91	3群	ブロッコリー・花序-生
ベーグル	145	4群	こむぎ/パン・ベーグル
ベーコン	51	2群	ぶた・ベーコン・ばらベーコン
べにばな油(サフラワー油)	154	4群	サフラワー油・ハイオレック
べにばないんげん豆(乾)	58	2群	べにばないんげん・全粒-乾
べにばないんげん豆(ゆで)	58	2群	べにばないんげん・全粒-ゆで
棒かんてん(かんてん・角かんてん)	110	3群	てんぐさ・角寒天
ほうじ茶	175	4群	緑茶/ほうじ茶・浸出液
ほうれん草	91	3群	ほうれんそう・葉・通年平均-生
ほうれん草・冷凍	101	3群	ほうれんそう・葉-冷凍

188

食品名	掲載ページ	群別	食品成分表掲載名※ ※一部省略
干しあんず(あんず)	131	3群	あんず-乾
干しいちご	131	3群	いちご-乾
干しいちじく	131	3群	いちじく-乾
干しうどん(乾)	138	4群	こむぎ/うどん・干しうどん-乾
干しうどん(ゆで)	138	4群	こむぎ/うどん・干しうどん-ゆで
干しエビ	39	2群	えび/加工品・干しえび
干し柿(柿)	131	3群	かき・干しがき
干ししいたけ[香信](しいたけ)(乾燥)	106	3群	しいたけ/乾しいたけ-乾
干ししいたけ[香信](しいたけ)(ゆで)	106	3群	しいたけ/乾しいたけ-ゆで
干ししいたけ[冬菇](しいたけ)(乾燥)	107	3群	しいたけ/乾しいたけ-乾
干ししいたけ[冬菇](しいたけ)(ゆで)	107	3群	しいたけ/乾しいたけ-ゆで
干しそば(乾)	139	4群	そば/干しそば-乾
干しそば(ゆで)	139	4群	そば/干しそば-ゆで
干しぶどう(レーズン)	131	3群	ぶどう・干しぶどう
干しブルーベリー	131	3群	ブルーベリー-乾
干しプルーン(プルーン)	131	3群	すもも/プルーン-乾
ホタテガイ	33	2群	ほたてがい-生
ホタテ貝柱	33	2群	ほたてがい・貝柱-生
ホタルイカ(ゆで)	37	2群	いか/ほたるいか・ゆで
ホットケーキミックス	149	4群	こむぎ/小麦粉・プレミックス粉・ホットケーキ用
本格焼酎(乙類)	174	4群	蒸留酒/しょうちゅう・単式蒸留しょうちゅう
本シシャモ	38	2群	ししゃも・生干し-生
ポン酢しょうゆ	170	4群	調味ソース/ぽん酢しょうゆ・市販品
本みりん(みりん)	159	4群	混成酒/みりん・本みりん
ま マーガリン	156	4群	マーガリン/家庭用・有塩
マーマレード	159	4群	オレンジ・バレンシア・マーマレード・高糖度
まいたけ	108	3群	まいたけ-生
マカロニ・スパゲティ(乾)→パスタ類(乾)	140	4群	こむぎ/マカロニ・スパゲッティ-乾
マカロニ・スパゲティ(ゆで)→パスタ類(ゆで)	140	4群	こむぎ/マカロニ・スパゲッティ-ゆで
マグロ(キハダ)	28	2群	まぐろ/きはだ-生
マグロ(クロマグロ[赤身])	27	2群	まぐろ/くろまぐろ・天然・赤身-生
マグロ(クロマグロ[トロ])	27	2群	まぐろ/くろまぐろ・天然・脂身-生
マグロ(ツナ油漬け缶詰め)	41	2群	まぐろ/缶詰・油漬・フレーク・ライト
マグロ(ツナ水煮缶詰め)	41	2群	まぐろ/缶詰・水煮・フレーク・ライト
マグロ(ビンナガマグロ)	28	2群	まぐろ/びんなが-生

食品名	掲載ページ	群別	食品成分表掲載名※ ※一部省略
マグロ(ミナミマグロ[赤身])	28	2群	まぐろ/みなみまぐろ・赤身-生
マグロ(ミナミマグロ[トロ])	28	2群	まぐろ/みなみまぐろ・脂身-生
マグロ(メジマグロ)	28	2群	まぐろ/めじまぐろ-生
マグロ(メバチマグロ)	28	2群	まぐろ/めばち・赤身-生
マスカルポーネチーズ	11	1群	チーズ/ナチュラルチーズ・マスカルポーネ
マスタード(粒入りマスタード)	171	4群	からし・粒入りマスタード
マスノスケ(キングサーモン)	21	2群	さけ・ます/ますのすけ-生
マッシュルーム	109	3群	マッシュルーム-生
マッシュルーム水煮缶詰め	109	3群	マッシュルーム・水煮缶詰
松たけ	109	3群	まつたけ-生
抹茶	175	4群	緑茶・抹茶・茶
松の実	161	4群	まつ(実)
豆みそ・赤みそ	167	4群	みそ/豆みそ
マヨネーズ	157	4群	ドレッシング/マヨネーズ・卵黄型
マンゴー	127	3群	マンゴー-生
マンゴー(ドライマンゴー)	131	3群	マンゴー・ドライマンゴー
み みかん(温州みかん[薄皮つき])	128	3群	うんしゅうみかん/じょうのう・普通-生
みかん(温州みかん[薄皮なし])	128	3群	うんしゅうみかん/砂じょう・普通-生
みかん・缶詰め	163	4群	うんしゅうみかん/缶詰・果肉
水菜(京菜)	92	3群	みずな・葉-生
みそ(赤みそ・豆みそ)	167	4群	みそ/豆みそ
みそ(減塩みそ)	167	4群	みそ/減塩みそ
みそ(白みそ)	167	4群	みそ/米みそ・甘みそ
みそ(赤色辛みそ)	166	4群	みそ/米みそ・赤色辛みそ
みそ(淡色辛みそ)	166	4群	みそ/米みそ・淡色辛みそ
みそ(豆みそ・赤みそ)	167	4群	みそ/豆みそ
みそ(麦みそ)	166	4群	みそ/麦みそ
三つ葉(糸三つ葉)	92	3群	みつば・糸みつば・葉-生
三つ葉(根三つ葉)	92	3群	みつば・根みつば・葉-生
ミナミマグロ(赤身)	28	2群	まぐろ/みなみまぐろ・赤身-生
ミナミマグロ(トロ)	28	2群	まぐろ/みなみまぐろ・脂身-生
ミニトマト(トマト)	83	3群	トマト/赤色ミニトマト・果実-生
みょうが	93	3群	みょうが・花穂-生
みりん(本みりん)	159	4群	混成酒/みりん・本みりん
む 無塩バター	155	4群	バター/食塩不使用バター

189

INDEX

食品名	掲載ページ	群別	食品成分表掲載名 ※一部省略
むきエビ(エビ)	36	2群	えび/しばえび-生
麦茶	175	4群	麦茶・浸出液
麦みそ(みそ)	166	4群	みそ/麦みそ
蒸し大豆(黄大豆[ドライパック])	61	2群	だいず/蒸し大豆・黄大豆
蒸し中華めん	141	4群	こむぎ/中華めん・蒸し中華めん
無脂肪無糖ヨーグルト	8	1群	ヨーグルト・無脂肪無糖
め メープルシロップ	159	4群	メープルシロップ
メカジキ(カジキ)	16	2群	かじき/めかじき-生
メジマグロ	28	2群	まぐろ/めじまぐろ-生
メバチマグロ	28	2群	まぐろ/めばち・赤身-生
メバル	29	2群	めばる-生
芽ひじき(ひじき、ステンレス釜)(乾)	112	3群	ひじき・ほしひじき・ステンレス釜-乾
芽ひじき(ひじき、ステンレス釜)(ゆで)	112	3群	ひじき・ほしひじき・ステンレス釜-ゆで
メロン	128	3群	メロン・温室メロン-生
明太子	42	2群	たら/すけとうだら・からしめんたいこ
めんつゆ(3倍希釈用タイプ)	170	4群	めんつゆ・三倍濃縮
めんつゆ(ストレート)	170	4群	めんつゆ・ストレート
も もずく	112	3群	もずく・塩蔵・塩抜き
もち(角もち)	137	4群	こめ/もち米製品・もち
もち米	134	4群	こめ/水稲穀粒・精白米・もち米
もち米ごはん	134	4群	こめ/水稲めし・精白米・もち米
モッツァレラチーズ	11	1群	チーズ/ナチュラルチーズ・モッツァレラ
もめん豆腐(豆腐)	62	2群	だいず/木綿豆腐
桃	129	3群	もも・白肉種-生
桃・缶詰め(白桃)	163	4群	もも・缶詰・白肉種・果肉
桃・缶詰め(黄桃)	163	4群	もも・缶詰・黄肉種・果肉
もやし(大豆もやし)	93	3群	もやし・だいずもやし-生
もやし(ブラックマッペもやし)	94	3群	もやし・ブラックマッペもやし-生
もやし(緑豆もやし)	94	3群	もやし/りょくとうもやし-生
モロヘイヤ	95	3群	モロヘイヤ・茎葉-生
や 焼きおにぎり	137	4群	こめ/うるち米製品・焼きおにぎり
やぎチーズ(シェーブル)	11	1群	チーズ/ナチュラルチーズ・やぎ
焼き肉のたれ	170	4群	調味ソース/焼き肉のたれ
焼きのり(のり)	111	3群	あまのり/焼きのり
焼き豚	51	2群	ぶた・焼き豚

食品名	掲載ページ	群別	食品成分表掲載名 ※一部省略
やし油(ココナッツオイル)	154	4群	やし油
山形食パン	143	4群	こむぎ/パン・山形食パン・食パン
ゆ 有塩バター	155	4群	バター/有塩バター
ゆず(果汁)	129	3群	ゆず・果汁-生
ゆず(果皮)	129	3群	ゆず・果皮-生
ゆで小豆缶詰め[加糖]	162	4群	あずき/ゆで小豆缶詰
ゆでうどん	138	4群	こむぎ/うどん-ゆでor干しうどん-ゆで
ゆでズワイガニ	36	2群	かに/ずわいがに-ゆで
ゆでそば	139	4群	そば-ゆでor干しそば-ゆで
ゆでダコ(タコ)	37	2群	たこ/まだこ-ゆで
ゆで中華めん	141	4群	こむぎ/中華めん-ゆで
湯葉(生)	65	2群	だいず/湯葉-生
よ ようさい(空心菜)	70	3群	ようさい・茎葉-生
ヨーグルト(加糖ヨーグルト)	8	1群	ヨーグルト・脱脂加糖
ヨーグルト(プレーンヨーグルト)	8	1群	ヨーグルト・全脂無糖
ヨーグルト(無脂肪無糖)	8	1群	ヨーグルト・無脂肪無糖
ヨーグルトドリンク	9	1群	ヨーグルト・ドリンクタイプ・加糖
洋風だし	172	4群	だし/洋風だし
ら ラード	156	4群	ラード
ライスペーパー	146	4群	こめ/うるち米製品・ライスペーパー
ライ麦粉	153	4群	ライむぎ・ライ麦粉
ライ麦パン	145	4群	こむぎ/パン・ライ麦パン
らっきょう漬け	103	3群	らっきょう・甘酢漬
ラディッシュ	95	3群	はつかだいこん・根-生
ラム(ロース)	55	2群	めんよう・ラム・ロース・脂身つき-生
卵黄	12	1群	鶏卵/卵黄-生
卵白	13	1群	鶏卵/卵白-生
り リーフレタス	96	3群	レタス/ナチュラルチーズ・リコッタ
リコッタチーズ	11	1群	チーズ/ナチュラルチーズ・リコッタ
料理酒	169	4群	調味料類/その他・料理酒
緑茶	175	4群	緑茶/せん茶・浸出液
緑豆(乾)	59	2群	りょくとう・全粒-乾
緑豆(ゆで)	59	2群	りょくとう・全粒-ゆで
緑豆もやし(もやし)	94	3群	もやし/りょくとうもやし-生
りんご(皮むき)	130	3群	りんご・皮なし-生

	食品名	掲載ページ	群別	食品成分表掲載名 ※一部省略
	りんごジャム	159	4群	りんご・ジャム
る	ルッコラ	96	3群	ルッコラ・葉・生
れ	レーズン(干しぶどう)	131	3群	ぶどう・干しぶどう
	冷凍枝豆	101	3群	えだまめ・冷凍
	冷凍かぼちゃ	101	3群	かぼちゃ/西洋かぼちゃ・果実-冷凍
	冷凍グリーンピース	101	3群	えんどう/グリンピース-冷凍
	冷凍コーン	101	3群	とうもろこし/スイートコーン・カーネル-冷凍
	冷凍にんじん	101	3群	にんじん・根・冷凍
	冷凍ほうれん草	101	3群	ほうれんそう・葉・冷凍
	レタス	97	3群	レタス・土耕栽培・結球葉-生
	レタス(サニーレタス)	73	3群	レタス/サニーレタス・葉-生
	レタス(サラダ菜)	74	3群	レタス/サラダな・葉-生
	レタス(サンチュ)	75	3群	レタス/サンチュ・葉-生
	レタス(リーフレタス)	96	3群	レタス/リーフレタス・葉-生
	レバー(牛)	47	2群	うし・肝臓-生
	レバー(鶏)	55	2群	にわとり・肝臓-生
	レモン	130	3群	レモン・全果-生
	れんこん(はす)	97	3群	れんこん・根茎-生
	レンズ豆(乾)	59	2群	レンズまめ・全粒-乾
	レンズ豆(ゆで)	59	2群	レンズまめ・全粒-ゆで
ろ	ロイヤルミルクティー	175	4群	計算値
	ロースハム	51	2群	ぶた・ハム・ロースハム
	ロールパン	145	4群	こむぎ/パン・ロールパン
わ	ワイン(赤ワイン)	175	4群	醸造酒/ぶどう酒・赤
	ワイン(白ワイン)	175	4群	醸造酒/ぶどう酒・白
	ワカサギ	29	2群	わかさぎ-生
	わかめ(カットわかめ)	113	3群	わかめ/カットわかめ-乾
	わかめ(生わかめ)	113	3群	わかめ/湯通し塩蔵わかめ・塩抜き-生
	わさび(練り)	173	4群	わさび・練り
	わさび漬け	103	3群	わさび・わさび漬
	和風だしのもと(顆粒)	173	4群	だし/顆粒和風だし
	和風ドレッシング	157	4群	ドレッシング/和風ドレッシング
	和風ドレッシング(ノンオイル)	170	4群	ドレッシング/和風ドレッシングタイプ調味料

概量や単位や栄養成分値の説明

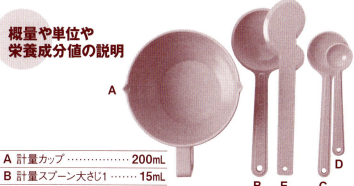

A	計量カップ	200mL
B	計量スプーン大さじ1	15mL
C	計量スプーン小さじ1	5mL
D	計量スプーンミニスプーン※	1mL
E	すりきり用へら	

※ミニスプーン(1mL)は、少量の食塩などを計ることができるので便利。

価格／1本165円（税込）
販売先／女子栄養大学代理部
お問い合わせ
TEL **03-3949-9371**

●単位について

$1g = 1000mg = 1000000\mu g$
$1mg = 1000\mu g$

	読み方
g	（グラム）
mg	（ミリグラム）
μg	（マイクログラム）

●参考資料
『食品図鑑』『食品成分表』『食品80キロカロリーガイドブック』『エネルギー早わかり』『塩分早わかり』『腎臓病の食品早わかり』『食品成分最新ガイド 栄養素の通になる』『調理のためのベーシックデータ』（すべて栄養大学出版部）。詳細は192ページ掲載。

●栄養成分値について
・栄養成分値は、文部科学省「日本食品標準成分表2020年版（八訂）」（以下「食品成分表2020（八訂）」と略す）対応の栄養計算ソフト『栄養Pro Cloud』（女子栄養大学出版部）で算出しました。
・「食品成分表2020（八訂）」は2021年12月27日時点のものです。
・「食品成分表2020（八訂）」のどの食品の栄養成分値を掲載したかは、索引(178ページ〜)に明記しました。

女子栄養大学出版部の本
全国書店にてとり扱い中！

在庫がない場合は、書店または下記に直接ご注文ください。
女子栄養大学出版部営業課
電話 03-3918-5411（平日9〜17時）　ホームページ https://eiyo21.com/

エネルギー早わかり
牧野直子／監修
- B5判変型
- 216ページ
- 定価 1760 円（税込）

日常的によく食べる食品900点について、エネルギー量を写真とともに収載。たんぱく質、脂質、炭水化物、塩分（食塩相当量）などのデータも併記。

塩分早わかり
牧野直子／監修
- B5判変型
- 192ページ
- 定価 1760 円（税込）

食品や料理にどのくらい塩分が含まれているかひと目でわかるデータ本。市販食品はもちろん、調味料や加工食品の「減塩商品」も多数掲載。減塩に役立つアドバイスも充実。

減塩のコツ早わかり
牧野直子／監修
- B5判変型
- 124ページ
- 定価 1320 円（税込）

調味料の使い方や食材の選び方、味つけのくふう、食べ方でこんなに減塩できる！目からウロコの減塩方法が満載です。減塩したい人の入門書。

腎臓病の料理のコツ早わかり
竹内冨貴子／著
- B5判変型
- 144ページ
- 定価 1760 円（税込）

腎臓病の人の食事管理に役立つデータブック。食品や料理のたんぱく質、塩分、カリウムなどのコントロール法がひと目でわかる。料理レシピも豊富。

毎日の食事のカロリーガイド
香川明夫／監修
- A5横判
- 232ページ
- 定価 1870 円（税込）

外食メニュー、ファストフード、コンビニ食品、市販食品、家庭の手作りおかずなど約900品をカラー写真で収載。エネルギー、たんぱく質、脂質、炭水化物、塩分、添加糖分、コレステロール、食物繊維、カリウムなどを明示。

家庭のおかずのカロリーガイド
香川明夫／監修
- A5横判
- 240ページ
- 定価 1870 円（税込）

4つの食品群別の食材をさまざまな調理法で展開。同じ食材でも調理法によるカロリーの違いが一目でわかるように並べて紹介。掲載料理約600品のレシピ付き。

外食・コンビニ・惣菜のカロリーガイド
香川明夫／監修
- A5横判
- 128ページ
- 定価 1540 円（税込）

レストランやカフェ、居酒屋、ファストフード店の人気メニューや市販のお惣菜やお弁当、コンビニ食品をカラー写真で収載し、栄養価も明示。

調理のためのベーシックデータ
女子栄養大学・女子栄養大学短期大学部調理学研究室／監修
- A5横判
- 184ページ
- 定価 2200 円（税込）

塩分データが充実。揚げ物の吸油率、乾物のもどし率、食品の廃棄率、野菜の調理前後のビタミン変化など、各種実験結果が一目瞭然。栄養価計算に必要なデータが満載。

栄養Pro クラウド
- 定価（年間使用料）／6600 円（税込）

クラウド版の栄養計算ソフト。インストール不要でネット環境があれば、パソコンやタブレットでいつでもどこでも栄養計算・栄養評価ができます。食品の写真多数、約1500点の料理データを収載。栄養計算が手軽にできます。

はじめての食品成分表
八訂版
香川明夫／監修
- A5判
- 272ページ
- 定価 1540 円（税込）

どなたでも使える成分表です。食品名はなじみのある名前におき変えたり、文字も大きく見やすくしました。栄養項目を厳選してあり、サイズもハンディです。

バランスのよい食事ガイド なにをどれだけ食べたらいいの？
香川明夫／監修
- B5判
- 88ページ
- 定価 1210 円（税込）

国が推奨する食事摂取基準と女子栄養大学が独自に行う食事調査をふまえ、1日に食べたい食品の種類と量、さらに具体的な料理をご紹介。毎日の食事で健康に！